JÉSUS dit BARABBAS

Du même auteur

Contradictions et invraisemblances dans la Bible, L'Archipel, 2013.
Padre Pio ou les prodiges du mysticisme, Presses du Châtelet, 2008.
Cargo, la religion des humiliés du Pacifique, Calmann-Lévy, 2005.
L'Affaire Marie-Madeleine, Jean-Claude Lattès, 2002.
Les Cinq Livres secrets dans la Bible, Jean-Claude Lattès, 2001.
Histoire générale de l'antisémitisme, Jean-Claude Lattès, 1999.
Histoire générale de Dieu, Robert Laffont, 1999.
Histoire générale du Diable, Robert Laffont, 1993.
L'homme qui devint Dieu, t. 1-3, Robert Laffont, 1995-1998.

www.editions-jclattes.fr

Gerald Messadié

JÉSUS dit BARABBAS

Roman

JC Lattès

Maquette de couverture : Atelier Didier Thimonier
Photo : Oliver Brennesein/Plainpicture

ISBN : 978-2-7096-4660-4

© 2014, éditions Jean-Claude Lattès.
Première édition octobre 2014.

Avant-propos

S'il est un principe conforme à l'enseignement de Jésus, c'est la recherche de la vérité.

De pape en pape, depuis Linus (67-76), premier successeur de Pierre, les dogmes du christianisme se succèdent, tels des moellons éternels dans l'édifice de la religion. Parallèlement, l'étude historique de cette religion progresse, mais d'une manière que les autorités ecclésiales jugent parfois trop indépendante, voire impertinente, justement parce qu'elle recherche la vérité et que celle-ci, quand elle est trouvée, ne correspond pas à leur idée de ce qu'elle doit être. Quand, voici un tiers de siècle, j'entrepris de raconter dans *L'Homme qui devint Dieu* l'histoire de Jésus, de façon plus réaliste que les récits schématiques des Évangiles, les ondes de choc causées par la découverte fortuite des manuscrits de la mer Morte en 1947 ne cessaient de s'amplifier. Et elles se propageaient des cénacles érudits jusqu'aux communautés chrétiennes, orthodoxes, protestantes et, bien sûr, catholiques. Ces manuscrits posaient en effet une question majeure : Jésus avait-il fait partie des Esséniens, cette communauté contemporaine installée au nord de la mer Morte ? Hors du cercle restreint des biblistes et des historiens, nul ne percevait la portée de la question et bien peu savaient ce qu'avaient été les Esséniens ; il fallut attendre trente-cinq ans que la traduction des premiers fragments de leurs manuscrits fût publiée. Et encore ne parut-elle que sous forme d'opuscules savants qui ne pouvaient certes pas répondre à la curiosité des profanes. Aucune chance d'atteindre le public d'un *Da Vinci Code*.

La recherche historique contrariait, en effet, les gardiens du dogme. L'évidence indiquait que Jean le Baptiste avait bien fait partie des Esséniens et que, en baptisant Jésus, il l'y avait admis. Cela ne correspondait pas aux récits des Évangiles, fondements des Églises, et encore moins à l'enseignement traditionnel ; cela risquait même de le contredire, en impliquant que l'enseignement de Jésus aurait été influencé par cette secte mystérieuse et non dicté par l'inspiration divine. Les faits paraissaient pourtant probants, à commencer par le rite du baptême, ainsi que l'hostilité déclarée au clergé du Temple de Jérusalem et à ce monument symbolique lui-même, que Jésus avait suggéré de détruire et de reconstruire en trois jours. J'incorporai dans *L'Homme qui devint Dieu* des éléments des premières traductions et analyses. Le résultat fut prompt : dans un pamphlet contre moi, un abbé courroucé me traita d'antéchrist.

La recherche historique n'agréait guère, pour dire le moins, aux autorités ecclésiales. Et les manuscrits faisaient l'objet de querelles d'érudits de plus en plus violentes, voire venimeuses. Le goût du secret, commun à tant de gens de savoir, fut éperonné par le soupçon que certaines idées de Jésus trouvaient leurs origines à Quoumrân – obstinément orthographié à l'anglaise, Qumran – et pour des motifs mystérieux, en partie religieux, les spécialistes en charge de la traduction des rouleaux l'alimentèrent par des attitudes confiscatoires. Des coups de force semèrent le désarroi, des scandales éclatèrent, des réputations vacillèrent. L'incurable esprit de complot en arriva à la sempiternelle conclusion : « On nous cache quelque chose. » Elle n'était pas sans fondements : en 1991, quatre cents fragments étaient interdits de reproduction et de traduction, un certain Dr John Strugnell, de l'université Rockefeller, prétendant exercer dessus un monopole *sine die*. Quand, dans un coup de force mémorable, Hershell Shanks, de la *Biblical Archeology Review*, en publia la traduction, Strugnell demanda la somme fabuleuse d'un million de dollars de dommages pour « vol ». Mais ce ne fut là qu'un épisode de la longue saga de ces manuscrits.

Et l'on continue, en ce début du xxiᵉ siècle, de raconter – entendez : publier – des contre-vérités sur les Esséniens, Jean le Baptiste et le baptême essénien, comme si ce rite avait existé de toute éternité.

Les remous causés par les fameux manuscrits ne s'étaient pas encore apaisés lorsque, en 2010, un choc comparable, sinon plus grave, secoua la communauté des biblistes. Karen I. King, de la faculté de théologie de Harvard, avait découvert un fragment de manuscrit en copte sahidique, langue ancienne de la Haute-Égypte, semblant relater une conversation entre Jésus et ses disciples sur l'âme qui l'habite et les personnes qui partagent son intimité. Six mots du texte semèrent le désarroi : « Jésus dit : "Ma femme…" » La femme de Jésus ? Il aurait donc été marié ? Tous les enseignements traditionnels chrétiens sur la sexualité, la chasteté, le célibat des prêtres catholiques en furent menacés. L'émoi, d'abord contenu dans les murs de quelques cénacles, se répandit en 2013 quand les travaux de Mme King furent rapportés dans les médias et, en France, deux émissions de télé lui furent consacrées.

Une fois de plus, les débats savants tentèrent de faire écran à ce qu'il fallait bien définir comme une remise en cause radicale des attitudes religieuses à l'égard de la sexualité. On argua d'abord qu'il ne s'agissait que d'un fragment de manuscrit du IVe siècle, donc « tardif » ; c'était faire abstraction d'un texte connu depuis 1945, celui de l'Évangile apocryphe de Philippe, qui parlait déjà de la « compagne de Jésus ». Certes, depuis le IVe siècle (l'an 367 exactement), les écrits apocryphes, très nombreux, cessèrent d'être considérés comme canoniques, c'est-à-dire susceptibles de fonder la doctrine chrétienne ; cela signifiait-il qu'on n'y trouvait aucun élément de valeur historique ? Après tout, comme les textes canoniques, ils provenaient de traditions orales transmises par les premiers témoins du ministère de Jésus*. Et il est notoire que, dans l'établissement de la version autorisée du Nouveau Testament, l'Église a porté bien plus d'intérêt à la Passion et à la Résurrection qu'aux circonstances historiques de la vie de Jésus. Ainsi, elle ne lui reconnaît pas de frères alors même qu'ils sont cités par les textes canoniques.

Toujours est-il qu'un récit rédigé dans les années 1980 et publié en 1988 était « dépassé » par les découvertes et les travaux d'exégèse qui ne se sont jamais interrompus. J'étudiai

---

Histoire de la tradition synoptique, v. bibl.

alors les possibilités d'une mise à jour de mon récit. Ce n'était pas là un projet littéraire au sens habituel de ces mots. Depuis ma lointaine enfance, le personnage de Jésus a occupé une place croissante dans mon esprit et je n'ai cessé de méditer sur la portée de son enseignement et les raisons d'une influence qui s'est perpétuée au travers de vingt siècles. Car si cet enseignement a contribué à forger l'identité de l'Occident, il demeure aussi une clef pour tous ceux qui aspirent à transcender la condition humaine. Les pages que j'avais écrites et les heures que j'avais consacrées à la lecture des documents reflétaient d'abord une recherche personnelle.

Advint alors un choc.

L'éminent exégète et bibliste Rudolf Bultmann a démontré que les premiers témoignages de la vie et de l'enseignement de Jésus furent d'abord perpétués par la tradition orale ; d'où leur multiplicité et leurs différences. Les premières versions écrites des Évangiles ne furent réalisées qu'à partir de l'an 70, après la destruction du Temple de Jérusalem par les troupes romaines. Elles consistèrent en une transcription de l'araméen, langue courante de la Palestine, que parlait Jésus, au grec, langue commune de la Méditerranée orientale. Ces transcriptions durèrent jusqu'au IVe siècle, le plus souvent hors de l'influence de l'Église de Rome. Chaque communauté de chrétiens adoptait celle qui convenait le mieux à sa culture et à ses traditions, et l'on suppose que certaines les modifiaient aussi, sous l'autorité de l'évêque local.

Plusieurs experts soupçonnèrent des erreurs de traduction par les copistes de régions lointaines, qui ne connaissaient qu'imparfaitement l'araméen. En témoignait, par exemple, le mot « Didyme », c'est-à-dire « jumeau », accolé à l'apôtre Thomas sans raison visible, car on ne dit jamais de qui il aurait été jumeau ; or, la raison en est que le nom araméen *Touma* ne diffère du mot « jumeau », *touma*, que par l'accent terminal.

Reprenant l'une de ces études philologiques, je tombai sur le nom Barabbas, le brigand dont, selon les Évangiles, le peuple juif aurait demandé la libération à la place de Jésus. Or, ce nom signifie « fils du père » ; ce ne peut donc être un nom, car nous sommes tous fils de nos pères ; il est l'équivalent du *beni Adam*, «fils d'Adam», courant en arabe, équivalent de «quidam» ou «créature», ou bien encore «premier venu». La révélation fut violente. Outre ma connaissance de l'Orient, le bon sens m'indiquait qu'aucun homme n'aurait pu porter ce nom, même comme surnom, sauf à se couvrir de ridicule, à l'exception de celui qui se définissait comme le Fils du Père, Jésus.

Les premiers rédacteurs, qui ne parlaient pas araméen, avaient commis l'une des erreurs de traduction les plus formidables de l'histoire de la traduction : c'était bien Jésus dont les Juifs, assemblés devant le prétoire de la résidence de Pilate, avaient demandé la libération.

Erreur lourde de conséquences et de révélations car, sur cette base, les évangélistes avaient monté un récit controuvé, destiné à rejeter sur les Juifs la responsabilité de la condamnation de Jésus, présentant Ponce Pilate comme son défenseur.

Or, c'était une autre absurdité. Nous connaissons le personnage par *La Guerre des Juifs* de Flavius Josèphe : il était impitoyable et brutal. Et le «Barabbas» décrit par les Évangiles canoniques était un «brigand» (Jn. XVIII, 40), un «prisonnier célèbre» (Mt. XXVII, 16), «arrêté avec les émeutiers qui avaient commis un meurtre dans un soulèvement» (Mc. XV, 7), à Jérusalem même (Lc. XXIII, 19). Il était hors de question pour un garant de l'ordre romain qu'il libérât un émeutier. Et cet émeutier était Jésus lui-même.

Quelle avait été cette émeute ? Tout indique que ce fut celle qui suivit l'attaque au fouet contre les marchands du Temple. Ni les évangélistes, écrivant près d'un demi-siècle après les événements, ni leurs auditeurs ne savaient qu'il y avait à Jérusalem quelque huit mille prêtres et que l'attaque contre les marchands ne pouvait avoir manqué d'entraîner une réaction énergique des autorités du Temple.

Toute l'histoire de Jésus était à revoir, y compris ce que j'en avais reconstitué. C'est l'objet de ces pages.

Je me limiterai ici à dire qu'elles ne changent pas l'enseignement de Jésus, mais seulement son personnage et son histoire.

Seul tombe un pan du mythe.

I.

L'homme qui ressuscita

1.

Des bœufs, des veaux, des brebis, des agneaux avançaient
par dizaines, à travers une foule dense, sur l'esplanade entourant le monument le plus magnifique du monde, le Temple,
construit par Hérode le Grand à Jérusalem; œil morne et
nuque basse, et pour cause, ils étaient menés au sacrifice et
semblaient le savoir. Sans doute étaient-ils informés par les
fumets de viandes rôties que charriait la brise au travers des
cours et des terrasses du Temple : c'étaient celles du sacrifice
permanent, le *tamid*, et celles des sacrifices privés. Elles en
disaient assez : ils seraient égorgés, saignés, désentripaillés,
découpés et mis à cuire sur les autels. Le parfum de cette cuisine était censé charmer les narines du Très-Haut. Les morceaux les plus fins seraient cependant séparément rissolés
à la poêle pour le grand prêtre. Et presque partout, au bas
des remparts ou près des escaliers, des centaines de cages de
colombes et de passereaux voués, eux aussi, à une fin préma-
turée pour complaire à leur Créateur. Des groupes compacts
devant des étals chargés de parfums, d'autres de cruchons
d'huile et de vin, d'autres encore de pains de proposition et
maintenant de pains azymes, en souvenir du dernier repas
des Hébreux avant la fuite du pays de Pharaon.
   Et sur les longues terrasses du bas, dans la cour des
Païens, sept ou huit tables de changeurs examinant, pesant
et comptant des pièces d'argent et parfois d'or, sicles et
deniers, didrachmes de Tyr, deniers d'Auguste et de Tibère,
vieilles monnaies frappées du temps d'Hérode le Grand ou
d'Alexandre Jannée, ainsi que quelques pièces plus exotiques,

d'Alexandrie ou d'Éphèse ; ce qui suscitait fréquemment des querelles, en araméen, en hébreu, en grec, en syriaque, interrompues à l'occasion par les cris des animaux égorgés.

— Tes pièces sont rognées !

— Comment, rognées ? Elles sont presque neuves !

— Rognées, je te dis : la balance le prouve.

Car l'on venait du monde entier à Jérusalem, pour la Pessah, ou Pâque. Et pour cette occasion, on ne pouvait acheter d'offrandes avec ce qu'à Jérusalem on qualifiait de monnaie impure ; il fallait l'échanger contre de la monnaie pure, c'est-à-dire frappée à Jérusalem. Chaque fidèle digne de ce nom était censé dépenser dans la Ville sainte une partie de son revenu annuel, la seconde dîme, sur le bétail, les produits des arbres et les vignes de plus de quatre ans, en plus de la première, qui était prélevée directement. Et ce n'était pas tout, il existait aussi des dîmes sur des produits particuliers, comme l'aneth, mais on n'en parlait pas trop, car le sujet contrariait certains.

Cela représentait beaucoup d'argent, car la population de la ville doublait pour la grande fête, atteignant quelque cent cinquante mille personnes, sinon plus. Les toits et les cours des maisons étaient loués aux pèlerins, et plus une paillasse libre ne restait dans les auberges alentour, plus une grange jusqu'à Béthanie, Bethphagé ou Bethléem. Aussi beaucoup plantaient-ils leurs tentes dans les bois de Gethsémani ou la vallée du Cédron, ce qui d'ailleurs leur permettait de faire leurs ablutions dans les eaux maigrelettes du Gihon plus commodément qu'en ville, sans parler d'autres considérations que la décence déconseille de préciser.

Dans la cour des Prêtres et la cour des Femmes du Temple, théâtre éclatant, rutilant d'or et destination finale des pèlerinages, le même spectacle d'opulence, chaque année à la même période, s'offrait aux regards dès que les lévites ouvraient les deux somptueux vantaux de la porte de Nicanor, au son des cloches de bronze. Ensuite, les trompettes annonçaient la première prière.

Gloire à l'Éternel pour qui Ses créatures assemblaient ces richesses !

Et soudain, le chaos.

Des cris, des bousculades, des étals renversés, des colombes et des passereaux s'échappant de leurs cages brisées, des pièces de monnaie jetées par terre. Un fouet qui claquait furieusement, tenu par un homme vociférant :

— Vous avez fait de la maison de mon Père une maison de voleurs !

D'autres hommes qui poursuivaient furieusement le saccage.

Des femmes crièrent, emmenant leurs enfants. Les colombes affolées se débattirent dans leurs cages et, plusieurs ayant été fracassées, beaucoup d'oiseaux réussirent à gagner le ciel, vivants cette fois.

Puis les bruits sourds de coups de poing et ceux, plus secs, de bâton sur les étals et les échines.

Çà et là, des sandales perdues, des bijoux cassés et même des phylactères tombés des fronts ou des cheveux de prêtres.

En grec, en araméen, en syriaque ou en arménien, les cris de la foule ne disaient qu'une chose : il fallait fuir.

Une rumeur saccadée et hargneuse, coupée de cris et de clameurs, enfla et se répandit dans l'air, répercutée par les pierres du décor, celles du Temple, du rempart du nord et de l'esplanade entourant le Palais hasmonéen, siège du prétoire, c'est-à-dire du pouvoir romain. Un habitant de Jérusalem lui-même aurait eu du mal à en déchiffrer les mots, mais pour un Romain tel que le procurateur de Judée Ponce Pilate, le message n'en était que trop clair : fureur et violence.

À quatre jours de la plus grande fête juive, la Pessah, en cette dix-neuvième année du règne de l'empereur Tibère*, c'était alarmant ; d'ordinaire, à cette date, les Juifs étaient absorbés par les préparatifs de la célébration et faisaient taire leurs querelles. Et celles-ci n'étaient jamais si brutales.

L'ombre de l'aiguille de pierre, sur le cadran solaire dans la cour du Palais, qui était aussi la résidence de Pilate, indiquait la quatrième heure depuis l'aube, donc la dixième depuis minuit. La clepsydre ou horloge à eau, à l'intérieur du Palais,

---

* L'an 33 de notre ère.

était d'ailleurs en accord avec elle. Le Romain, assis devant la grande porte ouvrant sur la terrasse, leva les yeux vers le capitaine debout devant lui, le centurion Sextus Valerianus, chef de la maison militaire du procurateur. La brise énervée qui courait sur la ville agitait les tentures et jusqu'au bout de la bande de papyrus que le procurateur tenait entre ses doigts ; c'était le rôle des soldes de la ivᵉ légion qui venait de lui être soumis.

Détail intrigant : des beuglements et des bêlements se mêlaient aux cris humains.

— Qu'est-ce qui se passe ?

— Je l'ignore, procurateur.

La clameur enfla soudain en un magma de cris de fureur ou de douleur, sans doute les deux. À l'évidence, des gens, beaucoup de gens, se battaient quelque part au nord du Palais.

— Va t'informer.

Arrivé en Judée avec son maître six ans plus tôt, Valerianus parlait araméen, ce qui n'était pas courant dans les forces romaines ; il avait mis son séjour à profit pour apprendre cette langue, savoir ce que disaient les gens entre eux et ainsi organiser un service de renseignement ; mais il avait renoncé à l'hébreu, trop difficile et que, d'ailleurs, les prêtres surtout parlaient. Il sortit. Pilate se leva, l'air maussade, et son secrétaire, Publius Albinus, le suivit d'un regard soucieux ; il le savait aussi bien que son maître : si une émeute venait de se déclencher, la légion devrait intervenir. Mais quel aurait pu en être le motif ?

Et les cris continuaient, de plus en plus sauvages. C'était décidément une ville de haine que Jérusalem !

C'était aussi une ville à deux têtes, Pilate et Caïphe, l'un chargé d'y faire régner l'Ordre romain, l'autre la Loi juive ; autant dire que le Lion était contraint de cohabiter avec l'Aigle. Ménage contre nature, s'il en fut jamais.

Procula, l'épouse de Pilate, apparut, sourcils froncés, masque interrogateur et inquiet.

— Nous allons bientôt savoir ce qui se passe, lui dit Pilate, prévenant sa question.

Valerianus, lui, n'était pas allé loin : il était monté sur le rempart ceignant le nord de la ville haute ; il observa la scène en contrebas. Trois ou quatre milliers de gens, presque tous des hommes, se battaient sauvagement, à coups de gourdin, de bâton ou de poing, sur l'esplanade du Temple sud et dans la grande rue qui longeait cet édifice et les ruelles avoisinantes. Et avec l'affluence de pèlerins, cette agitation gagnait la foule qui emplissait les rues et multipliait les cohues.

Des corps ensanglantés gisaient par terre et des nuées de colombes et de passereaux affolés, offrandes des pauvres et des femmes qui venaient se purifier, palpitaient au-dessus. Des milans venaient d'apparaître dans le ciel. Le centurion plissa les yeux et reconnut des prêtres parmi les combattants. Il redescendit en hâte du rempart pour regagner le Palais.

— Préfet, je crains qu'il ne faille intervenir. Il y a au moins quatre milliers de gens qui se battent. J'ai vu des prêtres parmi eux.

— Des prêtres ?

Le centurion hocha la tête. Pilate fit la grimace ; il répugnait à intervenir quand des membres du clergé étaient en jeu, car si l'un d'eux était malmené par le pouvoir romain, cela enclenchait les récriminations sans fin de leurs scribes. Et il y en avait, des prêtres ! Au moins huit mille à Jérusalem[1]*. Mais il fallait ce qu'il fallait.

Une bonne demi-heure plus tard, deux cents hommes, soit deux centuries entières, sortirent de la forteresse Antonia, au nord du Temple, armés de bâtons, et dispersèrent les combattants sans ménager les horions, car certains enragés ne voulaient pas abandonner le combat et détalaient même dans les ruelles et venelles proches pour y poursuivre leurs cibles et reprendre leurs empoignades ; les militaires durent dégainer quelques glaives pour les effrayer, donc les calmer. À la huitième heure, donc la deuxième après midi, le calme revenait enfin au Temple et dans la ville haute, celle qui s'élevait sur la colline. Il était temps, car des gens étaient accourus des faubourgs pour grossir la bagarre. Mais une bagarre entre quels adversaires ? Qui s'en prenait aux prêtres et pourquoi ?

---

*Les chiffres renvoient aux notes en fin de chapitre.

Le rapport des sentinelles de la forteresse Antonia détailla l'ouverture de l'émeute, sans éclairer Pilate sur le motif véritable.

— À la quatrième heure, raconta une sentinelle, deux douzaines d'hommes sont arrivés par la porte de la Flamme dans la cour sud des Païens, où les marchands et les changeurs étaient déjà installés. Ils étaient tous armés de fouets. Ils ont renversé des étals, cassé des cages d'oiseaux et des jarres d'huile et de vin. Les marchands sont allés appeler des secours ; des prêtres, des lévites et des gardiens du Temple sont venus en renfort pour expulser les agitateurs. Des bagarres se sont poursuivies sur l'esplanade et jusque sur le viaduc. Apparemment, les trublions avaient des complices car les bagarres ont éclaté en même temps au pied des murailles du Temple, là où les marchands de bétail attendent d'habitude. J'ai vu arriver, sur l'esplanade et en bas, des groupes d'hommes pressés qui venaient visiblement à leur rescousse. Entre-temps, de plus en plus de gardes et de prêtres accouraient de l'intérieur du Temple pour chasser les intrus. Ni moi ni mes collègues ne pouvions cependant tout voir des combats, puisqu'ils se déroulaient sur l'esplanade sud, de l'autre côté du Temple, mais nous avons constaté qu'ils se poursuivaient dans les rues voisines.

Les beuglements et les bêlements ? Ceux des veaux et des brebis que des marchands amenaient pour les sacrifices de riches fidèles et qui s'étaient échappés dans la mêlée.

Du haut des tours de la forteresse, évidemment, les sentinelles n'avaient pas entendu grand-chose et d'ailleurs, elles ne parlaient ni l'araméen, la langue courante, ni l'hébreu du clergé. Pilate hocha la tête. Valerianus apparut.

— Procurateur, les témoignages que j'ai recueillis indiquent que l'émeute a causé au moins trois morts et des dizaines de blessés. L'un des morts est un prêtre, un autre est un marchand, je n'ai pu obtenir l'identité du troisième. Quant aux blessés, ils ont disparu. Certains ont été recueillis dans les bâtiments annexes au Temple, les autres ont été emmenés par des complices. Je n'ai donc pu les interroger.

— Mais quelle est la cause de cette échauffourée ?

— Nos espions me disent qu'un certain Jésus Barabbas, vraisemblablement le meneur qu'ont vu les sentinelles de la tour Antonia, est arrivé avec des acolytes et qu'ils ont saccagé les étals des marchands. Le plus mauvais moment pour ces derniers, parce que cette période est celle où ils font les meilleures affaires. Les disciples de Jésus Barabbas, qui sont nombreux à Jérusalem, sont entrés dans la bagarre.

— Et où est-il, ce Jésus Barabbas ?

— Il a disparu. Ce n'est pas un habitant de Jérusalem, me dit-on. Il serait bien connu du clergé, qui le déteste, et il serait très populaire.

— Je répète : quel est le motif de l'émeute ?

— Pardonne-moi, procurateur, mais je n'ai rien compris aux propos des espions. Je doute qu'ils aient eux-mêmes compris quelque chose. Vraisemblablement une question religieuse.

La bouche du préfet s'étira et les coins s'en abaissèrent comme dans un masque de comédie. Valerianus le savait : rien n'ennuyait plus Pilate que les explications sur les croyances des Juifs, parce qu'il n'y comprenait rien. Ces gens-là n'étaient même pas d'accord sur leur propre religion. Les sadducéens, qui constituaient leur aristocratie, rejetaient l'idée que leur Dieu s'occupât des affaires humaines, alors que la caste des pharisiens, plus nombreuse, y tenait dur comme fer. Autre conflit : les pharisiens croyaient que le monde autour d'eux était hanté d'anges et de démons et que tous les humains ressusciteraient un jour après la mort, ce que les sadducéens considéraient comme des balivernes. Le capitaine s'abstint donc de broder sur ce qu'il avait entendu à propos d'une ténébreuse question de Nouvelle Alliance ; il ne connaissait même pas la précédente.

— Bon, espérons que tout soit maintenant rentré dans l'ordre.

Ce n'était vraiment pas une sinécure que la charge de préfet de Judée ! Était-ce à cause de Jérusalem ? Les gens de cette province semblaient allergiques à toute forme d'autorité. Ils avaient même, dix-sept ans plus tôt, obtenu de Rome le renvoi d'un roi de leur propre souche, Archelaüs. Et les procurateurs qui lui avaient succédé n'avaient pas fait long feu non plus, les uns ayant été rappelés par Rome et les autres ayant déclaré forfait.

— Il y a quand même eu trois morts, procurateur. Je doute que les chefs du Temple laissent passer l'épisode sans s'agiter, dit Valerianus.

Dans son palais, au sud-ouest de la ville, près de la porte des Esséniens, le grand prêtre Joseph Caïphe s'apprêtait à prendre une collation en compagnie de Jean bar Ellem, commandant du Temple, le plus haut grade après le grand prêtre. Un prêtre annonça alors l'un des adjoints du commandant, Ben Goudjeda, en charge de la police du Temple.

— Alors ? demanda Caïphe, face austère, impérieuse et pâle.

— Il a disparu.

— Disparu ?

— Lui et sa bande sont toujours en mouvement, tantôt ici, tantôt là, mais ils restent dans les parages de la ville. Avec tout le monde qu'il y a à Jérusalem, autant chercher un rat dans les bois. Il faudrait une armée pour les attraper. Et quand bien même, que ferions-nous, puisque nous n'avons ni le droit d'appréhender des coupables en dehors du Temple ni celui du glaive ?

Caïphe médita ce rappel, dont il n'était que trop conscient. Il remercia Ben Goudjeda et but une longue rasade d'eau dans un gobelet d'argent.

— Ne pourrions-nous tenter d'obtenir un accord de Pilate ? suggéra Bar Ellem.

Caïphe ne répondit pas.

— Cela presse, grand prêtre. Cet homme pourrait tenter un coup de force pendant la Pessah.

Cette fois, le pontife répondit par un regard ; ce ne serait pas à lui qu'on révélerait une urgence ; il captait l'humeur du temps et le passage des heures avec la finesse d'une alouette et la hauteur d'un épervier. Il avait tout compris.

Les minutes qui s'écoulaient fourmillaient de dangers.

Caïphe fit rappeler Ben Goudjeda.

— Va chez Pilate. Seul, sans escorte, inaperçu. Demande à voir son centurion Valerianus, celui qui parle araméen. Dis-lui : « Le grand prêtre demande au procurateur de lui envoyer rapidement un homme de confiance. »

— C'est tout ?

— C'est tout.

Ben Goudjeda s'inclina et sortit.

Valerianus demeura interdit. Le mode confidentiel et tout à fait exceptionnel de la mission de ce prêtre indiquait son importance, son urgence aussi.

— Attends ici, dit-il à l'émissaire.

Requête superflue : Ben Goudjeda ne serait entré pour rien au monde dans une maison de païen à quatre jours de la Pâque ; cela imposerait une semaine de purification. Il resta donc sur le parvis du Palais hasmonéen, sous les sycomores.

Pilate ne fut pas moins surpris que Valerianus. Mais il reprit conscience de la gravité de la situation. L'émeute de la matinée était la plus violente qui se fût produite depuis le début de son mandat. Il se rappela ce qu'avait dit Valerianus : les chefs du Temple ne laisseraient pas passer cet épisode sans réagir.

Il songea à ses rapports avec Caïphe : ils avaient été particulièrement détestables depuis l'affaire de l'aqueduc supérieur, où le Romain avait exigé de puiser dans le trésor du Temple pour compléter ce gigantesque ouvrage d'art qui apporterait enfin de l'eau à Jérusalem[2].

— Nous avons l'eau qu'il nous faut et le Temple n'a pas à payer pour les bains de vos soldats ! avait protesté Caïphe.

Ignorant évidemment le latin, le grand prêtre n'avait pas eu l'occasion de méditer sur le nom du Romain, Pilatus, « armé d'un javelot » : un programme bien plus qu'un nom.

— Vous avez si peu d'eau que vous la vendez à la cruche ! Cette ville pue ! Et je te rappelle, grand prêtre, que la Judée est une province sénatoriale, qu'il est du devoir de Rome de veiller à l'approvisionnement de la ville en eau et que celle-ci est assez riche pour y pourvoir, avait répliqué Pilate.

Les prêtres et les notables avaient alors déclenché des émeutes et Pilate avait fait donner du bâton. Mémorable échauffourée dont plus d'un lévite portait encore les traces sur son corps. Caïphe avait dû céder. Et payer. Pilate, en effet, avait obtenu que l'entretien des puits, citernes et canaux de la ville fût à la charge du Temple et, de surcroît, il avait imposé un service de balayeurs de rues. Depuis que l'aqueduc avait été mis en œuvre, Jérusalem pouvait enfin boire à sa soif et ses rues étaient praticables. Et Caïphe savait certainement que cela avait contribué à la prospérité de la ville. Mais il n'avait pas renoncé à sa revanche.

Or, s'il requérait l'aide du procurateur, c'était certainement parce qu'ils auraient, de quelque façon, partie liée.

Et qu'il le savait vulnérable.

Ses mâchoires se crispèrent. Oui, il était vulnérable maintenant qu'il ne jouissait plus de la protection à Rome de Séjan, l'un des favoris de l'empereur. Séjan, grâce à qui il avait obtenu ce poste en Judée, était mort depuis deux ans. Une information dont les Juifs comptaient sans doute tirer parti.

— Vas-y toi, dit-il à Valerianus. Mais ne concède rien sans mon accord.

Le centurion sortit pour informer Ben Goudjeda qu'il se rendrait bientôt chez Caïphe. Il connaissait assez les coutumes juives pour ne pas s'attendre à entrer dans le palais du grand prêtre, aussi informa-t-il le planton qu'il serait au jardin et il alla s'asseoir sur un banc de pierre. Peu après, Caïphe arriva en compagnie de Yohanan bar Ellem.

— Je m'attendais que ce soit toi qui viennes, dit-il. Je serai bref : l'homme qui a déclenché l'émeute de ce matin a des partisans. Ils ne s'en tiendront pas là. Je crains qu'ils ne recommencent le jour de la Pessah. Songe que plus de cent cinquante mille pèlerins[3] sont venus à Jérusalem cette année, et songe à l'ampleur des troubles qui s'ensuivraient. Ce serait grave pour le procurateur autant que pour nous, parce que le désordre se répandrait dans toute la Judée et ailleurs. Il y aurait bien plus de morts.

— Que voulez-vous ?

— Nous trouverons cet homme avant vous. Nous voulons le droit de l'arrêter.

— Vous le savez bien : vous n'avez ni le droit d'arrestation en dehors de l'enceinte du Temple ni le droit de jugement.

— Nous demandons exceptionnellement le droit d'arrestation.

— Je vais rapporter ta demande au procurateur.

— Une réponse rapide est nécessaire.

Valerianus hocha la tête et repartit.

Pilate ne fut pas long à répondre : l'évidence s'imposait. Une autre émeute et il serait rappelé à Rome ; ce serait la fin de sa carrière. Une fin indigne.

— Va leur dire que nous voulons être informés dès qu'ils auront localisé ce Jésus Barabbas. Nous devons être présents à l'arrestation. Et c'est à moi que reviendra le jugement.

Le soir tombait quand le centurion revint au Palais hasmonéen.

— La mission est accomplie, procurateur.

Ce mercredi-là n'était cependant pas achevé.

Notes du chapitre 1

1. Dans son chapitre sur le clergé de *Jérusalem au temps de Jésus* (v. bibl.), Joachim Jeremias trace une analyse critique détaillée de l'institution sacerdotale à Jérusalem; il avance ainsi le chiffre 7 200 prêtres, auxquels il faut cependant ajouter 9 600 lévites, clergé mineur chargé de fonctions déterminées parmi celles qu'assumaient les 27 rangs de fonctionnaires au service du Temple. Le chiffre peut apparaître aujourd'hui considérable, mais il est en tout cas bien inférieur à celui qu'avait donné Flavius Josèphe (quelque 220 000). La totalité du clergé de l'époque représentait un dixième de la population totale de la Palestine (lorsque celle-ci était sous mandat britannique, au XXᵉ siècle, cette population était de 825 000).

Il est donc impossible que l'agression des marchands du Temple, source importante de revenus pour le clergé, n'ait pas entraîné une réaction énergique des lévites; tout indique que c'est cela qui entraîna l'échauffourée au terme de laquelle Jésus, dit Barabbas, fut arrêté. Elle constituait un trouble caractérisé à l'ordre public dont Pilate était le garant (v. note 63).

2. Événement historique.

3. Cf. Jeremias, *op. cit.*

2.

S'ils l'avaient jamais su, Caïphe, Bar Ellem, Valerianus, Pilate et bon nombre de Juifs et de Romains à Jérusalem auraient été abasourdis par l'ironie du sort : pendant l'entretien du grand prêtre et du centurion, un groupe d'hommes pénétrait dans une maison à un jet de pierre du palais de Caïphe* ; c'était celle de Simon dit le Lépreux[4], bien qu'il eût de longtemps été guéri.

En tête de ce groupe marchait Jésus, celui que recherchaient les forces de la police du Temple.

Ils allaient célébrer le premier jour des azymes, selon la prescription de la Loi. Le pain qu'ils mangeraient ce soir-là et les sept jours suivants serait cuit sans levain.

Ils furent accueillis à la porte par le maître de maison, un petit homme au masque amène, dont une vaste barbe grise masquait les cicatrices, mais non le nez, toujours d'un rose assez vif. Autour de lui se tenaient sa famille, ses proches et sa domesticité. Il mena ses hôtes dans une salle à l'étage où la table avait été dressée et des bancs disposés.

Chacun le savait : Jésus suivait en cela le calendrier auquel il s'était toujours tenu, celui de ses frères hassidim**. Et Simon, jadis lépreux, guéri par Jésus, était un adepte et un allié précieux.

---

*Le Cénacle jouxtait le palais de Caïphe. Cf. Gerhard Konzelmann, *Jérusalem, 40 siècles d'histoire*, v. bibl. et note 65.

**« Pieux », les Esséniens.

Ils prirent place, Jésus à la tête, ses disciples autour. Leurs visages étaient soucieux : non seulement l'émeute de la matinée avait été bien plus violente qu'ils ne l'auraient jamais imaginé, mais plusieurs d'entre eux savaient que les autorités du Temple étaient à leurs trousses.

Jésus, lui, était énigmatique. Silencieux. Mais sombre.

— Les hommes se sont éveillés à la primauté de l'Esprit, avait-il dit quand ils s'étaient quittés quelques heures plus tôt, sur la route de Béthanie. Leurs yeux ne se fermeront plus.

— Mais quelle violence ! s'était écrié le disciple Simon, qu'on surnommait Képha, « pierre ».

— Croyez-vous que ce soit par la douceur que l'on vainc les fauves ? Nous avons défié la Bête : la violence est notre glaive ! Et souvenez-vous, c'est la Bête des Ténèbres qui appelle la violence, elle en est la seule coupable et vous n'êtes que l'instrument de l'Esprit.

Ils se demandaient ce qui suivrait. Et ils tremblaient à l'idée que le Temple s'emparât de Jésus. Là, la fureur de ses partisans à Jérusalem et en Judée serait dévastatrice.

Était-ce ce qu'il escomptait quand, la semaine précédente, il était entré à Jérusalem sur un âne et qu'il s'était fait acclamer par la foule ? Était-ce là ce qu'il prévoyait quand les gens jetaient leurs manteaux sur son chemin et chantaient, « Béni soit celui qui vient, le Roi au nom du Seigneur » ?

Ils ne savaient plus que penser. Cet homme les avait subjugués depuis le premier jour, mais aussi pris au dépourvu. Une seule crainte les possédait : si même une fraction des pèlerins présents en ville se mêlait à un nouveau soulèvement, cette Pâque-là tournerait au bain de sang !

Et une question se posait à tous, sans que nul n'osât la formuler : n'était-il pas imprudent, voire téméraire, de se réunir à deux pas du palais de Caïphe pour célébrer la fête des azymes ?

Enfin, Jésus parla. Il semblait troublé et sa diction était par moments hachée, comme s'il s'exprimait dans une langue qui ne lui était pas familière :

— Je ne suis plus avec vous que pour peu de temps. Je vous demande de bien m'écouter et de vous souvenir de mon commandement : restez unis. Aimez-vous les uns les autres jusqu'à votre dernier jour. C'est à cela qu'on vous reconnaîtra comme les miens.

Il saisit un gobelet et l'emplit de vin, observa une pause et dit une prière de grâces.

— Tenez, buvez pour moi, car je ne boirai bientôt plus du jus de la vigne. Ceci est mon sang.

Ils furent abasourdis : son sang ? Boire son sang ? Mais c'était du cannibalisme, une malédiction du Très-Haut ! Ils échangèrent des regards effarés. Plusieurs d'entre eux refusèrent de tremper leurs lèvres dans le gobelet. Il ne semblait cependant pas s'en aviser : il prit un pain et le rompit en plusieurs morceaux.

— Prenez et mangez, ceci est mon corps.

Il les regarda : ils tenaient le pain entre leurs doigts sans oser y planter leurs dents. Ne se rappelait-il pas que les prophètes avaient condamné les infidèles au cannibalisme ?

— Quand je vous ai envoyés pieds nus, sans bourse ni sac, avez-vous jamais été dans le besoin ?

— Non.

— Maintenant, c'est différent. Que celui qui a une bourse la serre à sa ceinture et qu'il prenne aussi son sac. Et s'il n'a pas d'épée, qu'il vende son manteau pour en acheter une. Car les Écritures le disent : « Et il fut compté parmi les criminels », et ces mots, je vous le dis, trouvent leur accomplissement en moi.

Ils protestèrent :

— Maître, maître, nous avons ici deux épées !

— Assez ! cria-t-il. Assez !

Comment manger après ça ? Avait-il perdu la raison ?

— L'un de vous me trahira.

— Qui ?

Le cri avait jailli de plusieurs gorges.

— Celui qui met le pain dans le plat en même temps que moi.

Ce fut Judas bar Shimon.

Il leva vers Jésus un regard terne et résigné. Il s'entendit répondre :

— Lève-toi et va faire ce que tu dois faire. Et vite.

Judas quitta la table, lugubre.

Ils tentèrent de manger. Ils en avaient vu d'autres. Mais pour un repas de Pâque, celui-là était sinistre.

— Allons, dit-il quand le repas fut achevé.
— Où veux-tu aller, maître ? demanda Képha.
— Sur la montagne, afin de prier.
— Et Judas ?
— Il trouvera son chemin.

Tout cela devenait de plus en plus énigmatique : pourquoi aller prier sur la montagne alors qu'on pouvait le faire dans la maison ? Pourquoi ne pas attendre le retour de Judas, et comment celui-ci trouverait-il son chemin s'il ne savait pas où allaient ses frères ?

Ils en étaient encore à la répulsion que leur avait value l'idée de manger la chair et de boire le sang de cet homme quand ils quittèrent la maison, suivis par les bénédictions des serviteurs. Ils sortirent de la ville par la porte des Esséniens, au sud, puis longèrent la vallée de la Géhenne et arrivèrent enfin dans la vallée du Cédron. Jésus allait seul, en tête, suivi par Képha, Jean et Jacques.

Pourquoi tout ce trajet, grand ciel ?

Ils gravirent le mont des Oliviers, et Jésus s'arrêta enfin. Il distribua des morceaux de galette et leur dit :

— Mangez.

Ils grignotèrent donc ce qu'ils prenaient pour une friandise. Lui s'agenouilla et pria.

Les autres s'allongèrent et quelques-uns s'assoupirent.

Quelques moments plus tard, des éclats de voix réveillèrent les dormeurs et les lueurs de deux torches alertèrent ceux qui étaient réveillés. Un groupe d'une douzaine d'hommes venait d'apparaître, mené par Judas bar Shimon. Il alla droit vers Jésus, qui était alors isolé, et aussitôt, deux officiers de la police du Temple s'emparèrent du maître sous les yeux des disciples effarés. Jean reconnut six légionnaires en armes ; les six autres étaient des lévites de la police du Temple.

— Tu es le Galiléen Jésus bar Yousef ?
— Vous le savez.

Ils l'emmenèrent.

Lazare poussa un cri et se jeta sur Ben Goudjeda. Un des policiers du Temple s'interposa et l'appréhenda. Lazare se débattit et, ce faisant, sa robe se déchira et resta aux mains du policier. Il s'enfuit, nu, dans les arbres et la nuit. Les autres s'étaient pour la plupart esquivés.

— Cet homme est à nous, dit Valerianus, désignant Jésus du menton.

— Pilate nous a laissés l'arrêter : il est donc à nous.

— Non. Ce n'est pas ce que nous avions convenu.

— Va le dire au grand prêtre.

Valerianus réfléchit : le moment eût été mal choisi pour une querelle avec les policiers du Temple. C'était à Pilate de réagir. Il laissa donc le prévenu aux mains des lévites[5].

Le Temple, de nuit, semblait désert. Les six policiers qui l'avaient arrêté conduisirent Jésus à la *parwah*, une salle vide sans affectation particulière, près de la Chambre du sel, et refermèrent la porte.

Une lampe, une lucarne ronde, un banc de pierre et un cruchon d'eau. Ce fut à cela que se réduisit le Grand Univers créé jadis par le Seigneur.

Il s'assit, but au cruchon et attendit l'aube que le Père dispensait à ses créatures pour nourrir leur espoir. Et bientôt l'espoir serait récompensé. La foule briserait les portes de la prison dans laquelle des prêtres aveugles et sourds avaient voulu l'enfermer. Et elle libérerait le Libérateur.

Il ferma les yeux, pour mieux percevoir l'Esprit, car celui-ci échappe aux sens comme à la parole.

L'aube pointait à peine que la porte se rouvrit ; les six lévites qui l'avaient arrêté l'emmenèrent à nouveau. Il comprit : on ne le déplacerait qu'en secret, afin d'éviter toute intervention de ses partisans. Quelle naïveté !

Ils lui lièrent les mains, longèrent les terrasses du nord et de l'ouest, sortirent par la porte des Premiers-Nés, descendirent les marches, franchirent le petit pont et entrèrent dans la salle de la Pierre taillée. Connaissait-il le bâtiment ! C'était là qu'il avait rencontré son premier maître à Jérusalem, et là aussi que se réunissait le sanhédrin. Les policiers le menèrent dans une petite cour et y montèrent la garde.

Il serait donc jugé par le sanhédrin. Mais dans quel but ? Celui-ci, tout le monde le savait, ne disposait d'aucun pouvoir judiciaire.

Le jour s'était levé depuis un bon moment quand un scribe apparut, jeta un long coup d'œil au prisonnier et ordonna aux policiers :

— Amenez-le.

Ils le poussèrent, les mains toujours liées, dans une grande salle.

Les soixante et onze membres de la haute assemblée des notables d'Israël étaient réunis, tous assis sur leurs bancs. Au premier rang se tenaient Caïphe, soixante-douzième, et le commandant de la police du Temple, Yohanan ben Goudjeda[6].

Il les regarda sans émotion. Comment ces hommes prétendaient-ils le juger ? Il n'entendit qu'à peine les préliminaires du jugement et le jargon juridique qu'un prêtre débitait en hébreu ; il le connaissait de vue, Ben Goudjeda.

— Voilà trois ans, Jésus bar Yousef, Galiléen, que tu nous cherches querelle, à nous les prêtres, et que tu soulèves la communauté des fidèles contre nous. Tu t'es fait surnommer «Fils du Père», *Bar Abbas*, comme si tu étais le fils du Très-Haut, mais cette imposture blasphématoire ne t'a pas suffi. Il y a une semaine, tu as poussé l'effronterie jusqu'à faire une entrée à Jérusalem monté sur un âne, comme si tu étais le descendant de David, et tes acolytes ont jeté des palmes sous les pas de ta monture, pour bien marquer la signification de cette entrée. Et ils ont crié sur ton passage : «Vive le roi d'Israël !» Tu persistais donc dans l'imposture. Et ensuite, vociférant des insanités, toi et tes complices avez aggravé l'outrage jusqu'à entrer au Temple et fouetter les marchands d'offrandes, et cela dans l'enceinte sacrée, et toi et eux avez détruit les offrandes destinées aux autels du Seigneur...

À ce souvenir, le commandant de la police, assis près de Caïphe, frémit de colère et redressa la tête.

— ... Les saccages dont tu es responsable sont une offense au culte et à la sainteté du Temple et donc un sacrilège. Mais, possédés par une fureur démoniaque, toi et tes acolytes avez poursuivi vos méfaits jusque sur les terrasses et même dans les rues avoisinantes. Vous avez attaqué nos défenseurs et trois hommes sont morts, dont le prêtre Shemuel bar Yoezer. Tu es donc coupable de meurtre en plus de la déprédation des biens du Temple, du sacrilège et de l'imposture. Le tribunal de cette sainte assemblée a statué sur ton cas : tu es passible de flagellation pour l'imposture, et de mort pour le sacrilège et l'imposture associés.

Les prêtres et les notables demeurèrent figés sur leurs bancs. Seul le greffier du tribunal continuait d'écrire, placidement.

— As-tu quelque chose à dire pour ta défense, Jésus bar Yousef ?

— À vous entendre, je reconnais votre arrogance de sadducéens. Vous croyez détenir le pouvoir de justice, qui n'appartient qu'au Seigneur et que vous avez détourné à votre seul profit. Quant au prêtre, il n'est pas mort de mon fait : il tentait lui-même d'étrangler son adversaire. L'auriez-vous condamné à mort ?

— L'insolence s'est encore fait entendre ! cria un prêtre assis au premier rang, qui s'élança dans le prétoire et souffleta l'inculpé.

Les gardes le maîtrisèrent respectueusement et le ramenèrent à son banc.

Ce fut alors que le scribe qui avait reçu le centurion Valerianus vint informer Caïphe de la requête du procurateur de Judée. Le grand prêtre en informa à son tour le commandant.

— Emmenez-le ! Flagellez-le jusqu'à ce que sa peau tombe ! cria le prêtre qui avait giflé Jésus.

Le commandant du Temple lui fit passer un message le priant de se calmer et appela Ben Goudjeda pour lui communiquer ses instructions : le clergé n'avait aucune licence d'infliger une peine corporelle ; si le condamné était livré au Romain portant des traces de flagellation, le grand prêtre encourrait des reproches périlleux et même des sanctions.

La séance fut close. Œil noir et bouche maussade, les membres du sanhédrin se levèrent pour regagner leurs demeures ou vaquer à leurs tâches ; deux d'entre eux semblèrent s'attarder un moment sur la terrasse, et trois hommes jusqu'alors postés sous une porte voisine vinrent les rejoindre et s'entretinrent avec eux.

Peu après l'aube, quand Pilate se réveilla, le centurion Valerianus l'informa que le prévenu Barabbas avait donc été arrêté la veille, non loin de la ville, avec le concours de six légionnaires, comme convenu.

— Comment l'ont-ils trouvé ?

— Il y avait, disent-ils, un traître parmi ses disciples.

— Et où est le prévenu ?

— À l'heure qu'il est, en jugement au sanhédrin.

— En jugement ? Mais ils savent très bien que ça ne servira à rien !

— Ils doivent sauver la face. Ils prétendront certainement que ce sont eux qui l'auront fait condamner.

Ce fut la face de Pilate qui changea de couleur.

— Encore des manigances ! Toujours des manigances ! Ça suffit ! Va tout de suite leur réclamer ce Barabbas. C'est à nous, de toute façon, qu'en revient la garde. Pas de discussion possible.

Alarmé par le changement de ton de son maître, Valerianus acquiesça et s'en fut une fois de plus, escorté de cinq militaires, vers le palais du grand prêtre Caïphe. Un attroupement s'était formé dans la cour : tous des prêtres. Ils s'écartèrent pour laisser passer les Romains. Le centurion fut reçu par un scribe, courtois, mais rigide.

— Je suis, baragouina-t-il en araméen, mandé par le procurateur de Judée. Il exige que vous nous remettiez la garde de ce Barabbas que vous avez arrêté.

— Quoi ? répéta le scribe, l'air ahuri.

— Tu m'as entendu : remettez-nous ce Barabbas sur-le-champ.

Valerianus se retourna : les prêtres qui l'avaient entendu étaient saisis d'un fou rire croissant, et le scribe lui-même commençait à ricaner. Le Romain s'échauffa.

— Mais qu'est-ce que vous avez à rire ?

L'humeur goguenarde avait gagné tout l'attroupement et s'affichait ouvertement, pour signifier à ce Romain que ses connaissances en araméen ne valaient pas tripette.

— Romain, répondit le scribe, sais-tu ce que tu viens de dire?

— J'ai réclamé Barabbas!

Nouveaux gloussements.

— Romain, «Barabbas», cela veut dire en araméen «fils de mon père», *bar abbas*. Tu comprends? Tu es un barabbas, et j'en suis un, et tout ce monde ici est barabbas.

Valerianus, dépité, toisa longuement le scribe, et son ton se fit cette fois menaçant :

— Vous avez, avec notre concours, arrêté un suspect, Jésus Barabbas, et vous savez très bien de qui il s'agit. Le procurateur exige que vous me le remettiez.

Le scribe tenait sa réponse toute prête :

— Veuille informer le procurateur que le grand prêtre ira en personne, demain matin à la première heure, lui remettre le prisonnier. Et celui-ci s'appelle Jésus fils de Yousef, c'est tout.

— Ne peut-il me le remettre maintenant?

— Il est absorbé, Romain, par les prières du jeudi, qui dureront jusque bien avant dans l'après-midi. Or, pendant la préparation, notre Loi exige que le grand prêtre, comme chacun de nous, soit pur dans sa demeure quand la nuit tombe.

Valerianus ne connaissait rien aux lois juives et n'était même pas certain que celle-là existât. Mais il n'avait pas envie de se lancer dans des arguties sur un sujet de plus qu'il ignorait dans une langue qu'il ne maîtrisait pas vraiment.

— Veillez à ce que rien n'advienne à cet homme, ordonnat-il sèchement. Nous le récupérerons par la force si vous nous y contraignez!

Puis il tourna les talons et s'en retourna avec son escorte informer Pilate.

Il n'entendit pas, à sa sortie, le moindre gloussement.

Le lévite qui avait éconduit le Romain ne lui avait évidemment pas dit la vérité. Les prières du jeudi s'achevaient en fait à midi. Et ni Caïphe ni le commandant de la police du Temple, Ben Goudjeda, ni personne du haut clergé ne voulait que le prévenu Jésus apparût en public, fût-ce sous escorte romaine, pour ne pas exciter l'ardeur dangereuse de ses partisans. Ils n'étaient pas non plus enclins à confier leur ennemi à l'autorité romaine; ils avaient d'abord cherché une finasserie qui leur permettrait de le garder le plus longtemps possible, jusqu'au lendemain de la Pâque en tout cas, pour éviter de nouveaux troubles. Mais les exigences de Pilate avaient tout changé; ils étaient contraints de lui remettre le prisonnier le lendemain.

Jésus, lui, avait été conduit sans ménagements à un nouveau cachot, dans le bâtiment de la Pierre taillée. Après l'y avoir poussé et lui avoir délié les mains, l'un des gardes revint, portant une cruche d'eau et un pain, et les déposa sur le sol à l'intérieur. Puis il claqua la porte.

Une seule lampe brillait dans cette salle obscure et déserte. Jésus regarda le pain et saisit la cruche. Il but longuement et se passa de l'eau sur le visage. Puis il s'assit par terre et mangea lentement son pain en regardant le peu de ciel que lui offraient les hautes lucarnes.

Il s'adossa au mur. Il revoyait la lumière du désert, là-bas, à Sokoka*, chez les hassidim. Il ferma les yeux pour ne plus voir qu'elle. Car elle était la seule forme de l'Esprit que les sens pussent percevoir et la seule que les ténèbres ne pussent jamais saisir. Il se laissa ainsi passer dans le sommeil, comme l'agonisant pénètre dans la mort.

---

* Nom originel de Quoumrân.

Notes du chapitre 2

4. Les affections cutanées désignées sous le nom de « lèpre » dans les textes des deux Testaments ne correspondent pas toujours à l'affection causée par le bacille de Yersin, mais pouvaient en indiquer d'autres, telles que l'érésipèle, le psoriasis, le lupus érythémateux, etc.

5. Il est probable que, pour ménager Caïphe et prévenir un recours et une plainte à Rome, Pilate ait accepté de laisser arrêter Jésus par des lévites de la police du Temple, bien que celle-ci ne détînt aucune autorité hors de l'enceinte du Temple ; dans la même tactique de marchandage, il laissa le sanhédrin juger ensuite Jésus, bien que cette assemblée ne détînt non plus aucun pouvoir juridique ; ainsi s'explique le fait que Jésus ait comparu d'abord devant le sanhédrin. Mais le droit de sentence revint ensuite à Pilate exclusivement, comme l'indiquent les Évangiles.

6. Le Temple disposait de sa propre police mais celle-ci n'avait de pouvoir que dans son enceinte ainsi que dans ses abords immédiats.

3.

— Debout !

Un pâle tapis de lumière s'était déroulé devant la porte ouverte. Mais une grande tache noire le souillait : l'ombre d'un garde.

Le prisonnier tendit la main vers la cruche et but une longue rasade. Puis il versa le peu d'eau qui restait pour se laver les yeux et se leva, s'appuyant au mur.

— Où allons-nous ?

— Que t'importe ? Où que tu ailles ton sort t'attend.

Une fois de plus, ils le déplaçaient avant le jour.

C'étaient d'autres gardes qu'hier, bien plus nombreux : sans doute le commandant du Temple craignait-il une attaque surprise des émeutiers de la veille pour libérer le prisonnier. Ils lui lièrent de nouveau les mains, puis l'encadrèrent et le détachement se mit en marche. Ils n'allaient pas loin, Jésus reconnut à distance le bâtiment vers lequel on le conduisait : le Palais hasmonéen, résidence du procurateur Ponce Pilate. Caïphe s'attendait donc que Pilate fît exécuter la sentence pour le compte du sanhédrin.

Au fur et à mesure qu'il approchait du palais, il distingua un groupe d'hommes au-dessus desquels des domestiques tenaient de petits dais légers pour les protéger du soleil. Il reconnut le grand prêtre, le commandant du Temple et l'adjoint de ce dernier, celui qui lui avait lu son acte d'accusation, tous trois plus suffisants que d'habitude; il reconnut aussi deux autres membres du sanhédrin qu'il avait jadis connus à Béthanie, Joseph d'Ephraïm[7] et Nicodème bar Azaria. Que

faisaient-ils là ? Ils se tiendraient tous sur le parvis du prétoire, c'était évident : à la veille de la Pâque, ils ne se commet-
traient pas à pénétrer dans une maison habitée par un païen ;
une semaine de purification leur serait ensuite nécessaire et
ils ne pourraient pas célébrer la Pâque. C'était donc à l'extérieur qu'ils s'entretenaient avec un groupe de Romains, au
centre duquel se tenait Pilate en uniforme. Dix légionnaires
en armes étaient rangés devant la résidence.

— Voici l'inculpé, déclara Caïphe quand les gardes du
Temple eurent amené le prisonnier.

Valerianus traduisit. Les rapports entre les autorités
romaines et les autorités religieuses juives étaient toujours
malaisés, les Juifs mettant un point d'honneur à ne pas parler
la langue de leurs occupants et ces derniers ne disposant que
d'interprètes aux compétences aléatoires.

Pilate et Jésus se dévisagèrent. Un masque de cuir, brutal
et finaud, et une face ascétique, presque hâve, où l'on ne distinguait que le regard, attentif et sombre. Le prévenu était
de taille moyenne, plutôt petite, la quarantaine, une tignasse
brun sombre[8]. Mais quel regard ! Pilate en fut comme trans-
percé. Chefs de guerre fous de pouvoir, monarques magni-
fiques ou gredins obstinés, il avait vu bien des personnages
exceptionnels dans sa carrière, mais aucun de comparable.
Oui, celui-là devait être dangereux.

— Voici le meurtrier ! renchérit le commandant du Temple
avec emphase.

Traduction de Valerianus.

— C'est lui qui a tué le prêtre ? demanda Pilate.

La question sembla contrarier Caïphe.

— C'est lui le responsable, dit-il.

— Je demande : a-t-il tué ?

— Il est responsable de l'émeute d'hier au cours de laquelle
le prêtre a été tué.

Jésus suivait cet échange, mais son expression était indé-
chiffrable.

— Il n'a donc pas tué de ses mains, déduisit Pilate, agressif.

Excédé, le commandant du Temple tira de sa manche l'acte
d'accusation rédigé par le greffe et le lut d'un ton solennel,

s'interrompant de temps en temps pour permettre à l'interprète de traduire. Quand il eut terminé, Pilate demanda :

— Cet homme est votre roi ?

L'exaspération de Caïphe monta d'un cran.

— Lui seul le dit. Une invention éhontée. Personne ne l'a sacré.

Depuis quelques minutes, un attroupement s'était formé autour du groupe, comptant plusieurs femmes. Le grand prêtre et le commandant du Temple le considérèrent avec irritation. La précaution consistant à amener le prisonnier le plus tôt possible n'avait servi à rien : l'arrestation de Jésus avait été divulguée et ses partisans avaient rameuté des secours.

— Que font là ces gens ? Qui les a prévenus ? s'écria Caïphe. Il faut les chasser, ce sont certainement les émeutiers d'hier !

Mais il en arrivait encore plus. Ceux des premiers rangs écoutaient les débats et les transmettaient aux autres.

— Vous avez requis de me voir devant le prétoire où vous refusez de pénétrer, déclara Pilate. Cet espace est donc l'équivalent d'une salle de tribunal et je ne peux pas demander aux gens de s'en aller tant qu'ils se tiennent tranquilles. Maintenant, avançons avec cette affaire. Je demande : quel crime a commis cet homme ?

— Nous l'avons dit dans l'acte d'accusation...

— Se prétendre roi n'est pas un crime selon la loi romaine dont je suis ici le garant. Et vous ne prouvez pas qu'il ait tué le prêtre.

— Il a déclenché l'émeute qui a semé le désordre dans l'enceinte sacrée du Temple... Il a causé pour des milliers de shékels de dommages...

Pilate plissa les yeux : il savait que les bénéfices du commerce des offrandes allaient au clergé et surtout au clergé supérieur, les sadducéens, dont les grands personnages présents faisaient évidemment partie. Le prenait-on pour arbitre d'une querelle de boutiquiers ?

— Vous lui reprochez donc d'avoir troublé l'ordre public. Mais c'est à nous que revient le droit de porter une telle accusation. Et où sont les autres émeutiers ?

— Nous n'avons pas pu mettre la main sur eux. Mais c'est lui leur chef.

Caïphe parcourut du regard la foule, car c'en était bien une, maintenant. Il y allait de son prestige, de son pouvoir même.

— Romain, cet homme est une menace permanente pour l'ordre public, non seulement à Jérusalem, mais dans toute la Judée et dans les autres provinces. Il est coupable de blasphème, le blasphème suprême, se présenter comme le fils de notre Seigneur. Nous requérons contre lui la peine de mort. Nous irons jusqu'à Rome s'il le faut !

Valerianus s'abstint évidemment de transcrire l'apostrophe « Romain », mais il buta sur le mot « blasphème », qu'il ne connaissait ni en araméen, *kadaf*, ni en latin, *blasphemus*, et dont il ignorait le sens ; il demanda donc des explications et Yohanan lui apprit que c'était une insulte à la divinité. Pilate considéra de nouveau Jésus Barabbas, peinant à croire que cet homme d'apparence stoïque, qui n'avait pas proféré un seul mot depuis qu'il avait été amené là, eût eu quelque motif d'insulter la divinité et encore moins qu'il pût menacer réellement le tout-puissant clergé de Jérusalem. Il y avait anguille sous roche, ces prêtres ne lui disaient pas la vérité ou pas entière, et cette entrevue commençait à l'indisposer.

— Pourquoi t'appelles-tu Barabbas ?

— Ne suis-je pas le Fils du Père ?

Au seul son des mots *bar abbas*, le commandant Ben Goudjeda sursauta et agita les bras, comme piqué par un scorpion. Pilate se retint de sourire. En dépit de l'affliction et de l'épuisement physique du prisonnier, la voix était claire et forte. Pilate évoqua fugitivement l'héroïsme du défi à l'aristocratie juive, mais les tentatives d'explication de Valerianus n'éclaircirent pas la réponse de l'inculpé. En tout cas, celle-ci ne comportait rien de séditieux pour les lois romaines et elle devenait même contradictoire : comment ce Jésus aurait-il insulté le père dont il se disait le fils ?

— De quoi es-tu vraiment coupable ?

— À leurs yeux, de dire la vraie parole de notre Dieu.

La réponse eût convenu à d'autres circonstances ; elle ne pouvait éclairer non plus que ceux qui l'étaient déjà ; il s'agissait à l'évidence d'une querelle théologique hors de la compétence d'un Romain. Un lettré syrien avait jadis exposé à Pilate les arcanes de la société juive et ses strates, sadducéens, pharisiens et autres, tous attachés farouchement à leurs systèmes et traditions, variables selon les régions, mais pour lui, leur complication défiait le bon sens. Il médita un moment, conscient des regards anxieux de la foule. Il se tourna vers les prêtres :

— Je ne vois rien en lui qui justifie vos dires. Je ne peux pas prononcer la peine de mort sur vos seuls soupçons. D'après ce que vous m'avez déclaré, je ne peux condamner cet homme que pour sa participation aux désordres d'hier, qui se sont propagés à l'extérieur du Temple.

Une clameur de triomphe monta de la foule.

— Et que sera la peine ? demanda Caïphe.

— La flagellation.

Le grand prêtre s'empourpra.

— La flagellation ! Mais nous réclamons la mort ! Procurateur, nous irons à Rome dire que l'ordre n'est pas assuré en Judée !

Valerianus traduisit à contrecœur. Pour son compte, c'étaient ces prêtres qu'il aurait fait condamner pour menaces à l'ordre public. Il s'inquiétait aussi de la foule grossissant et des murmures qui la parcouraient.

Pilate défia le grand prêtre du regard. Mais le chantage était efficace : une plainte à Rome, et ces bonshommes en étaient bien capables, ne ferait que le desservir. Et à en juger par les événements de l'avant-veille, le risque d'insurrection était réel.

Un homme se détacha de la foule et cracha à la face des prêtres des mots incompréhensibles pour Pilate, mais certainement vengeurs.

— Son sang retombera sur vous, traduisit Valerianus, de plus en plus mal à l'aise.

La malédiction fut reprise sur un ton véhément par plusieurs voix dans la foule. Il fallait empêcher la situation de dégénérer, et le bras tendu d'un centurion signifia au trublion l'ordre de s'écarter. L'évidence s'imposa pour Pilate : s'il ne condamnait pas l'émeutier, ses partisans considéreraient qu'ils avaient gagné la partie. Et les troubles reprendraient rapidement. Rome serait inévitablement prévenue.

— Je ne peux tenir compte de vos griefs, déclara Pilate, mais je dois considérer que l'émeute qui s'est produite est un défi à l'autorité que je représente. Et c'est un défi de la plus haute gravité. En conséquence, ma sentence est que le coupable sera crucifié[9].

Une expression de satisfaction étira les visages du pontife et de ses collaborateurs.

— Non ! Libère Jésus Barabbas ! clamèrent plusieurs voix dans la foule[10].

— Quand sera-t-il crucifié ? demanda Caïphe.

— Aujourd'hui.

— Ne peux-tu le faire décapiter ?

— C'est un châtiment réservé aux Romains, répondit Pilate, exaspéré par la vindicte du grand prêtre.

Les prêtres considéraient la foule avec inquiétude : des voix continuaient de vociférer :

— Pilate, libère Jésus Barabbas !

Et si ces gens en venaient aux mains une fois de plus ?

— Et lui ? Nous l'emmenons jusqu'à l'heure du supplice, déclara le commandant du Temple en pointant le doigt vers Jésus.

— Il n'en est pas question : il est sous ma juridiction. Il reste ici.

De fait, deux centurions vinrent prendre Jésus des mains des gardes de la police du Temple. Le dépit crispa les masques des trois dignitaires. Puis l'inquiétude perça à travers les barbes : les expressions des gens dans la foule ne laissaient pas de doute sur leurs sentiments.

— Fais-nous donner une escorte, implora le commandant du Temple, sous les huées.

Mais Pilate avait tourné les talons, sans prêter attention à la traduction de Valerianus ; il était déjà à l'intérieur du palais. Il avait sauvé la face et la paix publique, c'était l'essentiel. Il ne voulait plus entendre parler du reste, il ne voulait pas revoir le visage de l'homme qu'il envoyait à la mort, ni ces longues barbes huilées et leurs gestes empreints de componction. Ces prêtres l'avaient menacé, ils n'auraient qu'à s'en prendre à eux-mêmes s'ils étaient menacés à leur tour. La possibilité qu'ils fussent écharpés par leurs propres coreligionnaires ne lui déplaisait pas. Pas du tout, même.

Tandis que le grand prêtre, le commandant du Temple et le scribe se frayaient un passage à travers la foule, sous la protection de lévites armés de bâtons, Joseph d'Ephraïm et Nicodème les suivaient à distance, comme pour s'en distinguer ; beaucoup moins connus que ces éminences, ils ne couraient pas grand risque et d'ailleurs, plusieurs de leurs domestiques s'étaient détachés de l'attroupement pour les entourer. Entretemps, toujours suivis par des centaines de regards, les centurions avaient conduit Jésus vers une aile du Palais hasmonéen ; ce serait là qu'il demeurerait jusqu'à l'heure du supplice.

Sur le cadran solaire, l'ombre de l'aiguille indiquait la quatrième heure, la dixième depuis minuit de ce 13 du mois de Nisân, un vendredi[11]. Mais elle deviendrait de moins en moins lisible, car le ciel se chargeait de nuages noirs, bas, gonflés de venin et animés de mauvaises intentions, eux aussi. Le temps se brouillait, comme l'eau où la vase remonte.

Notes du chapitre 3

7. Ephraïm était la province de Samarie où ce membre du sanhédrin possédait des terres ; Joseph possédait également les jardins qui s'étendaient sur le Golgotha. Arimathie, dite Rama ou Ramatayim, en était une localité.

8. L'apparence physique traditionnelle prêtée à Jésus dérive d'un texte frauduleux dit *Lettre de Lentulus*, attribué à un certain Romain de ce nom, qui aurait été d'un rang supérieur à Pilate, et qui était destiné à discréditer un apocryphe très répandu au IIe siècle, les *Actes de Pilate*. Ni l'un ni l'autre ne figurent évidemment dans les apocryphes du Nouveau Testament, mais les *Actes de Pilate* ont suscité un courant de ferveur à l'égard de Pilate et de sa femme Procula, qui sont considérés comme des saints dans l'Église d'Éthiopie. L'hypothétique Lentulus décrit Jésus comme un homme de haute taille, aux cheveux ondulés et aux yeux bleus, bref, de type européen, alors que le philosophe romain du IIe siècle, Celse, et le théologien chrétien des IIe-IIIe siècles Tertullien le décrivent comme un homme de petite taille, brun, ayant atteint la quarantaine.

Les indications d'auteurs tardifs ne peuvent évidemment servir de témoignage. Mais il est évident que, jusqu'au IIIe siècle, l'apparence physique prêtée à Jésus n'était pas flatteuse ; ainsi les *Actes de Jean*, apocryphe grec du IIe siècle, écrit : « Souvent il m'est apparu, tantôt comme un homme de petite taille et disgracieux, tantôt comme ayant le regard tout à fait à hauteur du ciel. » (89, 3, in *Écrits apocryphes chrétiens*, v. bibl.) Le texte en slavon de *La Guerre des Juifs* de Josèphe décrit également Jésus comme petit, de teint sombre, avec des sourcils broussailleux.

Quant à l'âge de Jésus, il est indiqué indirectement dans l'Évangile de Jean par l'apostrophe que lui adressent les Juifs : « Tu n'as pas encore cinquante ans » (Jn. VIII, 57), ce qui signifie qu'il était plus proche de quarante ans que de cinquante.

9. J'ai omis la scène du lavement des mains de Pilate parce qu'elle constitue une invraisemblance historique flagrante. Selon Matthieu (Mt. XXVII, 24), « Pilate prit de l'eau et se lava les mains en présence de la foule en disant : "Je ne suis pas responsable de ce sang. À vous de voir." Or, c'est le rite prescrit par le Deutéronome (XXI, 6) pour dégager la responsabilité d'un juge dans une affaire dont il n'a pas trouvé le coupable ; de plus, Pilate aurait prononcé les paroles mêmes de l'Ancien Testament en pareilles circonstances : « Je lave mes mains en l'innocence. » (Ps. XXVI, 6.) Or, il est exclu que Pilate ait eu connaissance de ce rite, et attribuer à un procurateur romain le comportement d'un juge juif relève de la fantaisie.

J'ai pareillement exclu l'épisode de la présentation de Jésus à Hérode et les détails du manteau de pourpre ou «chlamyde écarlate» (Mt. XXVII, 28, Mc. XV, 17 et Jn. XIX, 2) et de la couronne d'épines pour les trois raisons suivantes : Pilate exécrait Hérode, comme nous le savons par Josèphe, et n'avait aucune raison de lui «présenter» un prisonnier de droit romain ;

• un manteau de pourpre était un vêtement de grande valeur et Hérode n'en aurait certainement pas sacrifié un pour la seule raison de tourner Jésus en dérision ;

• enfin, la couronne d'épines est une autre invention des évangélistes destinée à accentuer le pathétique de leurs récits : elle aurait été encore plus pénible à fabriquer qu'à porter et l'on ne voit guère des soldats romains s'ensanglanter les mains pour fabriquer un autre accessoire de dérision.

La décision prétendument prise par Pilate de placer un écriteau libellé *Jesus Nazareos Rex Judeorum*, à l'acronyme INRI, ne pouvait non plus être considérée comme plausible : il fallait vraiment tout ignorer de l'administration romaine pour imaginer qu'un de ses représentants allât impunément, du même coup, donner un roi aux Juifs et l'envoyer à la mort. Une telle initiative aurait déclenché une réaction véhémente du grand prêtre et motivé à elle seule le rappel de Pilate à Rome. L'objet de cette fable était de démontrer que Pilate avait eu le mérite de reconnaître la royauté de Jésus.

10. L'avant-propos de ces pages expose les raisons pour lesquelles il est indiscutable que Jésus et Barabbas, *Bar Abbas*, «Fils du Père», sont la même personne. C'est donc bien la libération de Jésus que demandaient les Juifs devant le prétoire de la résidence de Pilate. Et c'est intentionnellement que les auteurs des Évangiles ont modifié les faits. Les raisons en sont évidentes : à l'époque où se constituait l'Église primitive, ses premiers chefs entendaient se différencier radicalement du judaïsme ; il leur fallut donc rejeter sur les Juifs la responsabilité

de la crucifixion ; en outre, ils entendaient s'attirer la bienveillance du pouvoir romain, qui tolérait les religions étrangères et notamment le mithraïsme, et pour cela, ils dégagèrent la responsabilité du pouvoir romain, représenté par Pilate. Telle fut la raison pour laquelle les Évangiles ont dépeint ce dernier sous un jour bienveillant et comme favorable à Jésus.

Nul, sauf peut-être saint Jérôme, au IVe siècle, ne s'avisa de l'absurdité monumentale qui consistait à distinguer Jésus du « brigand Barabbas » ; dans son *Commentaire sur Matthieu*, ce père et docteur de l'Église écrit à propos de l'Évangile selon les Hébreux : « Ce nom de Barabbas est compris comme "fils de leur maître". » S'il flaira la bourde, il jugea sans doute qu'il était trop tard pour la corriger. Ainsi se perpétua-t-elle jusqu'au XXIe siècle.

Demeure le fait qu'elle définissait Jésus comme un « brigand », c'est-à-dire qu'il troublait l'ordre public.

11. Le calendrier indiqué par les Évangiles est tout à fait improbable : il indique, en effet, que Jésus aurait été déféré devant le sanhédrin le vendredi, puis envoyé à Pilate (sans parler de l'hypothétique et douteuse entrevue avec Hérode), et enfin condamné et expédié au Golgotha le même jour. Cela fait décidément beaucoup d'allées et venues pour une demi-journée. Telle est sans doute la raison pour laquelle Marc (Mc. XV, 1) et Matthieu (Mt. XXVII, 1) allèguent que la séance du sanhédrin commença de nuit : c'est impossible, car la loi mosaïque interdisait à cette assemblée de tenir des séances avant 6 heures et après 15 heures, et, de toute façon, de juger d'infractions majeures la veille du sabbat.

Il en découle que Jésus n'a pas été arrêté dans la nuit de jeudi à vendredi, mais dans celle de mercredi à jeudi, et qu'il ne célébra pas la Pâque selon le calendrier officiel, c'est-à-dire le jeudi, mais le mercredi, selon la coutume essénienne.

4.

Ils lui délièrent les mains et déposèrent sur le banc où il s'était assis une cruche d'eau et une galette de pain. Il regarda ses paumes, instruments désormais inutiles, puis parcourut d'un œil mi-clos la grande salle nue où il se trouvait. Deux légionnaires au fond jouaient aux dés, deux autres montaient la garde à la porte.

Un moment plus tard, deux femmes se présentèrent à cette porte. Chacune d'elles glissa une pièce à un légionnaire.

— Que veux-tu ?

— Porte-lui ceci, je te prie.

Deux pains de proposition et un cruchon de vin.

— Je peux lui parler ?

— Non.

— Juste un mot ?

— Une seule d'entre vous, alors. Et faites vite.

L'une des deux femmes, dans la plénitude de sa jeunesse, entra et, dès qu'elle aperçut le prisonnier, fondit en larmes.

— Jésus !

Son regard s'attacha à elle, amer, et sa bouche frémit, comme s'il retenait ses propres larmes.

Les joueurs de dés observaient la scène à distance.

— Que tes larmes soient comme la pluie sur les moissons à venir. Sinon, elles ne seront que pluie d'hiver.

Elle tomba à genoux devant lui, saisit l'une de ses mains et la couvrit de larmes.

— Femme, dit l'un des gardes s'avançant vers elle, c'est assez.

— Va, dit Jésus.

Elle se releva et suivit le garde, la tête tournée vers le prisonnier. Le garde revint déposer les deux pains et le cruchon sur le banc.

Fouettés par le vent, deux hommes, les capuches de leurs manteaux rabattues sur la tête, descendirent la rue à degrés qui partait de la porte Gennath, à l'ouest de la ville. Puis ils tournèrent à droite et pénétrèrent dans un petit bois. Peu après, enveloppé dans une cape courte romaine, un centurion les rejoignit, sur ses gardes.

— Valerianus ? dit l'un des hommes, levant la main en signe de bienvenue.

Le Romain hocha la tête.

— Vite, dit-il.

— Le plus tard possible, comme convenu ?

— Ce ne pourra être beaucoup plus tard que midi. Mais le temps d'arriver sur les lieux et d'en avoir terminé, il sera midi et demi, peut-être un peu plus.

— Essaie de faire au mieux, dit son interlocuteur en tendant une bourse au Romain.

Valerianus en dénoua le cordon, son regard et ses doigts plongèrent dans le sachet de peau ; il en tira une pièce d'or à l'effigie de Tibère parmi maintes autres, puis la laissa retomber et resserra le cordon.

— Le compte y est ? demanda-t-il.

— Le solde ce soir, comme convenu.

Le Romain serra la bourse sous sa cape, prit congé et gravit d'un pas rapide les marches de la rue.

À la cinquième heure, deux visiteurs se présentèrent au Palais hasmonéen et demandèrent à voir le préfet. Il leur délégua son secrétaire pour savoir l'objet de leur démarche. Ils déclarèrent avoir appris qu'un certain Jésus, originaire de Galilée, avait été arrêté la veille et s'étonnaient que leur maître, le tétrarque Hérode, n'en eût pas été prévenu, puisqu'il régnait sur cette province et ses natifs. De plus, Hérode, qui était venu à Jérusalem pour la Pâque, demandait que le prévenu lui fût envoyé pour être interrogé.

Familier du mépris que son maître portait au tétrarque, le secrétaire Albinus faisait une moue comique quand il retourna l'informer.

— Un pouffiat et un malfrat chamarrés! Et si tu voyais leurs sandales, couvertes de pierreries!

— Réponds-leur que le prévenu et maintenant condamné a été arrêté à Jérusalem, qui est sous ma juridiction, et dis-leur que je m'étonne, moi, de la requête du tétrarque. Quant à interroger cet homme, il n'en est plus temps, puisqu'il doit être crucifié cet après-midi.

Ainsi fut fait, et les émissaires repartirent bredouilles.

Content du camouflet qu'il avait infligé à celui qu'il qualifiait d'outre emplie de vesses de porc, Pilate restait songeur :

— Ce Jésus ne paie pas de mine, et pourtant il semble avoir eu de l'importance dans ce pays. Demande à Valerianus de se renseigner sur ce qu'il a fait pour agiter les Juifs à ce point-là.

Le secrétaire promit de le faire.

— Nous savons cependant pourquoi le tétrarque voulait voir le condamné : il pense qu'il est un prophète ressuscité.

— Quoi?

— Oui, Hérode a fait arrêter et décapiter un prophète nommé Jean dit le Baptiste ou l'Immergeur, qui l'accablait de reproches sanglants pour avoir pris la femme de son frère Philippe. Mais il est depuis lors hanté de remords et il est convaincu que ce Barabbas est ce Jean sorti du tombeau.

Pilate secoua la tête d'incrédulité. Les domestiques apportèrent un en-cas : un pigeon farci au blé, des poireaux à l'huile et un cruchon de vin.

Peu avant la sixième heure, deux portefaix de la tour Antonia vinrent livrer au capitaine Valerianus le *patibulum*, ou madrier transverse de la croix à laquelle le condamné serait attaché. Prélevée dans les magasins de la tour, c'était une pièce de cinq coudées romaines de long et trois paumes de section*, taillée dans du cyprès[12]. Creusée aux deux extrémités d'une rigole permettant de maintenir les liens en place et au centre, d'une mortaise qui s'emboîtait au sommet du pilier central, celle-là avait visiblement servi maintes fois; les

---

*Une coudée romaine valait 444 millimètres, et une paume, 74 millimètres.

extrémités étaient marquées de salissures noirâtres, le sang des poignets de condamnés qui s'étaient débattus avant de succomber. Elle était lourde aussi ; personne ne l'avait pesée, mais les employés qui l'avaient livrée s'étaient mis à deux pour le transport et elle devait représenter une soixantaine de livres. Le capitaine ordonna de la porter à la salle où le condamné Jésus Bar Abbas était détenu et il suivit les deux hommes.

— Condamné Jésus, c'est l'heure d'y aller. Tu porteras ce bois jusqu'au Golgotha.

Jésus se leva et considéra le *patibulum*, que les portefaix avaient posé contre un mur et qui était plus grand que lui. Il tenta de le soulever, mais n'y parvint qu'avec peine ; il était affaibli par tout ce qu'il avait enduré depuis son arrestation. Un centurion l'aida à le poser en équilibre sur son épaule.

— Tiens-le bien, qu'il ne tombe pas.

Avançant lentement, Jésus sortit du Palais hasmonéen et deux militaires lui emboîtèrent le pas. Loin de s'être dispersé, l'attroupement du matin sur l'esplanade avait grossi. Une rumeur en émanait ; à la vue de Jésus, elle cessa. Et la foule suivit le condamné.

Pour éviter tout débordement, Valerianus avait disposé des militaires le long du parcours. Le cortège, s'étirant sur la rue des Potiers, serpenta avec la lenteur d'un dragon qui s'éveille. Il s'arrêta quand, à un millier de pas de la porte d'Ephraïm, Jésus trébucha, le *patibulum* lui échappa des mains et tomba avec fracas. Un militaire alla vérifier qu'il ne s'était pas fêlé et, jugeant que le condamné ne pourrait décidément pas le porter seul jusqu'au Golgotha, il désigna un homme dans la foule.

— Veux-tu l'aider à porter ce bois ?

L'homme s'empressa d'acquiescer, souleva le madrier, en posa une extrémité sur son épaule et l'autre sur celle de Jésus et le cortège reprit sa marche. À la porte d'Ephraïm, qui débouchait sur un vaste espace découvert, le vent déploya librement sa violence. Hommes et femmes serrèrent leurs manteaux et plusieurs rebroussèrent chemin. Mais aussi, la préparation de la Pâque les appelait à leurs domiciles ; avant le coucher du soleil, ils devraient s'y cantonner, consacrés à la prière.

Deux femmes s'avancèrent vers Jésus et l'une d'elles, les traits désolés, lui tendit un gobelet :

— C'est du vin de myrrhe. En veux-tu? Il allège la souffrance[13].

De sa main libre, il prit le gobelet et tâta du breuvage. C'était amer et aigre. Mais si c'était efficace…

Puis il reprit sa marche, suivi du seul porteur compatissant et des militaires. Ils gravirent le monticule où se dressaient des piliers, cinq en tout. Un centurion et des ouvriers attendaient au pied de l'un d'eux, haut d'environ sept coudées et souillé à mi-hauteur, comme les autres, de traces noirâtres : les restes des déjections de précédents condamnés; mais qui se serait soucié de la propreté des lieux de mise à mort? Un seau d'eau à l'occasion, tout au plus, pour se débarrasser des mouches. Deux ouvriers s'emparèrent du *patibulum* et, s'aidant chacun d'un escabeau, montèrent le fixer dans la mortaise correspondante à l'aide d'une cheville[14].

— Déshabille-toi, ordonna un militaire.

Jésus ne portait que son *saq* sous le *chalouk*[15]. Il laissa tomber son *talith**, puis se défit de la tunique, des braies et enfin des sandales. Il était nu. Ce fut à ce moment-là qu'une averse déferla sur la région, fouettée par des bourrasques furieuses. En quelques instants, Jésus ruissela d'eau glacée. Les ouvriers le firent monter sur un escabeau et, pendant que l'un d'eux lui maintenait les pieds sur un support, deux autres lui lièrent les poignets aux extrémités du bois, prenant soin que les cordes fussent bien insérées dans les rigoles. Puis ils redescendirent et l'un d'eux lui lia les chevilles sur l'appui[16].

C'était fait.

Son corps s'affaissa, étirant ses bras jusqu'à la limite de résistance des tendons et des muscles. Ses jambes fléchirent. Les poignets devinrent douloureux, puis les chevilles…

La grêle crépita sur le bois comme sur les casques des militaires, et elle le flagella.

Les militaires montaient la garde à droite et à gauche. Il ferma les yeux. Il était glacé. L'effet du vin de myrrhe commençait à se faire sentir.

---

* *Saq* : pagne de toile.
Chalouk : tunique.
Talith, manteau.

Sous ses paupières fermées, il ne voyait plus qu'une grande lumière.

Le soulèvement n'avait pas eu lieu. Le Père en avait décidé autrement.

Les glaives n'avaient pas servi. Il n'était pas roi. Son royaume serait ailleurs.

Il respirait de plus en plus difficilement. Il allait bientôt rendre le dernier souffle, c'était sûr.

La pluie rejaillissait sur le cadran solaire, noyant les chiffres désormais dérisoires, comme si elle se vengeait de sa prétention de ce disque de pierre et de sa flèche de bronze à mesurer le temps. Et les heures !

Devant le Palais hasmonéen, des légionnaires se faisaient stoïquement saucer.

Un émissaire trempé courut dans les flaques vers l'aile où se trouvait le bureau de Valerianus. Il était crotté jusqu'aux genoux.

— C'est fait, capitaine. Quand j'ai quitté le Golgotha, il venait d'être mis en croix.

Valerianus hocha la tête. Le condamné avait donc été crucifié entre la septième et la huitième heure, soit une ou deux heures plus tard qu'on le lui avait demandé[17].

— Va te laver et te chauffer. J'ai fait rallumer du feu dans l'atrium.

Ce ne fut que peu après la neuvième heure que le cadran solaire mérita de nouveau son nom. Quelques éclaircies permirent en effet de distinguer l'ombre de l'aiguille de bronze. L'orage s'était déplacé vers le nord, mais le temps avait nettement fraîchi.

Là-bas, sous l'auvent de la porte d'Ephraïm, un petit groupe, cinq hommes et trois femmes, n'avait pas quitté son poste d'observation depuis la mise en croix de Jésus[18]. Regards rivés sur le bois d'indignité, ils voyaient que le condamné s'était affaissé, la tête en avant[19]. À la première éclaircie, l'un des observateurs planta un bâton en terre et en mesura l'ombre au jugé : il estima l'heure à peu près correctement et fit signe à un autre. Suivis de deux domestiques et des regards des femmes, ils se détachèrent du groupe et refirent en sens inverse le chemin du matin.

C'est-à-dire qu'ils retournèrent au Palais hasmonéen. Là, ils demandèrent à voir le procurateur. Ils furent reçus par Valerianus. C'étaient eux qui lui avaient donné la bourse d'or, mais, conformément à leur accord, il feignit de ne pas les reconnaître.

— Quel est l'objet de votre requête?

— Nous venons réclamer le corps du crucifié Jésus bar Yousef.

Il fut cette fois surpris. Il alla prévenir Pilate.

— Comment, il est déjà mort? s'étonna Pilate. Il faut vérifier que ce ne soit pas une ruse pour récupérer cet homme vivant. Envoie un centurion s'assurer que l'homme est bien mort.

— Je vais y aller moi-même, dit Valerianus.

— Ce sera plus sûr.

— Je vais aller vérifier vos dires, lança le capitaine aux visiteurs. Attendez-moi ici.

Il monta sur le cheval sellé qui l'attendait à toute heure et fila au trot dans les rues presque désertes.

Au Temple, Ben Goudjeda, l'adjoint du commandant Yohanan, fut soudain piqué par une idée et mit fin à une conversation avec le chef des chantres pour aller voir son maître.

— Je viens d'y songer, dit-il. Le Romain est plein de malice. Il est capable de laisser le condamné en croix jusqu'à demain. C'est contraire à la Loi. Les *Devarim** l'interdisent.

La bouche du commandant se crispa sous la moustache.

— J'y ai songé aussi ce matin. Mais ce Romain ne voulait plus nous entendre, comme tu l'as vu. Nous n'avons même pas pu obtenir une escorte. Que veux-tu y faire, maintenant? C'est trop tard.

— Nous pourrions lui envoyer un émissaire. Il reste près de trois heures avant le coucher du soleil.

— Un émissaire? Pilate en sait assez sur nos coutumes pour le faire lanterner jusqu'au soir. En tout cas, il refusera d'achever le condamné avant le coucher du soleil rien que pour nous

---

*«Les Paroles», nom hébreu du Deutéronome.

contrarier. Cette crucifixion-là est devenue une épreuve de force entre lui et nous.

— Et alors? Nous ne ferons rien? Veux-tu que j'y aille, moi?

— Qu'obtiendrais-tu de ce Romain? Encore une potée de mépris? Ou des coups de bâton?

— Je n'attends rien de Pilate. Mais je pense qu'on peut obtenir ce que nous voulons des légionnaires sur le Golgotha. Leur solde est misérable.

Une lueur de complicité fila entre les yeux des deux hommes.

— S'ils lui brisent les tibias, le condamné ne survivra pas longtemps, on le sait. Une heure après, on pourra le faire détacher et le mettre au tombeau.

Le commandant du Temple réfléchit au projet; mais, se lissant la barbe d'un geste répétitif, il ne semblait qu'à moitié convaincu.

— Commandant, c'est notre seul recours! Nous ne pouvons pas laisser Pilate nous infliger un outrage de plus.

— Crois-tu vraiment que les légionnaires se laisseraient convaincre?

— Si nous y mettons le prix. Le condamné est perdu, ils le savent. Alors que compte pour eux une heure de plus ou de moins?

— Combien?

— Leur prix? Selon moi, dix deniers. C'est ce qu'ils touchent en un mois.

— Dix chacun?

— Oui.

Vingt deniers, c'était le prix de dix colombes, une misère.

— Bon, essaie.

— Il faut faire vite.

Le commandant appela le trésorier et lui ordonna de remettre vingt deniers à son adjoint Ben Goudjeda. Quand celui-ci fut parti, il poussa un soupir. Que de manigances pour faire respecter la Loi!

Quand Valerianus avait franchi la porte d'Ephraïm, les observateurs demeurés sur place s'étaient passé le mot:

— C'est lui.

Et quand il était arrivé au Golgotha, vers la demie après la neuvième heure, le froid et le vin de myrrhe avaient jeté Jésus dans une torpeur profonde. Même la douleur aiguë aux chevilles et aux poignets ne pouvait le maintenir en éveil. Valerianus mit pied à terre ; il examina d'en bas le visage à la bouche entrouverte, aux joues creusées et aux paupières presque closes qui penchait au-dessus du corps affaissé, et il nota les mains et les pieds d'un pourpre bleuté : le crucifié agonisait. Valerianus emprunta la *lancea* d'un légionnaire, une lance équipée d'une lame plate plus apte à tenir des foules en respect qu'à transpercer un ennemi à la guerre ; il piqua le crucifié au flanc droit, sous la dernière côte, mais le geste fut plus énergique qu'il ne l'avait voulu. Du sang coula. Valerianus demeura un moment perplexe : en soldat expérimenté, il savait que si le sang coulait, c'est que l'homme était vivant[20].

Et c'était justement vivant que le voulaient les deux notables qui réclamaient son corps.

Il rendit la lance au légionnaire et remonta à cheval. Vingt minutes plus tard, il était de retour au prétoire. Joseph d'Ephraïm et Nicodème le regardèrent s'engouffrer dans le bâtiment.

— Le condamné est bien mort, procurateur.

Pilate haussa les épaules. Une expression d'affliction affaissa le visage de sa femme, assise en face de lui.

— Bon, donne-leur l'autorisation, dit Pilate.

— Procurateur, un ordre est nécessaire pour les soldats qui montent la garde là-haut.

Pilate appela son secrétaire et lui dicta l'ordre. Il tenait en peu de mots. Le secrétaire tendit le tampon à son maître et Pilate l'apposa d'un geste brutal. Cette journée lui avait porté sur les nerfs.

Valerianus sortit et tendit le bout de papyrus tamponné aux deux hommes qui l'attendaient.

— Faites vite, souffla-t-il.

Ils ne se le firent pas répéter et se hâtèrent vers leurs ânes, dans la rue, suivis chacun par son domestique au pas de course. Car dûment talonnés, les ânes, eux, trottaient vite.

À la porte d'Ephraïm, leurs amis les reconnurent de loin.

— Suivez-nous, leur lança au passage Joseph d'Ephraïm.

Les deux ânes gravirent le monticule, les hommes mirent pied à terre, se dirigèrent vers les deux légionnaires et montrèrent l'ordre de Pilate. Les Romains hochèrent la tête.

— Vous n'avez pas apporté d'échelle ? demanda l'un d'eux, étonné.

Personne ne le comprit, évidemment. Mais la question était sensée.

Détacher le crucifié sans échelle, en effet, ne serait pas une mince affaire : les ouvriers étaient partis et avaient emporté les leurs. Cependant, les domestiques étaient ingénieux : ils feraient, eux, la courte échelle. L'un d'eux monta sur les épaules de l'autre et atteignit ainsi sans effort l'extrémité du *patibulum*; toutefois, il peina à trancher les cordes qui enserraient le poignet droit sans blesser les chairs. Pressé d'en finir et de quitter ce lieu sinistre, un légionnaire lui tendit sa dague, mieux aiguisée. La corde céda, le bras retomba et le corps se détacha à moitié, entièrement pendu à l'autre poignet. Deux des hommes de la petite équipe tendirent les bras, se préparant à en recevoir le poids quand les derniers liens seraient tranchés.

— Pourquoi saigne-t-il ? s'écria l'une des femmes, éplorée.

— Marie, tais-toi ! lui ordonna Joseph d'Ephraïm.

Même si les légionnaires ne comprenaient pas l'araméen, ce n'était pas le moment de s'interroger.

Tandis que les domestiques refaisaient la courte échelle pour libérer l'autre poignet, Nicodème défaisait patiemment les cordes autour des chevilles : il s'était attaqué au nœud qui pendait devant, mais que la pluie avait resserré.

Enfin, chevilles et poignets libérés, le corps s'écroula et deux hommes ne furent pas de trop pour amortir sa chute. Les domestiques avaient étendu une couverture sur le sol encore humide. Le corps y fut déposé et la couverture repliée sur lui, puis les domestiques le soulevèrent et l'allongèrent avec précaution sur l'un des ânes, la tête sur l'encolure.

— Il ne va pas tenir dans cette position, observa quelqu'un.

Mais quatre hommes s'étaient postés de part et d'autre de la monture, pour maintenir le corps en équilibre. Aussi l'âne irait-il au pas.

— Relevez-lui la tête, dit Nicodème.

— Mais avec quoi ?

Nicodème roula le linceul et le tendit à un domestique, qui le glissa sous la nuque de Jésus.

— Hé, ses vêtements ! cria un légionnaire, indiquant un tas noirâtre et détrempé sur le sol.

Un domestique comprit et alla les ramasser. Joseph rendit sa dague au légionnaire obligeant et glissa une pièce à chacun d'eux. Ils le remercièrent et, n'ayant plus rien à faire dans ces lieux lugubres, ils se mirent en route pour la caserne de la tour Antonia.

Là-bas, il y avait du feu, du vin et du saucisson.

Rien en ce monde n'est parfait mais, bouches béantes et yeux écarquillés, l'ébahissement qui se peignit sur les visages de Ben Goudjeda et du lévite Neria qui l'accompagnait quand ils virent la croix vide frisa la perfection.

Pas de corps, pas de légionnaire, rien. Et personne dans les parages pour les renseigner sur ce mystère.

Ils se regardèrent, incrédules. Puis ils contemplèrent le poteau de la croix, que le couchant peignait de rouge doré sur le ciel indigo de l'orient.

— Bon, dit enfin le lévite, l'essentiel est qu'il n'y ait plus de condamné en croix.

Ils se hâtèrent de regagner Jérusalem et de rejoindre leurs familles.

Les crêtes du Temple et des murailles de Jérusalem recueillaient aussi les dernières miettes du soleil qui désertait ce monde. Les portes d'or du sanctuaire, elles, semblaient les exalter comme pour un adieu final. Elles étincelaient. On aurait presque cru entendre des trompettes !

Notes du chapitre 4

12. La tradition, appuyée par l'iconographie, selon laquelle Jésus aurait porté la croix entière depuis le Palais hasmonéen, où le jugement avait eu lieu, jusqu'au Golgotha, est une invention insoutenable. La phrase de l'évangéliste Jean, « Et il sortit portant sa croix » (Jn. XIX.17), n'est destinée qu'à accentuer le pathétique de la Passion. Toutes les données historiques, en effet, indiquent que seul le madrier transverse de la croix ou *patibulum* était porté par le condamné jusqu'au lieu du supplice ; là, il était fixé à la mortaise du pilier vertical. Et pour cause : d'une part, le poids des deux madriers était trop lourd pour le condamné, qui avait souvent subi une flagellation auparavant, de l'autre, il était exclu que le condamné traînât la croix sans qu'elle risquât de se disloquer ou, pis, qu'elle se fracassât s'il la laissait tomber ; c'était là un risque que les exécuteurs n'auraient certes pas encouru. Malgré ces précautions, le *patibulum*, qui devait peser une trentaine de kilos, semble avoir été trop lourd pour Jésus, puisque l'on dut faire appel à un témoin pour l'aider, désigné sous le nom de Simon de Cyrène.

Le récit composite qui s'est constitué dans les siècles ultérieurs, avec le concours efficace des images, fut sans doute conforté par une citation des premières versions écrites des Évangiles : « Si quelqu'un veut venir à ma suite, qu'il se renie lui-même, qu'il se charge de sa croix et me suive. » (Mt. XVI, 24.) Jésus ne pouvait ignorer que les condamnés ne portaient pas la croix entière et cette phrase qui lui est attribuée apparaît donc comme l'altération d'une autre, non retrouvée.

13. Déterminés à décrire les Juifs comme des gens cruels, les évangélistes ont allégué que les exécuteurs – qui étaient cependant romains – donnèrent à Jésus un breuvage infâme. Selon Matthieu, ç'aurait été « du vin mêlé de fiel » et Jésus aurait refusé d'en boire (Mt. XXVII, 34) ; quelques versets plus loin, alors que Jésus était en croix, un exécuteur lui aurait tendu au bout d'un roseau « une éponge imprégnée de

vinaigre » et cette fois, Jésus en aurait bu (Mt. XXVII, 48). Luc reprend l'allégation : pour lui, ce seraient les soldats qui auraient « présenté du vinaigre » à Jésus, mais il ne dit pas que Jésus en absorba (Lc. XXIII, 36). Jean rapporte que les exécuteurs auraient trempé une éponge « dans un vase rempli de vinaigre » pour la tendre à Jésus et dont il but avant de « rendre l'esprit » (Jn. XIX, 28-30). Marc, cependant, avance que c'était « du vin parfumé de myrrhe », mais Jésus n'en aurait pas bu non plus (Mc. XV, 23). Aucun d'eux ne précise le sens de cette offre déconcertante, et les auditeurs puis les lecteurs des siècles successifs en furent menés à conclure que c'était un geste malveillant.

On pourrait supposer que c'est là un détail mineur ; or, il reflète l'ignorance des rédacteurs grecs. Seul Marc est dans le vrai : c'était bien du vin additionné de myrrhe, mais comme le mot hébreu originel, *chomets*, désigne aussi bien du vinaigre que du vin de basse qualité, qu'en français on appelle « piquette » (cf. A. Edersheim, *The Life and Times of Jesus the Messiah*, v. bibl.), les autres rédacteurs ont opté pour le « vinaigre » et Matthieu a même inventé l'adjonction de « fiel ».

Quel était donc le rôle de ce breuvage ? La myrrhe, substance astringente, donc atténuant la soif, est un sédatif réputé depuis l'Antiquité ; Jésus en but, selon Jean, d'où la torpeur qui suivit et que Jean interprète comme l'agonie. La coutume d'en offrir aux condamnés était dictée par les Proverbes (XXXI, 6), qui conseillent de donner une boisson forte à celui qui va mourir. Une association de femmes pieuses de Jérusalem payait ce vin de ses deniers pour réduire les souffrances des crucifiés, car la crucifixion était considérée comme un supplice introduit par les païens.

14. Selon les Évangiles, la croix de Jésus aurait été flanquée de deux autres, réservées à « deux brigands, l'un à droite, l'autre à gauche » (Mt. XXVII, 38 et Mc. XV, 27). Luc parle de deux « malfaiteurs » (Lc. XXIII, 32), et Jean écrit seulement « deux autres » (Jn.XIX, 18). Rien n'est indiqué de leurs identités et s'ils ont été mis en croix en même temps que Jésus, on ignore l'heure où ils auraient rendu le dernier souffle ou été achevés ; une prescription juive voulait en effet qu'il ne demeurât pas de cadavre exposé à la veille de la Pessah ; à la différence de Jésus, on leur aurait alors fracassé le crâne ou brisé les tibias.

La totale invraisemblance de leurs échanges de propos pendant le supplice indique que c'étaient des figures inventées pour souligner l'indignité ultime à laquelle Jésus fut soumis à son exécution ; et la conversation qui leur est prêtée d'une croix l'autre les désigne comme des personnages créés pour une scène hagiographique. Le supplice imposait une respiration superficielle par extension continue des muscles thoraciques ; pouvant à peine respirer, les condamnés n'auraient pas eu la capacité d'articuler plus de deux ou trois mots et n'auraient certes pas pu échanger les propos élaborés que leurs prêtent les évangélistes. Aussi ai-je fait abstraction de ces personnages.

15. « Quand ils l'eurent crucifié, ils se partagèrent ses vêtements en tirant au sort », écrit Matthieu (Mt. XXVII, 35). Car les exécuteurs auraient rhabillé Jésus après la flagellation, non sans avoir craché sur lui et lui avoir donné des coups de roseau sur la tête (XXVII, 30). Marc et Luc reprennent la même assertion (Mc. XV, 24 et Lc. XXIII, 34). Jean ajoute un détail : « La tunique était sans couture, tissée d'une pièce à partir du haut » ; elle aurait donc fait l'objet d'un tirage au sort de plus entre quatre soldats, pour ne pas être déchirée (Jn. XIX, 23-24). Cette tunique d'une seule pièce aurait été du type porté par les Esséniens après le baptême initiatique. On ne sait si c'est une référence secrète de Jean à l'appartenance de Jésus aux Esséniens, et l'on peut douter que Jésus aurait continué à porter ce vêtement hautement symbolique pendant son ministère, mais un fait est certain, c'est que, revêtue après la flagellation (Jn. XIX, 1), elle aurait certainement été trempée de sang.

On ne concevait déjà pas des soldats romains s'appropriant les vêtements d'un condamné juif, qui ne correspondaient pas à leurs coutumes, mais on peine à croire qu'ils se soient disputé une tunique ensanglantée ; eussent-ils été disciples de Jésus, ç'aurait été pour eux une relique, mais ils demeuraient païens. Pour Jean, ç'aurait été un accomplissement de « l'Écriture » : « Ils se sont partagé mes habits, et mon vêtement, ils l'ont tiré au sort. » Il s'agirait là, en effet, d'une citation du Psaume XXII (39), dont on retrouvera d'ailleurs un autre verset plus loin. Exégètes et historiens y ont plutôt vu une invention déjà trop ancrée dans la tradition pour que l'évangéliste Jean se jugeât libre de la modifier.

16. Un détail de la crucifixion a suscité une tradition qui se perpétue jusqu'à ce jour et qui ne repose cependant sur aucune donnée historique ni scripturaire : le cloutage des extrémités.

Renforcée par quelque vingt siècles d'iconographie et investie de certitude, cette fiction tardive est infirmée d'emblée par des évidences physiologiques : les ligaments des mains se seraient déchirés sous le poids du corps si les clous y avaient été plantés. On postula au xxᵉ siècle qu'ils auraient pu avoir été plantés dans les poignets ; j'y adhérai un temps, jusqu'à ce que des médecins me fassent observer qu'à moins d'être insérés par un anatomiste expert ils auraient entraîné une hémorragie rapidement mortelle ; or, tel n'était pas le but du supplice, qui durait plusieurs jours. Le cloutage des pieds superposés, toujours selon l'iconographie traditionnelle, pose des difficultés anatomiques qui l'excluent également.

En fait, les condamnés étaient liés à la croix. Aucun évangéliste ne mentionne de clous, et Jean écrit d'ailleurs que Jésus était « lié à la croix » (XIX, 25). Le cloutage est un thème qui apparaît dans l'Évangile de Pierre, apocryphe du IIᵉ siècle, dont l'apologiste et théologien Justin Martyr (100-165) fit grand usage et dont il se servit pour diffuser la thèse du cloutage. Dans les siècles ultérieurs, des croyants zélés retrouvèrent cependant « des clous de la vraie Croix »...

17. Le temps que Jésus demeura en croix est un point essentiel de son histoire ; sa brièveté relative, en effet, explique sa survie au-delà du supplice.

Selon Jean, Pilate aurait livré Jésus au sanhédrin pour être crucifié – impossibilité juridique absolue – « à la sixième heure » (Jn. XIX, 14), c'est-à-dire vers midi et demi, les heures étant comptées à partir du lever du jour. Observons incidemment que Jean se contredit quand il parle à deux reprises de « soldats » qui auraient eu la garde de Jésus (Jn. XX, 23 et 24) ; il n'y avait pas de soldats juifs en Judée, seulement des Romains. Le temps de conduire le condamné au Golgotha et de le mettre en croix peut être estimé à près d'une heure. Jésus aurait donc été crucifié vers 13 h 30.

Matthieu et Marc concordent sur l'heure de la mort présumée : « la neuvième heure », c'est-à-dire vers 15 h 30. Jésus serait donc resté en croix plus ou moins deux heures.

Peu d'auteurs anciens ont parlé de la crucifixion : c'était un supplice lent et les condamnés y survivaient parfois plusieurs jours ; mais ils étaient minés par la faim et la soif, ainsi que par l'acidose, causée par l'appauvrissement du sang en oxygène ; de surcroît, ils étaient intégralement nus et exposés à l'insolation aussi bien qu'à la pneumonie, selon la saison. Quand ils ne succombaient pas à l'épuisement, on les achevait soit en leur fracassant le crâne, soit en leur cassant les tibias, ce qui les exposait à l'effondrement. Ce ne fut pas le cas de Jésus. D'où l'étonnement de Pilate, seulement rapporté par Marc (Mc. XV, 44), quand Joseph d'Arimathie et Nicodème allèrent lui réclamer la disposition du corps : « Ayant fait appeler le centurion, il lui demanda s'il [Jésus] était mort depuis longtemps. »

Il est permis de supposer que ce fut le même centurion qui alla vérifier que Jésus était bien mort en lui piquant le flanc de sa *lancea*.

Cependant, le temps exceptionnellement court pendant lequel Jésus demeura sur la croix ne pouvait suffire à expliquer sa survie. D'où mon hypothèse selon laquelle il y eut un complot de Joseph d'Arimathie et de Nicodème pour sauver le crucifié, avec la complicité du centurion. Car les militaires romains n'étaient pas immunisés contre la corruption. Et la dévotion singulièrement risquée de ces deux membres du sanhédrin, qui prétendirent se charger de l'inhumation de Jésus, renforce l'hypothèse.

18. Selon Matthieu, les témoins de la crucifixion comptaient «de nombreuses femmes qui regardaient à distance, celles-là mêmes qui le suivaient depuis la Galilée et le servaient, entre autres Marie de Magdala, Marie, mère de Jacques et de Joseph, et la mère des fils de Zébédée» (Mt. XXVII, 55-56). On relève incidemment que Marie, mère de Jésus, n'est pas mentionnée et que l'identité de Joseph n'est pas précisée. Aucun homme n'est cité.

Marc écrit : «Il y avait aussi des femmes qui regardaient à distance, entre autres Marie de Magdala, Marie mère de Jacques le Petit et de Joset, et Salomé, qui le suivaient et le servaient lorsqu'il était en Galilée» (Mc. XV, 40). Marie, mère de Jésus, n'est pas mentionnée non plus et l'identité de Joset n'est toujours pas précisée. Aucun homme n'est cité non plus.

Luc ne mentionne que «les femmes qui étaient venues avec lui de Galilée» (Lc. XXIII, 55) et aucun homme.

Jean, pour sa part, écrit que «près de la croix se tenaient sa mère et la sœur de sa mère, Marie, femme de Clopas, et Marie de Magdala. «Jésus, voyant sa mère et, se tenant près d'elle, le disciple qu'il aimait, dit à sa mère : "Femme, voici ton fils."» Le nom de ce disciple, qui a inspiré pour cette raison de nombreux commentaires, n'est pas donné.

Les discordances sont évidentes : alors que les Synoptiques n'en font pas mention, Jean avance que Marie, mère de Jésus, était présente et la confie à un mystérieux disciple d'élection, dont on suppose généralement que ç'aurait été Jean lui-même. Étant donné que les crucifiés étaient exposés entièrement nus, l'accès des femmes à la croix était proscrit et il semble que ce soient Matthieu et Marc qui soient le plus proches de la vérité : c'était à distance, donc de la porte d'Ephraïm, qu'elles observaient la croix.

Pour mémoire, Jacques le Petit est traditionnellement identifié à Jacques d'Alphée, l'autre Jacques, le Majeur, étant identifié à Jacques de Zébédée, frère de Jean. Mais cela n'éclaire pas sur la personne de Joset ou Joseph.

19. Les discordances radicales sur les dernières paroles que Jésus aurait prononcées sur la croix incitent à penser qu'aucun témoin ne les entendit et qu'elles furent mises *a posteriori* dans sa bouche. S'il y eut jamais paroles sur lesquelles la concordance des témoins eût dû être parfaite, ce furent bien celles de Jésus rendant l'âme.

Matthieu et Marc rapportent qu'il se serait écrié : «*Eli, eli, lama sabbactani ?*» qui est une citation en araméen du premier vers du Psaume XXII, transcrit phonétiquement mais avec des variantes qui en changent le sens. Matthieu écrit en effet : «*Eli*» (XXVII, 45), c'est-à-dire «Mon Dieu», alors que Marc (XV, 34) écrit «*Eloï*», c'est-à-dire «Pourquoi?».

Les linguistes observent d'ailleurs que ç'aurait été un araméen étrange dans lequel Jésus se serait exprimé.

Luc remplace ce cri de désespoir par : « Père, entre tes mains je remets mon esprit. » (Lc. XXIII, 46.)

Pour Jean, les dernières paroles de Jésus auraient été : « J'ai soif. » (XIX, 28.)

Force était donc de les omettre du récit.

20. Une tradition perpétuée jusqu'à nos jours, et illustrée par une abondante iconographie, voudrait que le centurion envoyé par Pilate, qui alla vérifier que Jésus était bien mort, lui ait donné un coup de lance au cœur. Or, aucun terme de l'Évangile de Jean, le seul à rapporter cet épisode, ne parle du cœur : « L'un des soldats de sa lance lui perça le flanc et il en sortit aussitôt du sang et de l'eau. » (Jn. XIX, 34.) Il faudrait d'ailleurs une prescience surnaturelle pour en déduire que le coup atteignit le cœur.

Les médecins légistes modernes ont constaté, dans quelques cas exceptionnels, des suintements de sang pouvant advenir dans les minutes suivant la mort, mais seulement dans ces cas-là ; car le sang se coagule après l'arrêt du cœur. Le jaillissement – et non suintement – décrit par Jean indiquerait donc que Jésus n'était pas mort. S'il ne possédait certes pas les connaissances d'un médecin légiste moderne, le centurion devait, comme tous les soldats depuis les origines de la guerre, savoir qu'un mort ne saigne pas ; il n'aurait certes pas conclu que Jésus était mort ; bien au contraire, il lui aurait fait briser les tibias. Tel ne fut pas le cas ; d'où ma déduction que ce centurion avait convenu d'épargner la vie de Jésus, parce que deux hommes, Joseph d'Arimathie, « un homme riche », précise Matthieu, et « disciple de Jésus » (Mt. XXVII, 57), et Nicodème, l'avaient payé pour cela.

Il n'y eut pas d'éclipse de soleil, ni en 30 ni en 33, contrairement à ce que décrivent Matthieu, Marc et Luc (Mt. XXVII, 45, Mc. XV, 33 et Lc. XXIII, 44). Luc écrit en effet que « l'obscurité se fit sur la terre entière jusqu'à la neuvième heure ». Le ciel se chargea sans doute des nuages d'un orage de printemps, et ils changèrent l'intempérie en événement astronomique.

5.

Le cortège s'était mis en route quand, au bout d'une centaine de pas, Marie poussa un cri :

— Il a ouvert les yeux !

On s'arrêta donc. Chacun se pressa auprès du corps allongé sur l'âne pour distinguer ses yeux. Il les avait rouverts, en effet, et le couchant y jetait des miettes d'or rouge, ce qui lui prêtait un regard surhumain. Il revenait d'un pays plus cruel que la mort, la connaissance de la mort.

— J'ai soif, murmura-t-il.

Lazare déboucha sa gourde et, tandis que Marie lui soutenait la tête, Jésus sortit la main de sous la couverture pour la saisir. Mais les doigts en étaient enflés et bleus ; presque rigides, ils ne purent saisir la gourde. Lazare la porta alors à la bouche de Jésus, l'inclinant doucement. Jésus put donc boire, puis il écarta la gourde et s'essuya la bouche du revers de la main.

Le chemin fut long, parce que lent.

Le souci le plus pressant des sauveteurs était d'administrer à Jésus les premiers soins que son état requérait.

Joseph, Nicodème, Marie, Marthe et Lazare avaient tout prévu.

D'abord, dans le cas où des espions du Temple les auraient repérés et les suivraient, ils s'étaient munis d'un linceul et d'aromates, ainsi que de baumes pour les blessures. Ensuite, ils avaient préparé la disposition d'un tombeau. Ce serait là qu'ils feindraient d'abord de déposer Jésus ; mais ce ne serait qu'une première halte : la suivante serait la maison de Marthe et Marie, à Béthanie.

Pour parvenir au tombeau, au mont des Oliviers, à l'est, il fallait contourner la ville sans attirer l'attention : le transport d'un cadavre présumé à la veille de la Pâque paraîtrait suspect. Heureusement, le repos pascal et les prémices de la nuit les secondaient. Les rues étant calmes, les légionnaires n'avaient pas non plus de raison d'y traîner. Le petit cortège passa donc devant la porte d'Ephraïm, maintenant fermée, longea les remparts et la forteresse Antonia, et atteignit la porte des Brebis. Celle-ci avait été confiée pour la circonstance à des Syriens, des païens évidemment dispensés du sabbat et qui, à cette heure tardive, étaient visiblement saouls et d'excellente humeur. Moyennant la pièce, ils ouvrirent la porte sans barguigner ni contrôler le nombre des voyageurs, et même, ils allumèrent obligeamment la torche de l'un des serviteurs.

Il faisait alors nuit noire. Le porteur de la torche ouvrait le chemin. Trois ou quatre heures s'étaient écoulées quand il alerta Nicodème :

— Je crois que nous approchons.

Un peu plus loin, la grande pierre ronde d'un *dopheq* leur signala qu'ils étaient au but ; l'ouverture du sépulcre qu'elle fermerait un jour béait à côté, bouche d'ombre insatiable comme la mort. Deux serviteurs gravirent les marches menant à cette fausse grotte, y portèrent Jésus et l'allongèrent sur le lit de pierre censé être celui de son dernier repos.

Le sépulcre ne pouvait contenir que trois personnes au plus. Les domestiques en sortirent, Joseph et Nicodème y entrèrent pour examiner Jésus. Ils jetèrent par terre le linge de sueur, encore plié, et déballèrent baumes et pansements. Le corps avait été furieusement lavé par la pluie. Sur la plaie au flanc, qui suintait, ils appliquèrent de l'aloès et la serrèrent dans un pansement en ceinture autour du torse. Sur les pieds, aussi bleus que les mains, ils appliquèrent un baume apaisant et les bandèrent.

Le blessé n'émit pas un seul gémissement.

Ils le vêtirent d'un pagne et d'une tunique neuve et l'aidèrent à s'asseoir. Marie, Marthe et Lazare observaient ces activités de l'extérieur.

— Veux-tu manger un peu ?

Il hocha la tête. Ils lui tendirent une galette fourrée de viande et un cruchon de vin. Il regarda longuement les trois visages révélés par les palpitations de la torche que tenait le domestique à l'entrée du tombeau. Marie, masque plein et lisse, l'amour au-delà de l'amour, Marthe, l'aînée, les traits griffés par l'expérience et la résignation, la dévotion inconditionnelle, et Lazare, le cadet, visage creusé par l'ascèse, autre forme de l'amour, l'aspiration à la fusion dans l'Esprit. Quant à Joseph et Nicodème, il avait lu dans leurs cœurs bien auparavant : ils avaient vite compris, eux aussi, qu'il enseignait la foudroyante suprématie de l'Esprit sur les mots. La Loi n'appartiendrait jamais aux législateurs. Et ils avaient tout risqué pour la conviction qu'il leur avait insufflée.

— Vous avez donc prolongé ma vie terrestre, dit-il d'une voix rauque.

— La victoire de tes ennemis eût été pour nous plus noire que la mort.

Ils entreprirent de le sortir du tombeau. Opération délicate, car il ne pouvait se tenir sur ses pieds. Ils le soutinrent donc pendant que, de l'extérieur, Lazare et un domestique lui soutenaient les jambes. Puis ils l'aidèrent à s'asseoir sur la grande marche au bas du tombeau.

— Où sont les autres ?

Ils comprirent qu'il parlait des disciples, qui se terraient sans doute, confondus de désespoir.

— Nous l'ignorons.

— Judas ?

Pourquoi donc posait-il pareille question ?

— Lequel des Judas, bar Shimon ou bar Yacoub ? demanda Lazare.

— Il faut nous dépêcher, dit Marie à son frère, pour faire diversion, car elle avait entendu la question de Jésus.

— Lazare, tu n'as pas répondu à ma question.

— Si c'est de Judas bar Shimon que tu parles, rabbi, il n'est plus.

— Comment, il n'est plus ?

— Il s'est pendu, rabbi.

Un son bref échappa de la gorge de Jésus. Et ses yeux se mouillèrent.

— Non... Je lui avais dit... Il n'aurait pas dû...

Ils se figèrent. Ils n'avaient déjà rien compris à ce qui apparaissait comme une trahison de Judas ; ils n'y croyaient pas. Et maintenant, ils la comprenaient encore moins : comment Jésus pouvait-il pleurer sur le disciple qui l'avait trahi ?

— Nous ne resterons pas ici plus longtemps, dit Joseph. S'ils ne sont pas déjà à nos trousses, le premier soin des gens de Caïphe sera de s'enquérir du tombeau, après-demain.

— Où voulez-vous m'emmener ?

— À Béthanie, répondirent presque ensemble Marie, Marthe et Lazare à la porte.

— Ils me chercheront là-bas aussi, dit-il.

— Pas ce soir ni demain, en tout cas, répondit Nicodème.

Tout le monde, en effet, serait occupé des préparatifs de la fête.

La nuit s'avança. Le désir, non, le besoin de s'éloigner du lieu devenait irrésistible.

Les domestiques s'apprêtaient à refermer le tombeau.

— Non, laissez-le ouvert, ordonna Joseph.

Jésus ne pouvait marcher, mais il pouvait se tenir sur un âne ; on l'aida à l'enfourcher. Par prudence, Lazare se tint près de lui.

Ils se mirent en route.

Un dernier regard sur le tombeau : les seules traces de leur passage étaient le linge de sueur qu'on plaçait sur le visage des morts et quelques pansements. Nicodème avait repris le reste, fourré dans un sac. Et le linceul, toujours roulé, était sur l'âne.

Quand ils parvinrent à destination, l'aube lavait le ciel de ses noirceurs.

— La lumière a triomphé, dit Jésus.

Ils tournèrent la tête vers lui : une esquisse de sourire apparaissait sous la barbe. C'était son premier sourire depuis un temps qui leur paraissait immémorial. Il éclaira leurs cœurs comme aucun soleil ne l'avait jamais fait. Même les hommes en eurent des larmes.

Il mordit alors dans la galette, première nourriture depuis la veille.

Ils étaient recrus de fatigue. Mais Joseph et Nicodème allèrent quand même au Temple. C'était la Pâque. Leur absence ferait jaser. Lazare alla à la synagogue de Béthanie. Il n'aurait pas supporté la vue du Temple.

Le lundi, en ville, les fermentations des esprits, suspendues par les célébrations de la fête, reprirent leur cours ordinaire. Soupçons, hypothèses, ratiocinations et supputations pimentées par les rancœurs que chacun porte à son prochain, tout cela gargouilla dans les méandres cérébraux. Qui manquerait, d'ailleurs, la ressemblance entre un cerveau et les organes digestifs ?

Les premiers qui renouèrent dès l'aube le fil de leurs cogitations furent les deux prêtres qui avaient trouvé la croix vide sur le Golgotha désert, Ben Goudjeda et le lévite Neria. Et une question s'empara de leurs cervelles comme une colique : qu'est devenu le corps ? À chaque heure, elle devint plus pénible : impossible de penser à autre chose.

La perplexité est aussi contagieuse que la panique : à midi, tous les prêtres et fonctionnaires du Temple qui n'étaient pas en service en étaient atteints ; six heures plus tard, elle avait envahi les esprits des quelque huit mille serviteurs du Très-Haut à Jérusalem, Caïphe compris, bien sûr.

— Il faut demander à Pilate ce qu'est devenu le corps, décida le commandant du Temple, puisqu'il prétendait assumer la responsabilité exclusive de ce Galiléen.

Une fois de plus, Ben Goudjeda reprit le chemin du prétoire, escorté de Neria. Ils furent reçus par le secrétaire Albinus, qui convoqua l'interprète du prétoire.

— Nous sommes venus nous enquérir du sort du condamné Jésus.

Albinus fut ahuri.

— Mais il est mort !

L'exclamation se serait passée de traduction.

— Où est donc son cadavre ? Nous souhaitons que le procurateur nous le dise.

— Le procurateur n'a pas pour mission de s'occuper des cadavres, répondit le secrétaire avec hauteur. Et je ne peux le déranger pour satisfaire à votre curiosité.

Aucune possibilité de recours ne s'offrait aux émissaires ; ils tournèrent les talons. Mais les vingt deniers alloués par le trésorier, deux jours auparavant, tintaient toujours dans la bourse de Ben Goudjeda.

— Il nous faut trouver un homme qui parle latin, murmura-t-il en s'éloignant du Palais hasmonéen.

— Assef! Assef ben Assef! s'écria le lévite.

— Qui est-ce?

— Le plus grand négociant en huile de Jérusalem. C'est un Syrien qui parle latin, grec, araméen, hébreu... Allons le voir, il habite la ville basse.

Ce commerçant aux yeux clairs, signe d'une ascendance largement métissée, avait tout intérêt à écouter les représentants de son principal client. Il était aussi rompu aux subtilités des entreprises parallèles dans une société à deux têtes. Il fut chargé de retrouver les légionnaires de garde sur le Golgotha le vendredi précédent et de leur demander qui avait enlevé le corps du crucifié et où celui-ci avait été emporté. Ils eurent la réponse peu avant le soir : deux hommes avaient présenté un ordre du procurateur Pilate de leur livrer le corps en question. Ils étaient venus accompagnés d'une bonne douzaine de gens et de deux ânes et ils étaient repartis vers l'est.

Vers l'est, cela suggérait qu'ils étaient allés vers le mont des Oliviers, dans les flancs duquel beaucoup de notables avaient coutume de faire creuser des tombes. Accompagnés d'un domestique et munis d'eau et de vivres, les deux hommes repartirent donc de bon matin dans cette direction, à la recherche d'une tombe neuve. Vers la deuxième heure après midi, leurs efforts furent tout à la fois récompensés et sanctionnés : ils trouvèrent la tombe ouverte et vide.

Ils jetèrent un coup d'œil dans le caveau neuf : par terre, un linge de sueur plié, des bandelettes et c'était tout. Et pas de linceul[21].

Pour la deuxième fois en trois jours, Jésus dit Barabbas leur échappait.

Le lundi matin, la barre de sûreté d'une porte de la rue des Barbiers – plutôt une venelle –, dans le quartier de la Piscine, fut levée dans le fracas ordinaire et une femme pointa le nez dehors. Puis elle se tourna vers l'intérieur, lança trois mots et, aussitôt après, un jeune homme franchit la porte, l'expression inquiète. C'était Jean bar Zebeida. Il rabattit la capuche de son manteau. L'instant suivant, son frère Jacques le suivit et fit le même geste. Ils se dirigèrent vers le nord. Ils allaient aux nouvelles.

Depuis qu'il avait vu, de la porte d'Ephraïm, le corps de son maître s'affaisser sur la croix, Jean s'était, lui, moralement effondré. Il avait regagné son refuge rue des Barbiers, dévasté par la douleur et tremblant sur tout le parcours d'être reconnu et livré lui aussi aux policiers du Temple. Quant à l'enterrement de Jésus, il ne pouvait rien y faire. Lui et Jacques étaient sans ressources, et, de surcroît, s'ils se montraient aux gens du Temple, certainement présents, ils courraient le risque d'être dénoncés comme complices de celui que les prêtres appelaient désormais « l'émeutier ».

Mais ils n'en pouvaient plus d'être enfermés dans cette maison de la rue des Barbiers, fût-elle amie; après le jugement du sanhédrin, la police du Temple était allée dans la maison louée par Marie, rue des Verriers, saisir les biens du condamné Jésus bar Yousef; elle n'avait évidemment rien trouvé, mais l'effet le plus sûr de sa descente avait été de faire fuir les disciples. Jean et Jacques avaient alors été accueillis rue des Barbiers. Ils n'avaient plus rien à faire à Jérusalem, aucun d'eux n'y demeurait, et ils n'y étaient venus avec leur maître que pour la Pâque. Les autres s'étaient réfugiés chez des partisans, répugnant à quitter la ville avant de comprendre ce qui s'était passé.

Ils regagneraient tous la Galilée, dont ils étaient originaires. Mais auparavant, ils voulaient savoir où était enterré Jésus. Et ce qu'il était advenu des autres.

Dès l'arrestation de leur maître, la plupart de ceux qui lui étaient restés fidèles s'étaient égaillés dans la nature, craignant pour leur sort; plusieurs d'entre eux avaient participé à l'émeute qui avait suivi le raid sur les marchands du Temple. Dans les visions d'épouvante qu'ils partagèrent pendant de longues heures, treize croix se dressaient sur le Golgotha. Où se terraient-ils maintenant? Les autres, et en tout cas Thomas, Simon le Zélote et Philippe, peut-être aussi Nathanaël, avaient déjà abandonné leur maître après le dernier repas dans la maison de Shimon; ils avaient été horrifiés par les paroles de Jésus : *Buvez, mangez, c'est mon sang, c'est mon corps...* Quant à Judas bar Shimon, que les vipères du Shéol lui mangent les entrailles ! Que ne lui avaient-ils cassé la figure quand il s'était levé de table ! Et comment le maître n'avait-il pas deviné que c'était un pourri ?

— Le meilleur endroit pour entendre ce qui se dit est le Temple, dit Jacques bar Zebeida.

L'idée de s'aventurer sur les lieux où ils avaient saccagé les étals des marchands effraya Jean.

— Et s'ils nous reconnaissent ?

— Nous n'irons pas près de l'autel des sacrifices ni des marchands. Il suffit de rester dans la cour des Païens et de s'approcher des groupes qui discutent.

Ce qu'ils firent donc, capuches rabattues. Leurs espoirs furent comblés : le principal sujet des conversations était la crucifixion et la disparition du corps de Jésus Barabbas, assorti de conjectures plus ou moins échevelées. Une heure d'écoute leur suffit pour rassembler les renseignements espérés : Jésus avait été enterré dans un tombeau du mont des Oliviers, mais ce tombeau était vide, ce qui semblait agiter beaucoup le clergé : les uns racontaient déjà que le corps avait été dérobé par les disciples, les autres parlaient de résurrection.

— Allons voir, dit Jean.

Ils repassèrent par la rue des Barbiers pour y remplir leurs gourdes, et prendre de quoi se nourrir, et se mirent en chemin. Quand ils arrivèrent à la montagne, ils eurent la surprise de trouver un groupe de gens devant un tombeau. Jean s'en approcha : il aperçut le grand trou d'un sépulcre ouvert. Il regarda à l'intérieur et vit ce qu'avaient déjà vu Ben Goudjeda et le lévite Neria : par terre, un linge de sueur plié et des bandelettes.

— Il est ressuscité ! cria un des visiteurs présents. Il a défait son linceul et roulé le *dopheq* ! La preuve est sous vos yeux !

Les femmes se mirent à prier.

— Sa vengeance sera terrible ! Il détruira le Temple, il l'a dit !

— Si les prêtres t'entendaient, ils te feraient fouetter, dit un autre.

— Ils ne peuvent pas fouetter la montagne !

— Peut-être pas la montagne, mais toi, si. Mesure tes propos.

— Tu es un tiède !

— Ne t'ai-je pas déjà vu ? demanda Jacques, s'approchant de l'homme.

Ils se dévisagèrent.

— Et moi aussi je t'ai vu, dit l'homme.

— Où ?

— À Kefar Nahoum. Tu étais l'un des compagnons du Messie quand il m'a guéri. Je suis Noadya bar Rama.

— Le paralytique !

Ils s'étreignirent, tout émus.

Pendant que les humeurs s'échauffaient, Jean retourna examiner l'intérieur du tombeau. Où était donc le linceul qui aurait dû envelopper le corps et être cousu ? Et pourquoi le linge de sueur, lui, était-il plié ? Qu'étaient donc ces bandes de tissu par terre ?

— Allons-nous-en, dit-il à son frère, troublé.

Ils s'apprêtaient à revenir sur leurs pas quand apparurent Pierre et son frère André. L'homme qui avait clamé la résurrection de Jésus vociférait maintenant avec véhémence. Les deux frères l'écoutèrent, stupéfaits.

— Que se passe-t-il ? demanda André.

— Regarde par toi-même.

Pierre et André s'approchèrent du tombeau, intimidés. Puis ils revinrent vers Jean et Jacques.

— Mais où est-il ?

— Que veux-tu que j'en sache ?

— Il est ressuscité ?

— Alors nous le reverrons. Où sont nos frères ?

— Je l'ignore. Certains avaient quitté Jérusalem le lendemain de notre repas... Je crois que Thomas est resté en ville.

Pierre semblait accablé, comme privé de raison.

— Nous n'avons plus rien à faire ici, dit Jean. Rentrons.

Ils rabattirent tous leurs capuches en approchant de la ville. Ce fut alors qu'ils distinguèrent une silhouette familière, cheminant en sens inverse. Jean l'observa un moment et alla vers lui. L'homme leva la tête, tendit les bras et s'écria :

— Jean !

Ils s'étreignirent aussi. C'était Thomas. Les larmes lui jaillirent des yeux. Les autres se rapprochèrent.

— D'où venez-vous ?

Jean résuma la situation.

— Va voir par toi-même. Nous t'attendrons ici.

Ils s'assirent dans un bosquet. Un long moment plus tard, Thomas revint, l'air égaré.

— Où est le corps ?

— Je l'ignore. Peut-être est-il ressuscité.

— Comment ça, ressuscité ? Où est-il ?

— Je te l'ai dit, je l'ignore, répondit Jean. Je ne sais même pas qui l'a mis au tombeau.

Cervelles figées, ils décidèrent d'aller demander une fois de plus l'hospitalité à Simon jadis lépreux ; il avait déjà entendu les nouvelles, mais il écouta leurs récits, ahuri, leva les bras au ciel, désarmé, puis leur fit servir à souper. Après quoi ils regagnèrent leurs refuges.

Ils ne comprenaient rien, ils étaient sans but dans la vie, pareils à des enfants perdus dans le désert.

À Béthanie, au bout de quatre jours de soins et de repos, Jésus avait retrouvé l'usage de ses mains et de ses pieds. Aucun agent du Temple ni de Pilate ne s'étant manifesté, il avait jugé inutile de se réfugier ailleurs. Et s'il en venait un, il serait repéré de loin et Jésus pourrait se cacher dans les environs.

Nul besoin d'être devin pour lire la question que posaient désormais les yeux de Marie, de Marthe et de Lazare, puis ceux de Joseph d'Ephraïm et de Nicodème, ses sauveurs, quand ils vinrent lui rendre visite : qu'allait-il faire du reste de sa vie ? Il savait lire dans les yeux :

— Quand le bon grain est semé, il germe, dit-il, assis au jardin.

Il jugeait donc que le calme qui s'était rétabli à Jérusalem, comme le lui avaient rapporté Joseph et Nicodème, était provisoire, sinon factice.

— Mais je veux voir les laboureurs avant de partir.

— Les disciples ?

Il hocha la tête. Ils n'osèrent pas lui demander ce qu'il entendait par son départ, ni à quand il l'avait fixé.

— Comment les retrouver? demanda Lazare.

— Ils se seront enfuis comme les moineaux devant l'épervier, et je ne sais combien d'entre eux vous retrouverez. Mais commencez par Jean et Jacques. Ceux-là avaient un cœur ardent. Ils doivent toujours être à Jérusalem. Allez voir chez un de nos adeptes, Shemaya, rue des Barbiers, près de la Piscine. Peut-être vous aideront-ils à retrouver les autres. Dites-leur que je veux les retrouver dans cinq jours à Motzah²², à la maison de leur mère.

Joseph et Nicodème se tenaient devant lui; ils avaient à l'évidence quelque chose à lui dire. Il attendit.

— Bien des gens ont cherché ton tombeau le lendemain de la Pâque, dit Nicodème. Ils l'ont trouvé. Vide, donc. Les gens du Temple en sont furieux et disent que tes disciples ont dérobé ton corps. Tes adeptes clament que tu es ressuscité d'entre les morts. La nouvelle se répand à Jérusalem, et elle gagne même la Judée.

Il accueillit l'information sans un tressaillement.

— Que savent-ils de la mort? dit-il enfin. L'Esprit ne peut mourir. Le jardinier qui croyait couper une branche morte voit un surgeon vigoureux la remplacer, mais la branche qui était vraiment morte tombe sans être jamais remplacée.

Il ajouta :

— Celui que j'étais n'est plus. Nul ne me verra plus au Temple. Et pourtant je suis là, devant vous. Et j'irai à Motzah.

L'ombre d'un sourire effleura son regard.

— Ce qui était écrit s'est réalisé.

Ils comprirent qu'il se tenait pour ressuscité.

Le lendemain matin, Lazare se mit en route pour Jérusalem et le quartier de la Piscine. La femme qui lui ouvrit la porte de la maison de Simon le Silencieux parut d'abord effrayée.

— Ne crains rien. Dis-leur que Lazare les attend…

Jean et Jacques l'avaient épié de l'étage et à peine avait-il fini de parler qu'ils s'élancèrent vers lui. Les étreintes furent longues.

— Il vous attend dans quatre jours à Motzah, dans la maison de votre mère.

Ils furent comme pétrifiés. Puis ils tendirent le cou :

— Tu l'as vu ?

— Il m'a chargé de ce message pour vous tous. Mais où sont les autres ?

Jean eut un geste las.

— Pierre et André sont encore à Jérusalem, Thomas aussi, peut-être, les autres... Je ne sais pas, ils auront quitté Jérusalem par peur d'être arrêtés eux aussi. Depuis notre dernier repas chez Simon le Lépreux, ils s'étaient écartés du maître. Son arrestation et son supplice ne les auront pas convaincus de leur erreur. Judas bar Shimon s'est pendu.

Lazare hocha la tête, accablé.

— Je sais.

— Où est notre maître ? s'écria Jean en serrant le poignet de Lazare.

— Il est bien vivant et il veut vous voir. Mais il ne m'a pas autorisé à dire où il se trouve.

— Vivant ? Il est donc ressuscité ? s'écria à son tour Jacques.

— Il était mort et maintenant il est vivant, que te répondre d'autre ? Maintenant hâtez-vous, allez prévenir tous ceux que vous trouverez. Ne perdez pas de temps.

Ils s'étreignirent de nouveau.

— Allez.

Il leur tendit une bourse, car il savait que les disciples n'avaient jusqu'alors subsisté que grâce aux dons de croyants généreux à leur maître, et dont Judas le traître avait eu la garde ; mais depuis l'arrestation de Jésus, ils n'avaient sans doute plus un shekel. Et il reprit son chemin pour rentrer à Béthanie.

Maya, la femme de Simon le Silencieux, regarda les deux frères d'un air épouvanté ; elle avait tout entendu.

— Alors c'est vrai, il est ressuscité ?

Elle tomba à genoux et se mit à prier. Elle en criait presque.

Quand Jean et Jacques arrivèrent à la maison qui avait accueilli Pierre et André, ils trouvèrent les deux frères nouant leurs ballots d'un air morne. Jugeant qu'ils n'avaient plus de raison de s'attarder à Jérusalem, ayant même pris cette ville en aversion, ils s'apprêtaient à retourner en Galilée.

— Non, leur dirent Jean et Jacques avec autorité.

Et ils leur transmirent le message livré par Lazare. L'émotion contraignit Pierre à s'asseoir par terre. Il haletait.

— Et nous, nous… nous n'avions pas cru…

— Pierre, lui intima Jean, coupant court à ses lamentations, il n'y a pas de temps à perdre. Vous devez prévenir tous ceux que vous pouvez retrouver.

— Il y a Thomas…, dit André. Peut-être aussi Matthieu…

— Faites vite.

Jean leur tendit une partie de l'argent donné par Lazare.

De retour à Béthanie, Lazare aperçut un inconnu s'entretenant avec Marie et Marthe dans le jardin. L'homme était glabre et Lazare supposa donc que c'était le jardinier, puisque son métier interdisait le port de la barbe. Il s'approcha d'eux et l'inconnu se tourna vers lui. Lazare se figea : ces yeux, ce regard, mais…

L'inconnu sourit.

— Ta mission est-elle accomplie ?

— Jésus !

Il s'était rasé la barbe. Et avait coupé une partie de sa chevelure.

— À quoi servirait de se faire arrêter de nouveau[23] ?

Ces quelques mots suffisaient à tout expliquer.

Après le souper, il dit :

— Les moissonneurs ne sont pas venus quand les blés étaient mûrs et la moisson est perdue pour eux. Mais les oiseaux répandront les graines si loin que les faucilles et les bras manqueront. Et le feu est allumé : le vent de l'Esprit l'attisera. Et l'eau du rachat apaisera les tourments qu'il a attisés.

Le lendemain matin, sa chambre était vide. Marie ne s'en alarma pas. Aussi, elle était dans le secret du Messie.

Notes du chapitre 5

21. Les indications des Évangiles sur l'inhumation de Jésus sont les suivantes :
- « Joseph prit le corps, le roula dans un linceul propre et le mit dans le tombeau neuf qu'il s'était fait creuser dans le roc. » (Mt. XXVII, 59)
- « Celui-ci [Joseph d'Arimathie] ayant acheté un linceul, descendit Jésus, l'enveloppa dans le linceul et le déposa dans une tombe qui avait été taillée dans le roc ; puis il roula une pierre à l'entrée du tombeau. » (Mc. XV, 46)
- « Il [Joseph d'Arimathie] le descendit [le corps de Jésus], le roula dans un linceul et le mit dans une tombe taillée dans le roc où personne encore n'avait été placé. » (Lc. XXII, 53)
- « Ils [Joseph d'Arimathie et Nicodème] prirent donc le corps de Jésus et le lièrent de linges avec des aromates, selon le mode de sépulture en usage chez les Juifs. Or, il y avait un jardin au lieu où il avait été crucifié et, dans ce jardin, un tombeau neuf dans lequel personne encore n'avait été mis [...] C'est là qu'ils déposèrent Jésus. » (Jn. XIX, 40-42)

Ces indications appellent les observations suivantes :
- Les synoptiques mentionnent un linceul, mais Jean parle de « linges ».
- Les auteurs de ces textes ignorent visiblement les coutumes funéraires juives. Pour commencer, la « pierre » roulée à l'entrée du tombeau dont parle Marc est une grande plaque ronde, taillée dans la pierre : c'est le *dopheq* ; le corps devait être lavé et on ne le « roulait » certes pas dans le linceul ; on posait un linge de sueur, le *soudarion* en grec (« suaire » en français), sur le visage et c'est ensuite que le linceul, ou *sindon* en grec, était cousu. Aucune mention n'est faite de ces rites. De surcroît, et contrairement à ce qu'avance Jean, s'adressant à un public étranger, on ne liait pas non plus le corps avec des « linges ». Le mot qu'il utilise pour « linges » retient l'attention : c'est *othonia*, qui désigne des bandelettes, et non les sangles censées tenir ensemble les mains et les pieds du corps ; pourtant il connaît bien ce mot, *keriai*, puisqu'il l'a déjà utilisé

dans le récit de la résurrection de Lazare. Or, on ne peut confondre des bandelettes avec des sangles et encore moins avec un linceul.

• Jean est le seul à mentionner Nicodème, autre membre du sanhédrin.

• Enfin, aucun évangéliste ne semble savoir que le contact avec un cadavre entraînait une impureté rituelle et imposait une purification de sept jours; c'est-à-dire que ni Joseph d'Arimathie ni Nicodème n'auraient pu célébrer la Pâque. En leur qualité de membres du sanhédrin, ces deux hommes ne pouvaient l'ignorer.

Incidemment, on est surpris de la désinvolture avec laquelle Joseph aurait traité le corps selon Matthieu, le «roulant» dans un linceul.

La suite des textes n'est pas moins surprenante. Les synoptiques ne détaillent pas la découverte du tombeau vide, mais Jean le fait, introduisant des éléments intrigants. Il rapporte que Jean, alerté ainsi que Pierre par Marie de Magdala, devance son aîné dans le sépulcre : «Il voit les linges gisant à terre, ainsi que le suaire qui avait recouvert sa tête, non pas avec les linges, mais roulé à part dans un endroit.» (Jn. XX, 6-7.) Donc, les «linges», *othonia*, gisent par terre, et le linge de tête ou *soudarion* gît à distance, roulé comme s'il n'avait pas servi ou devait servir pour une autre fois; s'il est roulé par terre, c'est qu'il n'a pas servi, car on n'imagine guère Jésus ressuscitant et le roulant soigneusement. Élément majeur de surprise : pas de linceul. Où est donc passé le linceul apporté par Joseph d'Arimathie selon les synoptiques? Jésus l'aurait-il emporté avec lui, ou bien cet accessoire n'a-t-il jamais servi? Et pourquoi Joseph et Nicodème ont-ils apporté des bandelettes?

Autre élément de surprise : pourquoi Jean introduit-il ces détails discordants? Force est de soupçonner qu'il aurait, comme bien des auteurs de textes sacrés, inséré dans le sien des informations codées. Ses dernières lignes soulignent en effet qu'il en sait bien plus qu'il n'en dit et le désignent comme le détenteur privilégié de secrets : «Il y a encore bien d'autres choses qu'a faites Jésus. Si on les mettait par écrit une à une, je pense que le monde lui-même ne suffirait pas à contenir les livres qu'on écrirait» (Jn. XXI, 25); mais il préfère donc les garder pour lui. Il a d'ailleurs écrit plus haut : «Jésus a fait sous les yeux de ses disciples encore beaucoup d'autres signes, qui ne sont pas écrits dans ce livre» (Jn. XX, 30); s'il ne les rapporte lui-même, qui donc le fera? Mais il est vrai que cet évangéliste s'attribue une place exceptionnelle. Ne se désigne-t-il pas lui-même comme «le disciple que Jésus aimait», et ne raconte-t-il pas que Jésus, sur la croix, l'aurait donné comme fils à sa mère?

Les indices que voilà révèlent un aspect méconnu de la sortie de Jésus du tombeau et contraignent de réviser radicalement le récit linéaire de la Résurrection.

22. C'est le nom originel d'Emmaüs. Jésus comptait donc y retrouver les disciples qui s'étaient détournés de lui, comme le rapporte Jean et lui seul : après qu'il eut prêché dans une synagogue de Capharnaüm (Kefar Nahum), « beaucoup de ses disciples se retirèrent et ils n'allaient plus avec lui. » (Jn. VI, 66.) Il avait dit dans ce prêche : « Le pain que je donnerai, c'est ma chair pour la vie du monde », et l'auditoire s'était indigné. Puis il avait déclaré : « Qui mange ma chair et boit mon sang a la vie éternelle […] car ma chair est vraiment une nourriture et mon sang est vraiment une boisson. » Or, c'est le propos qui fonde l'Eucharistie et que, selon les synoptiques, Jésus ne tint que bien plus tard, lors de la dernière Cène. Jean est le seul à fonder l'institution de l'Eucharistie si tôt dans le ministère de Jésus.

Toujours est-il que plusieurs des Douze se détachèrent de lui. Ils ne sont pas nommés. Il m'est cependant apparu plausible que ces défections fussent bien plus tardives, sans quoi les Évangiles, les synoptiques et celui de Jean ne citeraient pas les convives de la Cène comme « les Douze ».

23. Le changement d'apparence de Jésus après sa sortie du tombeau est l'un des points les plus déroutants des récits évangéliques.

La première personne à laquelle il se manifeste alors est Marie de Magdala, elle « voit Jésus qui se tenait là, mais elle ne savait pas que c'était Jésus » (Jn. XX, 14) ; phrase qui défie l'entendement. Cette femme l'a suivi pendant les trois ans de son ministère, mais elle ne le reconnaît pas et le prend « pour le jardinier ». On verra plus bas ce qu'il en est de cette méprise. Cependant, quand il l'interpelle, « Marie ! », elle reconnaît sa voix. C'est donc le visage seul qui a changé, mais pas la voix ; pourquoi ?

Les synoptiques font l'économie de cet épisode, mais Luc en rapporte un autre sur le même thème : quand les apôtres rencontrent leur maître sur la route d'Emmaüs, ils ne le reconnaissent pas non plus, parce que « leurs yeux étaient empêchés de le reconnaître » (Lc. XXIV, 16), ce qui est aussi incompréhensible que la méprise de Marie de Magdala.

Un indice donné par Jean retient l'attention : quand elle voit Jésus, Marie de Magdala le prend pour le jardinier ; pourquoi donc ? À l'époque, à Jérusalem, il s'agit d'une profession en discrédit, parce que tenue pour impure, comme celles de tanneur, de boucher, de blanchisseur, d'orfèvre, de publicain : ces gens touchaient du fumier (les tanneurs sont malodorants, les bouchers sont suspectés de vendre de la viande d'animaux malades, les blanchisseurs touchent des linges souillés, les orfèvres sont considérés comme malhonnêtes, et les publicains sont tenus pour des spoliateurs). Comme tels, ils étaient tenus de se raser la barbe, seuls les Juifs honorables étant autorisés à la laisser pousser. Donc Jésus s'était rasé la barbe.

6.

Un seul chemin menait à la maison de la mère de Jean et Jacques bar Zebeida, la femme qui avait jadis été si généreuse avec Jésus ; bordé de saules, il serpentait au bord d'un ruisseau capricieux.

Il s'y engageait quand il entendit des voix à quelque distance ; il se retourna, c'étaient Pierre et André. Sous le soleil écrasant de la matinée, ils clignèrent des yeux sans autre réaction ; aussi Pierre n'y voyait-il plus très clair. Il ralentit un peu le pas, les laissant arriver à sa hauteur.

— Salut, voyageur, dit Pierre.

— Salut, voyageurs.

— Il n'y a qu'une maison au bout de ce chemin, le sais-tu ?

— Oui.

— C'est donc que nous allons nous y retrouver.

— Je m'en réjouis.

— De qui es-tu l'ami dans la famille de Zebeida ?

— Des fils, répondit l'autre d'un ton imperceptiblement ironique.

Là, ils le dévisagèrent plus attentivement : les fils avaient toujours été par monts et par vaux avec eux depuis trois ans, avec eux ; comment cet inconnu aurait-il été proche de Jacques et de Jean ?

Ils arrivaient à la maison. En apercevant les visiteurs, Judith de Zebeida sortit pour les accueillir ; elle connaissait Pierre et André du temps qui semblait maintenant lointain où Jésus et les disciples s'étaient réunis chez elle avant leur entrée à Jérusalem ; mais à la vue du troisième, cet homme glabre, elle fronça les sourcils. Ils se fixèrent l'un l'autre du regard et soudain, elle pâlit. Elle s'élança vers ce visiteur et tomba en larmes à genoux et lui serra les jambes.

— Seigneur! Seigneur! cria-t-elle, devant Pierre et André stupéfaits.

Déjà présents dans la maison, Jean et Jacques en sortirent pour savoir l'objet de ces cris. Apercevant Jésus, ils s'immobilisèrent, déconcertés. Mais là aussi, les regards se croisèrent et se nouèrent. L'évidence s'imposa. Ils tombèrent à genoux à leur tour.

Pierre et André semblaient égarés; ils scrutèrent de près le visage de leur compagnon, à la limite de la discourtoisie. Ils n'avaient jamais vu la bouche et le menton de Jésus, comment savoir? Un imposteur était-il en train de les duper? Mais un imposteur, justement, aurait gardé la barbe et la moustache et n'aurait pu avoir ce regard…

Il se tourna vers eux, souriant :

— C'est bien moi.

Le plus pathétique fut Képha, Pierre, dont la mâchoire se mit à trembler et qui fut incapable d'articuler un son intelligible pendant un long moment.

Jésus posa la main sur l'épaule de Judith de Zebeida, éplorée, près de défaillir.

— Relève-toi.

Elle ouvrit la bouche et ferma les yeux dans une expression d'extase. Un fluide bienfaisant l'avait pénétrée au contact de la main de Jésus et lui rendait ses forces.

— Seigneur…, murmura-t-elle.

Ils entrèrent dans la maison et Jésus seul s'assit. Les autres gardaient leurs regards fixés sur lui, battant précipitamment des paupières, incapables de croire ce qu'ils voyaient.

— Où sont les autres?

— Thomas et Matthieu devraient être bientôt ici.

Sans doute comprit-il que le reste de ses disciples ne viendrait pas[24].

— Le vent a soufflé trop fort, les graines les plus légères se seront envolées.

— Peut-être germeront-elles ailleurs, suggéra Jacques.

— Ou peut-être les oiseaux les auront-ils mangées. Mais il faut toujours faire la part du sable. Toutefois, les graines semées germeront. Une seule graine en produit trente sur l'épi, et chacune de celles-ci trente à son tour. Le Père est le maître de votre champ, partout où vous sèmerez, c'est Lui qui moissonnera.

Thomas et Matthieu arrivèrent alors. Ils embrassèrent la scène du premier coup d'œil.

— Le maître est revenu de chez les morts, dit Jean en se levant pour les accueillir.

— Ce ne peut être…, protesta Thomas.

Il avança vers Jésus.

— Je sais que le légionnaire a fait une plaie au flanc de notre maître…

Il n'avait pas achevé ses mots que Jésus releva sa robe et lui montra la cicatrice au flanc droit. Thomas se pencha pour l'examiner.

— Par le Seigneur…

— Ne jure pas, Thomas, c'est ton incrédulité qui est ta faute. Songe à tous ceux qui ne verront pas cette plaie et qui croiront.

— Pardonne-moi, dit Thomas en s'agenouillant.

— Relève-toi, dit Jésus en lui posant la main sur l'épaule. Tu as pu, toi, vérifier la plaie et ainsi tu as cru. Mais combien ne la verront pas et croiront !

Matthieu, debout, à trois pas de là, frémissait de tout son corps.

— Bénis-moi, maître, dit-il.

Jésus se leva et le saisit par les épaules.

— Je te bénis, Matthieu.

Sur-le-champ, celui-ci cessa de trembler. Jésus se rassit.

— Je m'en irai demain, mais je resterai avec vous et vos successeurs jusqu'à la fin des temps. Je vous le dis encore, pour que vous le répétiez à ceux de vos frères que vous retrouverez peut-être, allez par les pays, aussi loin que vos pas pourront vous porter. Dites-leur que l'eau du Seigneur peut laver l'âme la plus impure, et que ce n'est pas de la bouche que doit sortir la prière, mais du cœur.

— Où iras-tu, maître ? demanda Thomas.

— L'homme croit connaître les choses parce qu'il les nomme, répondit-il. Sa présomption habille donc son ignorance et son monde est pareil à une corde sur laquelle les laveuses mettent le linge à sécher. Il se croit ministre du Seigneur parce qu'il récite la Loi avec emphase, mais l'homme qui sait regarder en lui lit cette Loi sans même que ses lèvres bougent. Il est une Judée où l'on n'entend pas les prêtres, mais les prières des créatures. C'est là que j'irai.

Ils n'osèrent demander où se trouvait ce pays. Pas tout de suite, du moins, car ils étaient une fois de plus dévastés à l'idée d'être désormais livrés à eux-mêmes.

Aidée de ses fils, Judith de Zebeida servit alors le repas. Il était modeste, une soupe de blé de printemps et des salades. Il resterait dans les mémoires.

Quelques jours plus tard, ce que Joseph d'Ephraïm et Nicodème avaient annoncé à Jésus, à Béthanie, s'imposa avec une force dévastatrice : non seulement Jérusalem bruissait de la nouvelle de la résurrection de Jésus, mais encore la Judée entière, de Bethsaïde à Sephora, et des provinces voisines jusqu'à la côte, de Pella jusqu'à Césarée, d'Hippos à Ptolémaïs et Tibériade.

Le Fils du Père que Pilate avait fait crucifier était ressorti vivant du tombeau.

Au marché du blé, à Chorazein, les négociants s'interrompirent pour écouter le récit passionné d'un néophyte :

— Le tombeau est visible de tout le monde. Il est au mont des Oliviers. Vous pouvez aller le vérifier : il est vide ! Le Fils du Père y était à peine déposé qu'il s'était relevé ! Des anges avaient roulé le *dopheq* pour lui ouvrir la vie éternelle !

— J'ai été au tombeau, c'est vrai qu'il est vide, dit un homme dans le groupe.

Au marché du vin, à Samarie, un homme qui faisait un récit similaire ajouta avec force que ses plus proches disciples l'avaient vu.

— Quels disciples ? demanda quelqu'un.

— Pierre et André, entre autres.

Et les clameurs de repartir :

— Écoutez, entendez, même ses disciples l'ont vu !

Le résultat le plus sûr de ces discours enflammés fut qu'Hérode Antipas, exaspéré, fit arrêter et emprisonner Pierre. Mais l'incarcération fut brève : les geôliers, effrayés à l'idée qu'ils étaient complices de la persécution d'un adepte de Jésus, s'empressèrent de le libérer le soir même. Sur quoi Pierre se réfugia en Judée, hors d'atteinte du tétrarque, et d'autres anges, sans ailes, entrèrent en scène : c'étaient ceux qui l'avaient libéré.

Les plus irrités par ces rumeurs, qui se répandaient même sur les terrasses du Temple, furent Caïphe et les prêtres siégeant au sommet de la hiérarchie. Ils ne pouvaient intervenir auprès de Pilate pour interrompre le déluge de récits de plus en plus fantastiques qui submergeait la Judée ; ils décidèrent donc d'agir de leur chef : accompagnés de maçons, ils allèrent nuitamment faire rouler le *dopheq* du tombeau et le sceller. En vain : le lendemain même, d'autres maçons le descellèrent et le jetèrent par terre, où il se fracassa.

Pilate ne fut pas épargné par ce raz-de-marée ; Procula y avait prêté l'oreille.

— C'était un magicien, déclara-t-elle. Il n'aurait pas dû être crucifié. Il a même guéri des Romains.

Mais aussi le séjour en Orient l'avait-il rendue réceptive aux mystères. Bien des épouses d'officiers, qui étaient des adeptes d'une religion orientale, celle du dieu Mithra, lui avaient fait des récits extraordinaires, et elle se souvenait qu'un questeur de province, Nari, avait été guéri de façon prodigieuse par un saint homme : en quelques instants, sa jambe infirme avait été intégralement rétablie.

Ah, l'Orient ! songea le préfet. Quelle terre de fables ! Ne racontait-on pas qu'un certain Simon, un magicien, volait en l'air et même au-dessus des maisons ? Il en secoua la tête d'incrédulité.

Pendant ces jours-là, un homme et une femme remontaient la rive orientale du Jourdain, chacun sur un âne. Ils allèrent jusqu'au lac Houla, puis à Dan, et de là, ils se dirigèrent vers l'est ; c'était la direction de Damas[25].

— C'est là que sont les frères de mes anciens frères, avait dit l'homme à la femme. Toute créature dans l'adversité cherche le réconfort de ceux qui partagent sa lumière.

Elle le savait de longue date : les femmes ne sont pas admises à partager les lumières des hommes ; ce sont les hommes qui sont ou doivent être leurs lumières.

Aussi, d'après le peu qu'elle savait des Écritures, pour avoir écouté les rabbins aux synagogues de Tarichée et de Béthanie, le Seigneur n'avait-il pas créé Ève que longtemps après Adam ? Après tous les animaux.

— Resterons-nous à Damas ?

— La créature, répondit-il d'un air songeur, va vers la lumière. Nous irons vers l'Éternel Orient, Marie.

Tant qu'elle était avec lui, elle était au soleil. Même la nuit.

Notes du chapitre 6

24. Le ralliement des disciples, à l'exception de Judas, convoqués par Jésus en Galilée (Mt. XXVIII, 16), fut sans doute problématique. Le même évangéliste avait, en effet, rapporté qu'après l'arrestation de leur maître ils s'étaient enfuis : « Alors, les disciples l'abandonnèrent tous et prirent la fuite. » (Mt. XXVI, 56.)

25. La disparition de Jésus après sa résurrection constitue l'une des énigmes du Nouveau Testament.

• L'Évangile de Matthieu s'arrête après le rendez-vous avec les disciples en Galilée, auxquels Jésus enjoint d'aller par le monde baptiser au nom du Père, du Fils et du Saint-Esprit.

• Celui de Marc s'arrête aussi à la dernière rencontre, mais celle-là a lieu sur le chemin menant de Jérusalem « à la campagne ». Le message de Jésus est tout autre : il promet à ceux qui auront cru le pouvoir de chasser les démons, de parler en langues nouvelles et de manier les serpents. Puis il est enlevé au ciel et s'assied à la droite de Dieu (Mc. XVI, 17-19).

• Selon Luc, c'est à Béthanie qu'a lieu la dernière rencontre ; pendant que Jésus donne sa bénédiction aux disciples, il est enlevé au ciel ; aucune mention du fait qu'il soit assis à la droite de Dieu (Lc. XXIV, 51).

• Enfin, pour Jean, la dernière rencontre aurait eu lieu près du lac de Tibériade, sans mention de disparition céleste.

Il existe cependant quelques indications sur la destination qu'aurait prise Jésus. Elles sont citées dans la postface.

II

L'enfance, la jeunesse et l'appel

7.

La sciure de bois et les papillons : tels furent les premiers plaisirs de l'enfant qui porta le nom ancien de Josué, Yehoshua selon la prononciation hébraïque, Yassou selon l'araméenne et, avec les siècles, Jésus. Les noms changent avec le temps, Josué ayant été Hochea, avant que Moïse lui-même ne le changeât. Ce nom signifiait « Dieu est le salut » ; il avait été choisi pour l'enfant quand il était né à Bethléem, dans la semaine de la Pâque, en l'an 3753* du monde. Son père, Joseph, habitant de Gamala[26], s'était rendu à Jérusalem pour la fête et, comme d'habitude, il n'y avait pas en ville une seule place où dormir ; Joseph et sa compagne s'étaient donc arrêtés dans une ferme de Bethléem, et c'était là que Marie avait ressenti les premières douleurs et que l'enfant était né. Joseph avait donc été seul, chaque matin, au Temple, pour les sacrifices et les prières. Puis ils étaient rentrés à la maison.

La sciure abondait comme neige à Gamala, un village sur les hauteurs de la rive orientale du lac de Gennesareth, aussi appelé mer de Galilée : Joseph, en effet, était charpentier et menuisier, et lui et l'aîné de ses quatre fils, Judas, sciaient à longueur de journée et de semaine dans les troncs importés de Syrie et du Liban, pins, cèdres, sycomores, cyprès ; la population de la région croissait, aussi l'atelier de Joseph produisait-il force poutres, madriers, planches, portes et tables pour les maisons qui se construisaient dans les alentours. Et quand

_____

* An 7 avant notre ère.

le roi Hérode le Grand fit reconstruire le Temple de Salomon et transforma tous les prêtres de Jérusalem en menuisiers et maçons, les métiers du bois furent plus prisés que ceux de médecin ou de scribe. Yousef fit alors appel à son puîné, Joset, pour les aider; il avait eu de sa première femme, qui s'appelait aussi Marie, quatre fils, les cadets étant Jacques et Simon, et deux filles, Lysia et Lydia. Quant à lui, il voyagea beaucoup pour acheter du bois.

La sciure abonda durant ces années-là : aromatique, léger, doux au toucher, ce duvet rose ou blond enchantait le garçonnet; il s'y roulait en riant et avait obtenu le privilège de le balayer en fin de journée pour le fourrer dans des sacs. Et parfois, il dormait dessus. Légers eux aussi, mais vivants, les papillons étaient son autre objet de fascination. Il courait des heures après ces joyaux aériens, presque immatériels, intouchables, qui proliféraient sur le plateau du Golan.

Ainsi se forgea-t-il une de ces idées d'enfant qui parfois se ramifient dans l'esprit des adultes : le plus précieux dans la vie est impondérable.

Quand il eut cinq ans, Jésus accomplit un prodige dont il ne fut pas conscient. S'étant lié avec un voisin du même âge, il lui avait instillé le goût des courses après les papillons et, dès les premiers beaux jours, les deux gamins s'en donnaient à cœur joie dans les champs. Un jour, ce garçon, Mika, buta sur une pierre et s'étala. Il gémit. Jésus proposa de rentrer à la maison, mais le garçon pouvait à peine se tenir debout et encore moins marcher; sa cheville commençait à enfler et se colorait de pourpre; il se mit à pleurer. Jésus examina la jambe et passa la main dessus comme une caresse. Quelques instants plus tard, la cheville avait désenflé; les pleurs cessèrent.

— Mais je n'ai même plus mal..., s'étonna-t-il.

— Ce n'était donc pas si grave.

De retour chez lui, le gamin raconta l'épisode. Le soir même, son père, Zacharie, rabbin de la modeste synagogue de Gamala, vint à la maison de Joseph et lui déclara :

— Ton fils a un don.

— Lequel de mes fils?

— Jésus.

Et il raconta à son tour l'épisode rapporté par Mika. Souffrant lui-même d'un genou rhumatisant et douloureux, il demanda que Jésus le guérît. Sans même attendre que Joseph et Marie, abasourdis, l'y eussent invité, Zacharie s'assit péniblement, releva sa robe et dit au garçonnet :

— Viens, touche mon genou.

Pour Jésus, c'était comme un jeu. L'air rieur, il appliqua sa main sur le genou déformé. L'instant d'après, une expression de soulagement puis d'extase changea le visage du rabbin.

— Que le Très-Haut soit loué ! Il a transmis sa force à cet enfant ! Béni soit cet enfant !

Ce fut au tour de Jésus d'être abasourdi. Il saisissait à peine ce qui s'était passé.

— Tu veux me dire que tu n'as plus mal ? demanda Joseph, incrédule, à Zacharie.

— Non, cette vieille douleur est passée entièrement après qu'il a appliqué sa main. Je t'ai dit que ton fils a un don du Seigneur. Regarde par toi-même, dit Zacharie, allongeant la jambe.

Après avoir examiné le genou, qui paraissait, en effet, dégonflé et sain, ses parents regardaient maintenant Jésus, déconcertés.

— Tu ne nous avais rien dit ?

— De quoi ? Je ne sais même pas de quoi il s'agit.

Zacharie se leva sans difficulté et caressa la tête de l'enfant.

— Joseph, il faut l'instruire. Envoie-le-moi demain, je lui enseignerai les caractères.

La nouvelle se répandit à Gamala, puis gagna la région, de Gerasa à Hippos et même l'autre rive de la mer de Galilée[27].

Bientôt le chemin de la maison du charpentier Joseph fut creusé par les pieds d'égrotants de toutes sortes, rhumatisants ou insomnieux, gens atteints d'érysipèle et autres disgrâces de la peau, boiteux et sourds. Il les guérissait tous, même les Grecs, Syriaques et autres païens qui venaient faire traiter leurs scrofules et leurs scolioses, et comme ils laissaient tous une obole, Joseph et Marie en vinrent à considérer que le don de Jésus était une bénédiction pour eux autant que pour les miséreux qui repartaient d'un pas léger.

Et quand il passait dans la grand-rue de Gamala, à vrai dire la seule de l'agglomération, les gens sortaient de leurs maisons, lui caressaient la tête, le bénissaient et lui offraient une friandise.

Il apprit donc les caractères dans les rouleaux de Zacharie. Quels autres écrits eussent d'ailleurs pu se trouver à Gamala ? Et qui eût pris la peine d'écrire quoi que ce fût qui méritait de durer dans le temps ? Zacharie avait bien entendu parler de riches Grecs demeurant sur la côte, qui possédaient des textes dans leurs langues, mais il était certain que ceux-ci ne pouvaient traiter que de fariboles. Ô vanité des mots et de ceux qui veulent les immortaliser ! Seule la parole divine doit être inscrite.

— « Au commencement, dit Jésus, le doigt sur le rouleau de la Genèse, dont Zacharie tenait prudemment le manche, Yahweh créa le ciel et la terre. Or, la terre était vide et vague, les ténèbres couvraient l'abîme, un vent de Yahweh tournoyait sur les eaux... »

Zacharie s'émerveilla : à six ans, cet enfant lisait aussi couramment qu'un docteur de la Loi. Et sa mémoire retenait ce qu'il lisait ; il récitait jusqu'à vingt versets de suite, sans erreur. Cela tenait du prodige.

Après la Genèse, ce fut l'Exode. Le Lévitique. Les Nombres. Et le Deutéronome. Il avait sept ans quand il acheva le Deutéronome et, pour une raison que Zacharie ne perça pas, il le relut avidement.

Les étagères de la synagogue de Gamala ne contenaient que deux autres textes sacrés, le Livre de Josué et les Livres de Samuel. Et Jésus voulait en savoir plus, toujours plus.

— Il sera prêtre, j'en suis sûr, annonça le rabbin à Joseph.

Mais ses quelques séjours à Jérusalem avaient laissé à Joseph une image nuancée du clergé de cette ville ; peut-être s'étendait-elle aux clergés des autres villes, comme le suggéra sa moue dubitative.

À treize ans et un jour, après le *bar onechin*, quand il fut donc devenu un adulte responsable, Jésus fit comprendre à Joseph qu'il voulait bien soulager les souffrances des autres mais qu'il n'entendait pas être toute sa vie le rebouteux de Gamala.

— Ce sera difficile pour toi d'être prêtre, dit Joseph, sans s'expliquer davantage sur ce sujet[28].

Judas et Joset, qui assistaient à l'entretien, échangèrent un regard entendu.

À quelques mois de là, Joseph rejoignit ses pères ; aussi avait-il atteint ce qu'on appelle le grand âge. Le chagrin de Jésus participa de celui que cause le départ d'un proche plus que de celui d'un fils qui perd un parent chéri ; il s'en était avisé en voyant les rapports de son camarade Mika avec son père Zacharie : ceux qu'il avait entretenus avec le défunt avaient été empreints de respect, mais guère de l'affection liant Mika et Zacharie. Et le don que Joseph avait découvert chez Jésus semblait lui avoir inspiré une réserve teintée de méfiance.

La seule tendresse perceptible dispensée à l'enfant était celle de sa mère. Mais pourquoi lui paraissait-elle nimbée de mélancolie ? Pourquoi lui semblait-il entendre, quand elle le caressait, des mots qu'elle ne disait pas ?

À l'occasion du deuil, il revit pour la première fois depuis des années celles qui étaient ses sœurs, ou plutôt ses demi-sœurs, Lydia et Lysia, avec leurs époux et leurs enfants. Les larmes, les cris d'affliction et les prières ne leur laissèrent apparemment pas le loisir de prêter attention à Marie ni à leur jeune demi-frère ; l'un et l'autre n'obtinrent que des mots convenus et des regards distants ou curieux.

L'atelier paternel et la maison revinrent donc à Judas et à ses frères. Joseph disparu, la situation de Marie et de Jésus s'altéra : la veuve et l'orphelin n'étaient plus les hôtes principaux dans la maison du défunt, ils n'y étaient que tolérés. Seul Judas leur témoignait un peu de douceur. Mais leurs uniques subsides étaient désormais les oboles versées par les gens qui venaient se faire soigner ou guérir.

Sur ses seize ans, Jésus entreprit Zacharie avec détermination :

— Dis-moi comment on devient prêtre et où je dois aller, déclara-t-il résolument.

— Ta mère est-elle d'accord ?

— Elle le sera.

Le rabbin avait-il à ce moment-là exhalé un soupir? Ce fut bien ce qu'il sembla à Jésus, qui s'interrogea sur les réserves décidément obstinées de son entourage à l'égard de sa vocation. Qui mesurera jamais la puissance d'un soupir? Toujours est-il que Zacharie évoqua des connaissances à la synagogue de Jéricho. Ironie du sort, ce fut donc là qu'il envoya l'adolescent nommé Josué, pour entrer dans le noviciat. Il le recommanda au rabbin Saül bar Abri.

Le lendemain, Jésus fit un ballot, bien léger, et après avoir embrassé sa mère qui retenait ses larmes et pris congé de ses demi-frères, il se mit en route pour cette ville légendaire. Son bagage de connaissances sur le monde n'était pas beaucoup plus gros : il ne savait pas grand-chose du pays, presque rien sur l'occupant romain et absolument rien sur le sexe opposé.

Quand il parvint devant les hautes murailles, il resta un long moment stupéfait. Il connaissait le Livre de Josué et s'étonna que la malédiction du successeur de Moïse eût été à ce point inefficace : « Maudit soit devant l'Éternel celui qui tentera de reconstruire cette ville de Jéricho! » Déjà reconstruite sans effets maléfiques connus, agrandie encore par Hérode le Grand, la ville était majestueuse et magnifiquement prospère. Il parcourut de larges avenues pavées et longea des palais et des maisons splendides, entourés de jardins fleuris, comme il n'en avait jamais vu en Galilée, fût-ce à Hippos ou Tibériade. Quant à la synagogue, elle réduisait celle de Gamala au rang de grange. Peut-être, du haut du ciel, Josué avait-il changé d'avis.

Enfin Jésus fut conduit devant le rabbin Saül bar Abri.

Visage amène et gestes onctueux, deux gros phylactères sur le front, celui-ci écouta son jeune visiteur. L'accent rocailleux de Jésus eût dû le dispenser de la question :

— D'où viens-tu?

— De Gamala.

— C'est en Galilée, n'est-ce pas?

Jésus comprit le sens de la précision; elle visait à lui faire prendre conscience du rang inférieur de la Galilée dans les provinces de Palestine. Les Galiléens passaient pour des attardés, des rebelles impénitents ou des culs-terreux.

— De quelle tribu es-tu?

La question prit Jésus au dépourvu.

— De celle d'Issakar, je crois…

— Tu crois?

La question ne s'était jamais posée là-bas, à Gamala. À l'exception des étrangers, la plupart appartenaient aux tribus d'Issakar et de Dan, et Judas avait souvent évoqué « les gens d'Issakar ». Une contrariété pointa dans l'esprit de l'adolescent : quelle importance revêtait cette question quand il s'agissait de servir l'Éternel et de dire Sa parole?

— Y a-t-il des prêtres dans ta famille?

— Non.

— Dans tes ancêtres, alors?

— Non.

Bar Abri enregistra ces informations d'un battement de paupières.

— Zacharie t'a sans doute enseigné à lire?

— Oui.

— Quels Livres as-tu lus?

Il en récita la liste.

— Peux-tu en parler?

— Oui.

Le rabbin se leva alors et sortit de la pièce. Un long moment plus tard, il revint accompagné de deux prêtres. Les deux hommes considérèrent l'adolescent d'un œil froid et s'assirent.

— Dis-moi, qu'a ordonné le Seigneur aux Israélites en ce qui touche au septième mois?

— Il ne l'a pas ordonné directement aux Israélites, mais à Moïse : « Parle aux Israélites, dis-leur : le septième mois, le premier jour du mois, il y aura pour vous jour de repos, appel en clameur, sainte assemblée. Vous ne ferez aucune œuvre servile et vous offrirez un repas à Yahweh. »

Ils parurent surpris, voire confondus.

— Et quel est ce mois?

— *Tichri.*

Les trois hommes se regardèrent : à l'évidence, ce n'était pas souvent qu'un candidat au noviciat répondait aussi justement à une question destinée à le faire bredouiller.

Ils se frottèrent les mains, lacèrent leurs doigts, les délacèrent, se caressèrent la barbe, en ordre dispersé.

— Sais-tu ce que disent les Livres de Moïse sur l'héritage des lévites ?

— Qu'il n'y en a pas.

Ils écarquillèrent les yeux.

— « Les prêtres lévites, toute la tribu de Lévi, n'aura pas de part d'héritage avec Israël : ils vivront des mets offerts à Yahweh et de son patrimoine. Cette tribu n'aura pas d'héritage au milieu de ses frères. C'est Yahweh qui sera son héritage, ainsi qu'il le lui a dit. »

Ils ravalèrent leur salive. Puis ils lui demandèrent d'énumérer les tribus d'Israël. Il le fit. Ils parurent perplexes.

— Nous allons débattre, lui annonça Bar Abri. Va attendre dans la cour, je te prie.

Il s'assit sous un sycomore. Il perçut les échos d'une discussion et reconnut les voix des trois prêtres ; là, il tendit l'oreille :

— Le garçon est doué, il est intelligent aussi, mais il sort de nulle part... Un Galiléen montagnard... Pourquoi pas un Samaritain ! Je me demande si notre ami Zacharie ne nous l'aurait pas envoyé pour s'en débarrasser...

— Ce qui m'étonne est qu'il ne sache rien de son ascendance. On n'y compte à l'évidence aucun prêtre, sans quoi il le saurait.

— C'est quand même un sujet d'exception. Si nous l'acceptons au noviciat, il nous restera quatre ans pour sonder son esprit.

Un silence et des murmures suivirent ; sans doute les trois hommes étaient-ils tombés d'accord sur ce point.

De fait, Bar Abri reparut à la porte de la cour et fit signe à Jésus de le suivre.

À son retour dans la salle où avait eu lieu le premier examen, l'un des prêtres l'informa qu'ils devaient s'assurer que le candidat ne souffrait d'aucune tare physique et qu'il était normalement constitué. Il fut donc prié de se déshabiller, mais de garder ses braies. Il s'exécuta.

Le prêtre examina son cuir chevelu : pas de teigne. Puis le dos : pas de lèpre, de taches ni de cicatrices. Les pieds : cinq orteils à chacun, tous détachés et droits. Les oreilles intactes.

— Abaisse tes braies un instant.

C'était bien un sujet mâle. Et circoncis. Non, il ne présentait aucune tare. Il était de petite taille, oui, mais ce n'était pas une infirmité. Il était apte au noviciat. Cependant, l'un des lévites qui l'avaient examiné en décida autrement : personne ne savait rien de ce garçon et il serait téméraire, presque litigieux, de l'engager si vite sur la noble voie de la prêtrise, réservée aux fils de familles établies.

— Alors ? demanda Bar Abri.

— Commençons par l'orienter vers le naziréat. On verra après.

— Le naziréat ? répéta Bar Abri avec une moue.

Cette consécration au Seigneur était le plus souvent un stratagème utilisé par les hommes et les femmes pour échapper à des situations qui leur déplaisaient, le plus souvent pour éviter un mariage ; le renouvellement du vœu entraînait des complications sans fin et les faux ou vrais témoignages dénonçant la rupture du vœu en amenaient d'autres dans le sillage ; les prêtres ne les encourageaient donc pas : c'étaient des sacs de tracasseries.

— C'est un pis-aller, je sais, admit le lévite. Juste le temps de voir.

Et il se pencha à la fenêtre pour héler Jésus.

Les deux hommes lui expliquèrent que l'entrée immédiate dans le noviciat serait à leur avis trop abrupte et qu'il serait pour lui plus sage de s'y préparer par le naziréat. Ni leur ton ni leur phraséologie amphigourique n'étaient convaincants ; il flaira d'emblée un faux prétexte. Mais enfin, il n'avait aucun recours.

— Qu'est-ce que c'est que le naziréat ?

— Tu fais le vœu de te consacrer au Seigneur et de t'abstenir de certaines choses. Tu ne dois boire ni manger aucun produit de la vigne...

Il s'en accommoderait, ne buvant pratiquement jamais de vin. Quant aux raisins secs, il s'en passerait.

— Tu ne dois pas avoir de pensées impures ni commettre aucun acte indécent.

Ce n'était pas dans ses habitudes et l'environnement ne l'y engagerait certes pas.

— D'abord, on te coupera les cheveux et tu les brûleras, puis tu les laisseras pousser sans y toucher.

— Combien de temps cela dure-t-il ?

— Oh, cela dépend, répondit le lévite. Parfois toute une vie, si l'on veut...

— Le minimum est de trente jours, intervint Ben Abri.

Le lévite parut contrarié par cette intervention, mais Ben Abri semblait avoir pris le parti de ce garçon :

— Nous commencerons par trente jours, décida-t-il. Où habiterait-il ?

— Tu peux dormir chez moi, proposa Ben Abri.

Jésus n'avait aucune autre solution ; il ne connaissait rien ni personne dans cette ville, et il accepta donc. La famille de Ben Abri lui réserva un accueil distant et un souper sommaire avant de lui indiquer sa paillasse dans un réduit.

Le service du Seigneur ne s'entourait pas de prémices riantes.

Le lendemain, ce fut Ben Abri lui-même qui, en présence de deux lévites, dirigea la cérémonie du vœu, coupa les cheveux du garçon et lui fit répéter la formule de l'engagement.

Un *nazer* était-il un domestique ? Sous prétexte de veiller à la pureté de la synagogue, Jésus fut employé à des besognes qui n'avaient rien à voir avec la spiritualité, telles que nettoyer les étagères où étaient rangés les rouleaux et veiller à ce que les braseros où l'encens et le cinnamome devaient brûler jour et nuit fussent régulièrement regarnis. Personne ne lui adressait la parole. Il n'apprenait rien.

La routine lui tint lieu d'existence. Quand les trente jours furent écoulés, Ben Abri le convoqua en présence des deux prêtres qui l'avaient déjà examiné et lui annonça qu'il serait donc admis au noviciat ; il y demeurerait quatre ans, jusqu'à l'âge canonique de vingt ans. Après quoi il serait examiné à nouveau avant d'être consacré *cohen*. S'il en restait digne.

Cette fois, il fut envoyé dans une maison proche dépendant de la synagogue, accueillant les novices, car il n'était pas le seul à venir d'une famille n'habitant pas Jéricho, et certains n'avaient pas trouvé de gîte convenant à leur état. Trois autres jeunes gens d'un âge proche du sien y séjournaient, sous la surveillance d'un prêtre paterne et peu loquace.

Les garçons qui n'avaient pas de moyens de subsistance étaient nourris par la synagogue : maigre pitance, Jésus s'en avisa dès le premier soir. Une soupe de froment, une galette de pain, un ou deux poireaux bouillis, sans huile, et de l'eau. Quant au sel, c'était aux novices d'apporter le leur. Les trois compagnons de Jésus étaient, eux, mieux dotés, cela se voyait à leurs plats, dont un ragoût de volaille. Voyant que le nouveau venu était pris au dépourvu, le voisin de Jésus, un garçon originaire de Jaffa, lui tendit obligeamment le petit sachet dans lequel il conservait son sel ; il lui offrit même de son vin.

Jésus en tâta donc, pour la première fois depuis bien des semaines : une piquette. Ce n'était certes pas le breuvage qui, selon Isaïe, faisait délirer les prophètes, et il ne justifiait pas l'infraction aux prescriptions.

Les novices avaient été informés de l'état du Galiléen : d'emblée, ils l'appelèrent « le *nazir* », comme si ç'avait été sa définition essentielle. Mais les jeunes sont pareils à des myopes, ils ne voient pas plus loin que le bout de leur nez, et seule l'expérience finit par chausser celui-ci de besicles.

Et encore, elles sont parfois opaques.

Notes du chapitre 7

26. Une tradition ancrée par vingt siècles veut que Jésus ait été originaire de Nazareth. Entachée de contradictions et de malentendus, elle illustre le fait que les évangélistes furent les transmetteurs de traditions orales qu'ils ne comprenaient qu'imparfaitement, comme pour Barabbas.

Voici les faits : la ville moderne actuelle de Nazareth – en hébreu Nazara – ne doit son existence qu'à la renommée du site dans les siècles ultérieurs : l'archéologie contemporaine a établi que les traces d'habitation les plus anciennes ne remontent pas au-delà de l'an 40 av. J.-C. ; au Ier siècle, ce n'était certes pas une « ville » comme l'écrit Matthieu (Mt. II, 23) : il n'y avait pas là plus de quelques maisons, et il est douteux que Joseph ait décidé de s'y établir et qu'il ait pu y pratiquer le métier de charpentier ; Flavius Josèphe, l'une des sources d'information les plus complètes sur la Palestine antique, n'en souffle mot ; on verra plus bas le malentendu qui explique l'allégation de l'évangéliste. Le site qu'on appelle aujourd'hui El Nasara, sur le flanc d'une colline de Galilée et au débouché de la plaine d'Yizréel, ne peut non plus être la ville où Luc rapporte que Jésus faillit être précipité du haut d'une montagne quand il annonça à ses habitants qu'il ne ferait pas de miracles en raison de leur incrédulité ; il se trouve à deux kilomètres de là.

Or, tout indique que c'est bien dans un bourg que s'établit Joseph, et qu'il était doté d'une synagogue.

Le texte de Matthieu dit que « Joseph vint s'établir dans une ville appelée Nazareth pour que s'accomplît l'oracle des Prophètes : il sera appelé Nazoréen ». Or, il n'existe aucun oracle correspondant chez les prophètes ; c'est l'une des références détournées ou inventées qui abondent dans le Nouveau Testament. La clef en est l'annonce d'un ange à la mère de Samson, qui était stérile : « Voici [...] tu concevras et enfanteras un fils. Et maintenant, prends bien garde, ne bois ni vin ni liquide fermenté et ne mange rien d'impur, car tu vas concevoir et enfanter un fils. Le rasoir ne passera pas sur sa tête, car ce garçon sera nazaréen de Dieu dès le sein, et c'est lui qui commencera à délivrer Israël des Philistins.» (Juges, XIII, 3-5 et 7.) Nazareth est totalement étranger à l'annonce, car Manoah, le père de Samson, habitait à Sorea, à une vingtaine de kilomètres de Jérusalem et, comme on l'a vu plus haut, Nazareth n'existait pas aux temps bibliques. Un nazaréen, ou *nazer* (qui signifie «observant»), d'après le Livre des Nombres, est un homme consacré à Dieu, qui s'abstient de vin et de vinaigre et ne se coupe jamais les cheveux (Nb. VI, 1-21), d'où la célèbre crinière du héros que subjugua Dalila.

Les auteurs des Évangiles, qui n'avaient apparemment lu ni les Juges ni les Nombres et qui ne parlaient ni hébreu ni araméen, semblent avoir cru que Jésus, improprement appelé nazoréen, était originaire d'une agglomération de nom apparenté, Nazareth. D'où leurs errements, car ils ne s'accordent pas sur l'orthographe : Marc écrit en grec *nazarenos*, nazarénien, alors que Luc (XVIII, 37) et Matthieu (XXVI, 71) écrivent *nazoraios*, nazoréen.

Me fondant sur les travaux d'un chercheur, Gys-Devic («Enquête sur Nazareth»), j'ai postulé que le site de Galilée où avait grandi Jésus était Gamala, sur la rive orientale du lac de Génésareth ou Tibériade, dont l'existence à l'époque est attestée par Flavius Josèphe et qui se trouve, en effet, sur une hauteur.

Les autres indications géographiques des évangélistes ne sont guère plus fiables et celle qui touche au lieu de naissance de Jésus est particulièrement sujette à caution; elle semble, en effet, destinée à souligner la prédestination de Jésus, comme l'indique ce passage de Luc : «Aujourd'hui vous est né un Sauveur qui est le Christ Seigneur, dans la ville de David.» (Lc. II, 11.) En effet, Luc, comme les autres, semble avoir ignoré qu'il existait deux bourgs portant ce nom : l'un est Bethléem Ephrata, en Judée, à une quinzaine de kilomètres au sud de Jérusalem, et l'autre Bethléem tout court, en Basse-Galilée, à l'ouest de la mer de Galilée. Le premier est bien la ville de David, mais non l'autre. Or, si Jésus était né dans le premier, cela signifie que Joseph, se rendant à Jérusalem, aurait fait un vaste – et inutile – crochet par le sud, alors qu'il venait du nord. La déduction en est que Jésus naquit bien à Bethléem, mais pas celui de David.

Le nom Bethléem, *Beth Lahm*, signifie «Maison de Laham», divinité cananéenne; il n'était donc pas étonnant que cette divinité eût deux bourgs portant son nom. Mais la tradition a perpétué la confusion pour raison de... prédestination.

27. Les dons de guérisseur de Jésus se manifestèrent évidemment dès sa jeunesse. Sur ces dons eux-mêmes, v. note 30.

28. N'ayant pas de père connu, Jésus était considéré par le clergé comme bâtard, *mamzer*, et cela lui interdisait en principe l'accès à un poste sacerdotal. Joseph ne pouvait l'ignorer.

8.

« Galiléen » : il avait jusqu'alors ignoré la connotation péjo-
rative du mot, mais il était bien conscient qu'au regard des
prêtres il appartenait à une catégorie inférieure d'humains.
Encore en existait-il une plus basse : Samaritain! Pourquoi
les Galiléens étaient-ils donc considérés comme des attardés ?

Il s'informerait sur le sujet. Pour le moment, il se félicita de
ce que le contact physique avec un prêtre fût réglementé : ce
ne serait pas demain qu'il les guérirait s'ils étaient souffrants.
Car si son don venait du Seigneur, rien ne lui interdisait de le
gérer à sa guise.

Les trois novices étaient réunis dans une salle d'études, étu-
diant des rouleaux qui s'effritaient. Ils le saluèrent et se présentèrent et il en fit autant.

— Tu es donc galiléen, nazir, dit l'un d'eux, Samuel, un
jeune homme au regard enjoué, certainement le plus ouvert
des trois. Qu'est-ce qui t'amène à Jéricho ?

— Le désir de lire tous les Livres saints et d'être prêtre.

Ils hochèrent la tête : la Galilée était décidément la contrée
défavorisée qu'on disait : on n'y disposait même pas de tous
les Livres saints et l'on ne pouvait y devenir prêtre.

— Sais-tu écrire ?

— Oui.

Zacharie lui avait enseigné à tenir un calame et tracer des
caractères; laborieux exercice : il fallait mouiller le calame à
l'eau avant de le tremper dans une pâte sombre, puis s'em-
presser de tracer le caractère avant que l'encre ne sèche. De
surcroît, ne disposant guère de réserves de parchemin ni de

papyrus, Zacharie ne l'avait exercé que sur des débris de bois et des fragments d'écorce prélevés dans l'atelier paternel.

— L'as-tu dit à nos maîtres ?

— Non.

Il était vrai que ceux-ci ne s'attendaient sans doute pas qu'un Galiléen sût écrire.

— Il faudra les en informer. Tu pourras nous aider à recopier des rouleaux abîmés.

— Je suis à votre disposition.

Un autre novice s'impatienta :

— Ne dis pas n'importe quoi ! lança-t-il à son voisin.

— Qu'est-ce que j'ai dit ?

— Ni lui ni aucun d'entre nous ne recopiera de rouleau : c'est le strict privilège des scribes et nous ne sommes même pas prêtres ! Et par-dessus le marché, c'est réservé aux lévites.

— Ah bon...

Ce fut le premier aperçu de l'existence de privilèges dans le service du Seigneur.

Le projet n'aboutit donc pas, pour des raisons que Jésus ignorait. L'ombre d'un mystérieux interdit doublait la sienne. Ce fut Samuel, celui des novices avec lequel il avait noué les relations les plus amicales, qui lui révéla l'une au moins, sinon deux, de ces raisons, mais sous le sceau du secret le plus absolu. Fils cadet d'un prêtre respecté de Jéricho, lui-même fils de prêtre, Samuel était dans la confidence des maîtres du noviciat de la synagogue. Il avait pour cela un excellent motif : il était le neveu de l'un des professeurs, Eliasaf, bonhomme rondelet auquel ne restaient plus beaucoup de dents.

— Si tu copiais les Livres, tu pourrais devenir scribe et les scribes ont le droit d'entrer au sanhédrin.

— Et alors ?

— Et alors nos maîtres n'ont toujours pas une idée très claire de qui tu es. Ben Abri a appris du rabbin de Gamala que tu aurais un don. Est-ce vrai ?

— C'est vrai.

— Tu ne le lui as pas révélé ?

— Non.

— Tu aurais dû. Il faut que tu saches que les prêtres, je veux dire les pharisiens, parce que les sadducéens, eux, s'en fichent, se méfient de ces dons. Ils soupçonnent que les magiciens ont partie liée avec Satan.

— Je ne suis pas magicien, je soulage les souffrances des malades.

— Vraiment?

— Et je n'ai aucun rapport avec Satan.

Samuel se mit à rire.

— Tu ne le sembles pas, non! Mais il faut que tu saches une chose : le fait d'être guérisseur est considéré comme un titre.

— Un titre?

— Ne connais-tu pas le passage d'Isaïe où un homme, désigné comme chef par son frère, lui répond : «Je ne suis pas un guérisseur, ne me faites pas chef du peuple*»?

Jésus se rappela alors le passage.

— C'est encore valable aujourd'hui?

— Mon oncle Eliasaf me l'a confirmé. C'est dans la jurisprudence. Dis-moi, puisque tu as ce don, peux-tu me soulager?

— De quoi souffres-tu?

— Du dos et des épaules.

Jésus réfléchit un instant et, faisant pivoter Samuel sur le banc, il lui passa lentement les mains dans le dos. Samuel se retourna, avec une expression d'extase sur le visage.

— Mais c'est vrai! murmura-t-il. C'est vrai!

Il se redressa, ferma les yeux et posa sa main sur le bras de Jésus :

— Que le Seigneur te bénisse!

Mais Jésus avait oublié la joie que lui valait d'habitude le soulagement qu'il avait offert; il venait de prendre conscience qu'on lui avait imposé un personnage qu'il ne se connaissait pas : celui d'un Galiléen suspect de magie. Et c'étaient ceux-là mêmes à la communauté desquels il voulait adhérer qui lui avaient apposé ce stigmate!

— Mais toi qui leur parles, dis-leur...

---

* Isaïe, III, 7.

Ils se trouvaient alors dans la cour du noviciat, sur laquelle ouvraient des fenêtres.

Samuel soudain devint muet : deux de leurs collègues novices venaient d'entrer dans la cour.

— Sortons, souffla-t-il à Jésus. L'air de rien...

Il se leva, feignit de s'étirer ou bien s'étira pour de vrai, jouissant de ce dos qui ne lui faisait plus mal, puis gagna nonchalamment le portail. Jésus le suivit. Ils se retrouvèrent dans la grande rue des Fastes d'Israël, et firent quelques pas.

— Je ne devrais pas te le dire..., murmura-t-il. Mais de l'instant où je t'ai vu, tu m'as conquis. On aurait dit que tu venais de naître, tu semblais ignorer tout de ce monde, et pourtant tu es si savant... Tes cheveux sont noirs et tes yeux sont sombres, et pourtant tu es clair comme le jour...

— Qu'est-ce que tu ne devrais pas me dire ?

— Les prêtres pharisiens, tout comme les sadducéens, attachent la plus grande importance à la légitimité et à l'ascendance des novices, ceux qui leur succéderont un jour et qui seront les garants de la tradition. Ils se sont informés sur ta famille.

— Par Zacharie ?

— Non, par les marchands qui vont et viennent le long du Jourdain. Ils les chargent souvent de missions d'information. L'un d'eux a interrogé les gens de Gamala sur ton père et ta mère.

Jésus écoutait, scandalisé et crispé, mais se gardant de toute réaction qui aurait effrayé Samuel et interrompu ses révélations.

— Ton père était bien âgé au moment de ta naissance, et nul ne sait ni où ni quand il aurait épousé sa seconde femme, ta mère. Comprends-moi bien, Jésus, je ne fais que te dire les choses comme elles sont, je ne voudrais surtout pas t'offenser...

— Donc les prêtres pensent que je suis un bâtard ?

— Non, je t'en supplie ! Je te fais seulement part, et tout à fait secrètement, je le répète, des raisons de leurs réserves à ton égard. Ils s'interrogent sur certaines incertitudes...

— Et peut-être ne devrais-je pas faire état de mon don de soulager ceux qui souffrent, n'est-ce pas, Samuel ?

Le jeune homme baissa les yeux. C'était une forme de réponse. Le don du Seigneur était suspect, à moins qu'il ne fût confirmé par les prêtres comme licite.

Était-il concevable que des hommes, et des prêtres par-dessus le marché, puissent censurer la volonté du Seigneur ?

De grands efforts de maîtrise de soi furent nécessaires à Jésus pour masquer sa contrariété.

La nuit qui suivit les confidences de Samuel, le sommeil fut maigre et léger, comme une couverture usée et rongée aux mites. Une poussière de détails enregistrés par la mémoire, de l'enfance jusqu'au présent, se répandit dans l'esprit du dormeur. L'étrange détachement de feu Yousef à l'égard de celui que l'on considérait comme son fils. L'excessive soumission de Marie, qui n'était certes pas commune chez les épouses de Galilée. L'attitude générale des quatre demi-frères et des deux demi-sœurs aux funérailles. Et surtout la phrase de Joseph lui-même : *Ce sera difficile pour toi d'être prêtre.* Pourquoi ? Il ne s'en était pas expliqué. Mais aujourd'hui, le sens en devenait clair : une naissance illégitime était un lourd obstacle à la carrière de prêtre.

« De qui suis-je le fils ? »

Dès son retour à Gamala, il le demanderait à sa mère. Il exigerait une réponse ; et il l'obtiendrait. Mais secrètement, il l'appréhenda.

Son esprit vagabonda dans les ténèbres, survolant les ronflements de l'un des dormeurs. Joseph avait souvent été en voyage. Les seuls hommes de la maison étaient ses quatre fils du premier lit. Trois d'entre eux, Judas, Joset et Jacques, étaient alors des hommes faits et d'ailleurs mariés. L'un d'eux aurait-il abusé de Marie ? Et lequel ? Mais elle-même, qui était-elle ? Comment se trouvait-elle dans la maison du charpentier ? Questions coupables, séditieuses pensées, mais il était impossible d'y échapper.

Était-il donc un fils sans père ? Un bâtard, un *mamzer* ?

Mais comment peut-on être sans père ?

Un sentiment alors l'écrasa : il était seul au monde.

L'inquiétude, le trouble, le désarroi épuisent aussi le corps. Il finit par glisser dans le sommeil comme un corps abandonné qu'on roule dans la fosse commune.

Les efforts de maîtrise de soi furent longs.

Rien, chez aucun des quatre maîtres qui se succédaient pour apprendre aux novices l'interprétation halachique*, la seule correcte, de la Tora, rien donc ne trahissait aucune prévention à l'égard de Jésus, fils de Joseph ; ils lui témoignaient le même intérêt qu'aux autres. Rien ne laissait penser qu'il ne parviendrait pas à passer les épreuves. Il ne pouvait donc rien reprocher à ses maîtres, Gahar, Eliasaf, Azarya et Saül.

Mais le sentiment de solitude prévalait. Les garçons qui habitaient Jéricho retrouvaient leurs familles le soir ; lui ne retrouvait que sa paillasse et les souffles bruyants des trois novices qui partageaient le dortoir. Ceux qui venaient d'ailleurs recevaient souvent des dons de leurs parents, galettes au miel, régimes de dattes et autres friandises, qu'ils partageaient volontiers avec lui. Mais lui ne recevait rien de personne.

Il était venu à Jéricho pour lire les Livres que Zacharie ne possédait pas. Il les lut donc. Et les relut, surtout les prophètes. Et les récita, fort de cette mémoire qui continuait d'émerveiller maîtres et élèves.

Un jour, l'admiration le céda à une sorte d'alarme chez le professeur Gahar. Jésus récita les versets du début du Livre d'Isaïe :

— « ... Où frapper encore, si vous persévérez dans la trahison ? Toute la tête est mal en point, tout le cœur est malade, de la plante des pieds à la tête, il ne reste rien de sain ! Ce ne sont que blessures, contusions, plaies saignantes, qui ne sont ni pansées, ni bandées, ni soignées avec de l'huile. Votre pays est une désolation, vos villes sont la proie du feu, votre sol, sous vos yeux, des étrangers le ravagent... »

Gahar leva la main pour lui faire signe d'arrêter.

— Quelle véhémence ! dit-il en s'efforçant de sourire. On croirait entendre Isaïe lui-même.

Il fixait Jésus du regard. Puis il déclara, s'adressant d'un geste ample à l'ensemble de ses élèves :

— Que les grâces soient rendues au Seigneur : les temps terribles d'Isaïe sont révolus.

---

* La *halachah* est la jurisprudence rabbinique dictant l'interprétation de la Loi et couvrant tous les aspects de l'existence, outre, évidemment, la théologie.

Tous opinèrent du chef. Mais Jésus demeurait impassible : étaient-ils vraiment passés ?

— N'est-ce pas ton avis, Jésus ? Quel était selon toi le motif de la colère du prophète ?

— Le peuple s'était détourné de son Dieu.

— Mais maintenant, clama Gahar, le doigt dressé et triomphal, le peuple a racheté son erreur et son roi Salomon a rebâti le Temple, demeure de son unique Seigneur. Et comment Isaïe a-t-il conclu son Livre ? demanda-t-il à l'un des élèves.

Celui-ci bredouilla. Son voisin fit une réponse vague. Un silence embarrassé tomba sur la salle. Les regards se tournèrent vers Jésus.

— « Quelle maison pourriez-vous me bâtir et quel pourrait être le lieu de mon repos, quand tout cela, c'est ma main qui l'a fait ? » récita-t-il.

C'était le verset par lequel le Seigneur ramenait le Temple à sa modeste mesure. La consternation se peignit sur les traits du professeur.

— « Mais celui sur lequel je porte les yeux, c'est le pauvre et l'humilié, poursuivit Jésus, impavide, c'est celui qui tremble à ma parole. »

Gahar lui lança un regard orageux. Que pouvait-il lui reprocher ? L'élève avait récité exactement les mots d'Isaïe. Or, ceux-ci réduisaient la splendeur du Temple et le pouvoir des prêtres qui l'administraient à bien peu de chose.

L'épisode n'aurait pas eu de suite sans un incident, qui confirma, quelques jours plus tard, que l'on n'en aurait pas fini de sitôt avec le Galiléen. Pendant qu'il faisait un cours sur les douze prophètes, Eliasaf, l'oncle de Samuel, se mit à grimacer de plus en plus et fut bientôt contraint de s'asseoir. Plié en deux, il souffrait à l'évidence de violentes coliques, rénales, hépatiques, intestinales, allez savoir. Puis il bascula de son siège et tomba par terre ; il se mit alors à gémir. Samuel s'élança à son secours et tenta de le relever. D'autres élèves lui vinrent en aide. Les gémissements d'Eliasaf devenaient de plus en plus bruyants. Samuel lança un regard éploré à Jésus. Feignant d'aider à soulever le malade, Jésus lui saisit le bras d'une main ferme. L'instant d'après, Eliasaf poussait un cri différent, comme effrayé. Puis son corps se détendit, presque inerte. Était-il mort ? La panique s'empara des élèves. Non, le prêtre ouvrit les yeux et exhala un soupir :

— C'est passé..., murmura-t-il.

Et il se redressa et se remit sur pied. Mais, à peine debout, son regard s'attacha à Jésus et ne le quitta plus. Chacun s'en avisa et comprit ce qui s'était passé : de l'instant où le Galiléen l'avait touché, ses douleurs s'étaient évanouies. Tous les regards convergèrent alors vers Jésus, impassible, les uns admiratifs, les autres interrogateurs.

Ce Galiléen, décidément... Ils ne savaient qu'en penser.

9.

Les mois avaient passé et, après le septième, ceux des élèves qui avaient atteint vingt ans furent proclamés *talmid hakam*, c'est-à-dire qu'ils étaient «docteurs, mais non ordonnés» : ils ne pourraient être ordonnés qu'à l'âge canonique suivant, qui était de quarante ans. On les appellerait *rabbi*, ils pourraient certes prendre des décisions dans les affaires de législation religieuse et de droit pénal, mais ils ne seraient admis dans la prestigieuse corporation des scribes qu'à l'ordination proprement dite. En tout cas, ils quittaient le noviciat[29].

De ce fait, ils devaient se marier : c'était une obligation. Les partis ne manquaient pas ; or, ce n'était pas l'agrément des jeunes gens qui primait, ni celui des familles, mais celui des prêtres. Dans les conversations privées entre les futurs docteurs, Jésus perçut les échos du système élaboré de filtrage des prétendantes : légitimité, ascendance, alliances familiales, présence d'un prêtre dans la famille étaient minutieusement scrutées par le collège des prêtres de Jéricho.

— Tu te rends compte? Ils ont refusé quatre jeunes filles! Quatre! se lamentait un des condisciples de Jésus. Dont celle qui me plaisait le plus!

— Console-toi, je ne suis pas mieux loti, disait un autre. Je ne vois pas quand je serai marié. Et pourtant ils insistent : il faut absolument que je sois marié maintenant que je suis docteur.

Samuel s'était vu promettre une future épouse qui le consternait.

— Elle a les dents qui lui sortent de la bouche même quand elle la tient fermée! Vais-je épouser un lièvre?

— Mais ton oncle Eliasaf n'y peut donc rien? demanda Jésus.

— Je l'ai supplié de me trouver une fille plaisante, mais que veux-tu, il ne peut pas changer la coutume.

Jésus était à moins de trois ans de cette épreuve imprévue, il n'était donc pas concerné par le système. Cela ne l'empêchait pas de trouver la situation ridicule et même aberrante : les prêtres prétendaient donc dicter à leurs futurs collègues le sentiment le plus intime qu'un homme puisse ressentir, l'attirance pour celle qui serait sa compagne jusqu'au tombeau. De quoi se mêlaient-ils donc?

Non, il ne l'accepterait jamais. Il ne songeait pas au mariage et ne savait même pas s'il envisageait de prendre un jour une épouse. Quand il lui advenait de sortir du noviciat, ce qui était rare, il regardait les femmes comme des urnes closes dont le contact était interdit.

Et le désir ne peut naître de l'ignorance de son objet. Comment rêver d'un fruit qu'on n'a jamais vu?

Les mois s'écoulèrent et se changèrent en années. Jésus arrivait à la dix-neuvième de sa vie.

Un matin qu'il revenait du quartier des Cordonniers, où il était allé acheter une paire de sandales neuves, il remarqua un homme qui attendait dans la cour du noviciat. Celui-là n'était vêtu ni comme les prêtres ni comme les citadins : une tunique de chanvre fin couleur de sable pâle et un manteau dont la laine n'avait même pas été teinte. Son visage, ses mains, ses pieds et ce qu'on voyait de sa peau par l'échancrure de la robe révélaient un homme qui ne passait pas ses journées à la lumière des lampes, mais sous le soleil.

— Jésus bar Yousef? Je suis Jean bar Zekaria[30].

Bien que la voix fût plutôt basse et les mots d'une simplicité entière, la solennité surprit Jésus. Après les échanges de civilités ordinaires, le visiteur s'expliqua :

— Nous sommes parents par nos mères. Ma mère Elisabeth et ta mère Marie sont cousines.

Jésus avait une ou deux fois dans son enfance entendu sa mère évoquer une parente nommée Elisabeth, fille et sœur de prêtres de la région de Jérusalem, en Judée, mariée également à un prêtre, Zacharie.

— Sortons, dit-il. Je ne peux parler ici.

Leurs pas les portèrent sur une esplanade, près de la grande enceinte.

— Quand mes frères et moi, reprit Jean, avons entendu parler d'un Jésus fils de Yousef qui avait le don du Seigneur, j'ai pensé que ce pourrait être toi. Est-ce toi ?

Jésus sonda le regard de Jean :

— Des frères ici m'ont conseillé de ne pas me prévaloir de ce don. As-tu quelqu'un à guérir ?

Jean secoua la tête.

— Pourquoi ce conseil ? Tes maîtres les prêtres te soupçonneraient donc de magie ?

Jean était bien informé des modes de pensée des prêtres ; aussi était-il fils de prêtre. Jésus acquiesça.

— Il serait étrange que le Démon procure le moyen de faire le bien, reprit Jean. Il me semble plus vraisemblable que ton don inquiète tes maîtres parce qu'il te confère un rang supérieur au leur.

Le ton sarcastique fit sourire Jésus.

— Tu as parlé de frères. Qui sont-ils ?

— Les Fils de Lumière, répondit Jean au bout d'un temps.

Le mouvement de sourcils de Jésus refléta sa surprise. Il avait brièvement entendu parler par son ami Samuel de ceux qui s'étaient investis de ce nom magnifique, Fils de Lumière ; il avait ainsi appris qu'ils vouaient une exécration sans faille aux clergés réguliers et surtout à celui du Temple de Jérusalem. Le front toujours plissé, il s'étonna :

— Mais ton père, Zacharie… ?

— Mon père est mort.

Un temps.

— Je suivais ses pas. Et puis je me suis avisé qu'ils menaient à la servitude et au désert, pas celui de la mer de Sel, mais celui du cœur. Je suis allé me joindre aux Fils de Lumière. Ils avaient l'ardeur, ils avaient de longue date secoué la torpeur de l'âme… Ils l'ont payé dans le sang ! Le grand prêtre des Fils des Ténèbres a saisi notre Maître de Justice et l'a fait crucifier !

Jésus frémit. La véhémence de Jean prêtait une force irrésistible à ses propos.

— Le Seigneur l'ordonne, ne l'entends-tu pas ? Il faut rendre son âme à l'Alliance. Mais nous ne prétendons pas régir le monde tel qu'il est, aux mains des Ténèbres. Ce serait nous en faire complices. Nous nous sommes réfugiés dans le désert pour unir nos forces. Le jour où les esprits des Ténèbres tomberont, nos glaives seront prêts.

Un long silence suivit ces mots.

— Où êtes-vous dans le désert ?

— Au nord de la mer de Sel. À Sokoka.

— Combien êtes-vous ?

— Trop peu. Quelques milliers.

— Trop peu ?

— Nos ennemis sont légion. « Soyez stupides et stupéfaits, devenez aveugles et sans vue, soyez ivres, mais non de vin... »

— « Car Yahweh a répandu sur vous un esprit de torpeur », poursuivit Jésus.

C'étaient encore les mots d'Isaïe. Jean leva les sourcils, appréciatif, et hocha la tête. Un sourire étira son masque basané. Jésus fut frappé par l'éclat de ses dents ; certes pas celles d'un homme épris de bonne chère. Ses yeux brillaient comme des braises et la chaleur émanait de lui comme une lumière. Il était beau. Quel âge avait-il ? Un peu plus ou un peu moins de trente ans, mais comment pouvait-on préserver un sourire d'enfant jusqu'à cet âge-là ?

— Qu'es-tu venu faire ici ?

— Étudier les Livres. Et toi, qu'es-tu venu faire ? Me demander de vous rejoindre ?

— Je suis venu parce que l'Esprit m'y a poussé. J'étais bien inspiré, je le sais. Tu as ce don de guérir et nous, nous sommes les Guérisseurs.

— Je veux obtenir mon doctorat. Je pourrai alors parler sans qu'un homme mandé par je ne sais quel pouvoir vienne me faire taire.

Cela signifiait qu'il ne suivrait pas Jean.

— Je sais que je te reverrai, dit celui-ci.

— Nous pensons qu'il serait bien pour toi de passer tes examens de doctorat à Jérusalem.

C'était trois jours après la visite de Jean. Gahar, Eliasaf, Azarya et Saül assis sur l'estrade, tels quatre juges, laissèrent tomber sur le Galiléen un regard vitreux.

Il ne répliqua pas ; ils se débarrassaient de lui. Il le devinait sans peine : l'épisode de la guérison d'Eliasaf avait suscité trop de rumeurs chez les élèves et les maîtres eux-mêmes en étaient troublés. Que leurs collègues de Jérusalem débrouillassent son cas comme ils l'entendraient. Peut-être espéraient-ils aussi que le formidable appareil du clergé de Jérusalem ramènerait ce jeune homme à la modestie qui s'imposait dans son état : un Galiléen de naissance incertaine. Oui, il savait guérir certains malaises, mais le Seigneur seul savait s'il n'usait pas de subterfuges appris dans sa lointaine contrée.

Il prit congé de ses camarades. Samuel pressa ses deux mains entre les siennes et le regarda dans les yeux. C'était plus en dire que bien des mots. Enfin Jésus ficela son ballot pour cette ville au nom prometteur : « La paix apparaîtra. » Cinq galettes de pain, un fromage et quelques dattes achetées au marché. La gourde d'eau était attachée à sa ceinture.

Aller de Jéricho à Jérusalem, c'était descendre de la montagne à la plaine par une vallée où se tortillait un torrent. La route était sans doute l'une des plus fréquentées de l'ancien royaume d'Hérode le Grand, partagé en principe entre ses fils mais en réalité soumis à la tutelle de Rome. Quiconque l'eût oublié se le serait vite rappelé : parmi les dizaines d'ânes qui transportaient dans les deux sens les négociants, les propriétaires fonciers, les fermiers des impôts et autres puissants de ce monde, la cavalerie romaine abondait aussi. Jésus le perçut pour la première fois : seuls les Romains allaient à cheval. Comme pour proclamer leur autorité et magnifier leur prestige, leurs armures étincelaient au soleil, auréolant des visages empreints de morgue ou, au mieux, de condescendance à l'égard des voyageurs.

La route était longue aussi ; par deux fois Jésus fit halte pour la nuit, sous un arbre, repartant à l'aube. Ce fut peu après l'aube du troisième jour qu'il arriva en vue de la ville. Le soleil levant inondait les hautes murailles au-dessus desquelles s'élevait le Temple, la Demeure de l'Éternel. Il s'arrêta pour contempler ce paysage. C'était peut-être Hérode le Grand qui avait reconstruit la merveille de Salomon, mais où gisaient-ils l'un et l'autre ? Les vers ne reconnaîtraient même plus leurs ossements !

Il reprit son chemin et atteignit la porte de Jéricho. L'animation alentour lui parut extraordinaire. C'était le centre du monde que cette ville !

Il se dirigea vers le Temple et entra par la porte de la Flamme, se frayant un passage parmi les marchands d'offrandes qui apportaient des jarres de vin et d'huile, des cages de colombes ; les gros animaux sacrificiels, bœufs, brebis, agneaux voire béliers, étaient tenus en réserve à l'extérieur, sous la garde de bergers, à la porte dite des Brebis. Il avait été délégué au scribe Hillel bar Hillel, mais dans la foule déjà dense qui emplissait le Temple, il eut de la peine à trouver un interlocuteur capable de le renseigner. Enfin, il avisa un prêtre qui l'envoya à la salle de la Pierre taillée, à l'extérieur du Temple :

— Longe la terrasse jusqu'au bout, au parvis des Païens. Là, prends le pont à droite et tu arriveras à cette salle.

Le prêtre qui l'accueillit à la porte lui demanda qui il était.

— Jésus bar Yousef. Je suis envoyé par les prêtres Gahar, Eliasaf, Azarya et Saül de Jéricho, mes maîtres.

Le prêtre lui aussi le dévisagea et le pria d'attendre. Longue attente ! Près d'une heure plus tard, Jésus fut enfin introduit auprès de Hillel : un quinquagénaire au visage replet et aux pieds dodus chaussés de sandales de cuir fin. Tout le monde à Jérusalem se dévisageait-il de la sorte ? En effet, Hillel scruta attentivement l'arrivant.

— Tes maîtres m'ont annoncé ta venue. J'ai décidé de te confier au prêtre Ismaël. Il sera là dans un moment. Veuille l'attendre à l'extérieur. On ira te chercher.

Pas un mot de bienvenue. Jésus sortit, alla s'asseoir sous les arbres et but à sa gourde. Le soleil approchait du zénith quand le prêtre qui avait accueilli Jésus, si tel était bien le mot, vint crier son nom. Jésus se leva et le suivit. Il fut introduit en présence d'Ismaël. Maigre, raide et impérieux, un regard suffisait à en déchiffrer le mode d'emploi. Lui aussi détailla des yeux son nouvel élève.

— Je sais par tes maîtres de Jéricho que tu brilles par ta mémoire, mais celle-ci n'est que le savoir-faire. Rappelle-toi ce que disent les Proverbes : «Moi, la sagesse, j'habite avec le savoir-faire, je hais l'orgueil et l'arrogance.» As-tu quelque chose à dire?

— «Qui méprise son prochain est privé de sens. L'homme intelligent se tait.»

Ismaël leva la tête, sarcastique :

— Mais toi, tu ne t'es pas tu, justement.

— «La douceur des lèvres augmente le savoir.»

Ismaël hocha la tête avec componction.

— Je vois que ta mémoire est riche, en effet. Nous t'apprendrons à t'en servir. Jérusalem, sais-tu, est le creuset du savoir. Les enseignements offerts par les maîtres du Temple dispensent le sel qui donne le goût aux aliments. Je t'attends demain à la troisième heure dans la maison qui se trouve de l'autre côté de la rue.

— Où dois-je habiter?

— C'est ton souci.

Et c'était le congé. Les maîtres du Temple dispensaient le sel de l'esprit, mais pas le pain! Dormirait-il dans la rue? Le souvenir de Jean lui vint et il éprouva le désir violent de s'en aller au désert, à Sokoka, pour le rejoindre. Mais il voulait son titre, *talmid hakam*, pour enseigner, lui, la parole du Seigneur comme il l'entendait. Ses pas le menèrent vers la ville basse, dans la vallée. Les maisons y étaient bien plus modestes que dans la ville haute. Et les mines, plus amènes. Les mots d'Isaïe lui revinrent en mémoire : «Celui sur lequel je porte les yeux, c'est le pauvre et l'humilié, c'est celui qui tremble à ma parole.»

Il avisa une femme qui avançait à pas comptés, maintenant de la main une cruche sur sa tête.

— Où peut dormir un voyageur honnête et pauvre?

Elle s'arrêta, tentant des deux mains de préserver l'équilibre de la cruche.

— Tu vois cette rue-là? C'est la rue des Barbiers. Va chez Simon le Silencieux. Il accueille les voyageurs pour ce qu'ils peuvent le payer.

La femme avait dit vrai.

Une matrone aux jambes torses indiqua au voyageur une chambre sur le toit ; un autre voyageur occupait la chambre d'en face. Elle lui indiqua le puits voisin où tirer de l'eau.

— Si tu peux m'en rapporter, je t'en saurai gré, ajouta-t-elle.

Il accepta et elle lui tendit une cruche vide. Quand il revint et la lui tendit, elle le bénit.

— Où est Simon le Silencieux ?

— Tu le verras bientôt au souper, si tu veux te joindre à nous. C'est mon mari. Moi je m'appelle Maya.

— Pourquoi est-il silencieux ?

— Il l'est depuis l'enfance.

Autant dire qu'il était muet.

Le souper réunit plus de monde que Jésus ne s'y attendait. L'on s'assit par terre, sur un tapis usé, où Maya, aidée de ses filles, déposa les plats : des fèves cuites à l'huile, du poisson frit, une salade de lentilles. Luxe urbain, chacun avait son bol en terre, mais le vin, en revanche, était un *chomets* aigrelet. Simon avait trois garçons et deux filles, déjà grands ; ils suppléèrent au mutisme de leur père. Celui-ci était étrangement roux et l'âge n'avait pas affecté sa vigueur.

— Que fais-tu à Jérusalem, étranger ? demanda l'aîné, parlant sans doute pour son père.

— Je suis venu étudier les Livres et savoir ce qu'en disent les prêtres.

Simon regarda Jésus ; on eût pu détecter un sourire dans sa barbe.

— Les prêtres en savent-ils plus que les fidèles ? demanda l'aîné.

Ce fut au tour de Jésus de sourire. Simon, lui, riait franchement.

— Mon père n'a jamais ouvert un rouleau, bien qu'il sache lire. Mais je sais ce qu'il croit : que le Seigneur est dans le cœur.

L'expression de Jésus changea soudain, comme si une flamme s'était allumée à l'intérieur du crâne.

— Est-ce vrai, Simon ? demanda-t-il d'un ton pressant, saisissant le poignet de son hôte.

Celui-ci hocha la tête. Puis il toussa, écarquilla les yeux et agita les bras, à la surprise inquiète des siens. Il émit des sons et au bout d'un moment, les sons se changèrent en balbutiements, en bégaiements, en mots[31] !

— Je crois... Je crois... que je parle! articula-t-il, regardant autour de lui, comme halluciné.

Il se leva, presque titubant, et cria comme un fou :

— Je parle!

Il se tourna vers Jésus :

— Qui es-tu? Qui es-tu? Tu ne peux être que l'envoyé du Seigneur!

À son tour, il lui saisit la main et la baisa.

— Assieds-toi, Simon, et rends grâce au Seigneur miséricordieux qui m'a envoyé vers toi. Rappelle-toi qu'il est présent dans chaque vie.

Il fallut un bon moment avant qu'un semblant de calme revînt dans la petite salle de la maison de Simon qui avait été le Silencieux. Maya pleurait de bonheur et les enfants ne disaient plus un mot. Ils ne mangeaient même plus. Ils ne regardaient plus que cet inconnu merveilleux, assis parmi eux.

Notes du chapitre 9

29. Un point essentiel des récits évangéliques est l'appellation « rabbi », que les apôtres et le peuple adressent plusieurs fois à Jésus (Jn. I, 38 et 49 – VI, 25 et IX, 2 ; Mt. XXIII, 7-8 et XXVI, 49 ; Mc. IX, 5 - XI, 21 – X, 51 et XIV, 45). En hébreu, elle signifie : « Mon maître. » À l'époque de Jésus, elle est réservée aux prêtres soit non encore pleinement ordonnés mais ayant atteint le premier degré de ce titre, à partir de l'âge canonique de vingt ans, soit ordonnés à partir de l'âge canonique de quarante ans. Or, un passage en grec de Jean désignant Jésus qui enseigne au Temple a fait l'objet d'une traduction erronée et l'erreur est révélatrice ; dans la totalité des traductions modernes, les Juifs demandent : « Comment connaît-il les lettres sans avoir étudié ? » (Jn. VII, 15.) Or, les mots grecs de Jean sont *grammata mé memasikos*, ce qui se traduirait par « lettré non consacré », signifiant qu'il n'a pas achevé sa formation, c'est-à-dire qu'il est un rabbin du premier degré.

Il s'ensuit que la version évangélique d'une descente conquérante de Jésus et des apôtres, de Galilée en Judée, qui aurait duré trois ans environ, doit être révisée : Jésus a bien détenu le titre et n'a pu l'acquérir qu'auprès d'un maître agréé, c'est-à-dire qu'il a suivi un enseignement formel, sanctionné par les scribes dépendant du Temple ; cet enseignement durait plusieurs années, le premier titre de docteur non consacré, *talmid hakam*, n'étant accordé qu'à l'âge canonique de vingt ans (le second, celui de docteur consacré, à quarante ans). L'abondant usage qu'il fait des Livres, et notamment des Prophètes, prouve qu'il en avait eu une longue fréquentation. Et il faut rappeler que, l'imprimerie n'existant pas, l'accès aux rouleaux des textes sacrés était réservé au clergé.

Où le titre lui fut-il décerné ? Les Évangiles ne le disent pas et sans doute l'ignoraient-ils ; conception et naissance mises à part, ils ne portent que sur les trois années de ministère public ; de ce fait, de vastes pans de la vie de Jésus, notamment de sa jeunesse, y sont occultés. Il n'est pas irrespectueux d'avancer que les anecdotes telles que la discussion du jeune prodige avec les docteurs de la Loi, abondamment exaltée par des siècles d'iconographie, ont été inventées : les évangélistes ne savaient visiblement rien de la vie de Jésus jusqu'à son apparition en Galilée avec ses disciples. Cela représente une lacune de près de trente et un ou trente-quatre ans. Ç'avaient pourtant été les années de formation de Jésus, qu'on osera dire cruciales. Je postule que sa formation a commencé à Jéricho et s'est poursuivie à Jérusalem et enfin à Quoumrân.

Les années passées au sein de l'institution sacerdotale furent à coup sûr éprouvantes : le clergé rejetait les enfants naturels ou leur assignait un rang définitivement inférieur dans la hiérarchie ; le mythe chrétien de la naissance surnaturelle de Jésus n'était pas encore forgé et, pour les autorités religieuses juives, Jésus était un bâtard. Ce point n'est certes pas étranger à l'exaltation du Père qui transcende l'enseignement de Jésus. Il fut certainement l'un des objets de conflit avec le clergé et l'établissement religieux juif dans son ensemble.

30. La rencontre avec Jean le Baptiste ne peut évidemment s'être produite comme la décrivent les Évangiles, ni le Baptiste lui-même être conforme à la description de Marc, qui a prévalu dans l'iconographie : « Jean était vêtu d'une peau de chameau et mangeait des sauterelles et du miel sauvage. » (Mc. I, 6.) On oublie trop souvent de rappeler qu'ils étaient cousins et que, en tant que membres d'un clan, ils entretenaient des rapports constants, fussent-ils espacés. Toutefois, conditionnés par deux mille ans de tradition, bien des spécialistes répugnaient et répugnent encore à admettre l'évidence, et l'on pouvait ainsi lire, vers la fin du xxe siècle, dans une revue qui se prétendait compétente, que « Jean se nourrit des produits spontanés du désert, miel et sauterelles » ! Qui pourrait croire que le miel est un « produit spontané » du désert ? Ou qu'on y attrape des sauterelles comme on pêche des crevettes à Honfleur ? Et comment peut-on se vêtir d'une peau de chameau ? On trouvera dans la note 32 les raisons de penser que Jean était un membre de la communauté essénienne.

31. Pour les croyants, les miracles de Jésus, essentiellement les guérisons, constituent une évidence imposée par son essence divine ; pour les non-croyants, la croyance en eux procède de ce qu'il était convenu d'appeler la pensée prélogique, comme toute croyance dans le « paranormal » ; pour les médecins modernes, enfin, ces guérisons posent une question fondamentale, étant donné les dizaines de guérisons immédiates, inexplicables mais vérifiées par des commissions médicales comportant des membres athées. L'argument des guérisons spontanées, qui peuvent se produire hors du domaine de la foi religieuse, est souvent invoqué par

les sceptiques, mais il ne change rien au fait que de telles guérisons se produisent aussi dans ce domaine. En témoigne la centaine de cas enregistrés à Lourdes, sur quelque 5 000 considérés comme non miraculeux parce que ne comportant pas le caractère d'immédiateté requis.

Le sujet est vaste et a inspiré des études approfondies, dont l'exposé dépasserait le cadre de ces notes. Il faut cependant rappeler que des guérisons miraculeuses ont été effectuées à l'époque moderne par des personnes dotées de pouvoirs spirituels, mais parfois aussi par d'autres qui ne revendiquaient pas de pouvoir d'intercession divine. L'exemple le plus probant et sans doute le plus célèbre est celui de Francesco Forgione, plus connu sous le nom de Padre Pio (1887-1968) ; en 1919, il guérit un Giovanni Viscio, quarante-trois ans, qu'une maladie de jeunesse, sans doute une poliomyélite, avait rendu infirme : il ne pouvait se tenir debout ni marcher sans béquilles. Il alla voir le capucin à San Giovanni Rotondo, et celui-ci lui dit : «Jette tes béquilles», et Viscio retrouva l'usage de ses jambes. En 1925, une Maria Gennai prit le train avec son fils, atteint d'une maladie incurable, d'évolution rapide, pour le soumettre aux pouvoirs de Padre Pio ; mais quand elle arriva, l'enfant était ou semblait mort ; Padre Pio le ressuscita. En 1948, un Giuseppe Canaponi, infirme par suite de nombreuses fractures subies dans un accident de moto, se vit diagnostiquer en plus une fibromatose du genou ; il recourut à Padre Pio. Et il fut guéri sur-le-champ pendant la confession (Cf. *Padre Pio ou les prodiges du mysticisme*, de l'auteur – v. bibl).

Les guérisons miraculeuses, qui constituent l'essentiel, sinon la totalité des miracles de Jésus, ne peuvent à mon avis être considérées comme des légendes pieuses ; elles contribuèrent le plus probablement à sa renommée bien avant son ministère.

Certains miracles qui défient le positivisme feront plus loin l'objet d'analyses séparées.

10.

Il leur avait recommandé de garder le silence sur la guérison miraculeuse de Simon, mais comment se taire quand on peut parler après des décennies de mutisme? Quand il revint le soir, après sa première séance avec Ismaël, le quartier bourdonnait. Une centaine de gens se tenaient dans la rue des Barbiers, devant la maison de Simon Qui N'était Plus Silencieux. Il écouta: apparemment tout le voisinage bruissait de la rumeur que Simon avait reçu la visite d'un ange déguisé en voyageur qui l'avait guéri de son mutisme. Où était cet ange? Était-il parti? La porteuse de cruche que Jésus avait interrogée clama qu'elle l'avait vu, oui, vu, quand il lui avait demandé l'adresse de Simon: il ressemblait à un jeune homme brun, aux yeux de feu... Comment aurait-elle pu savoir? Non, elle n'avait pas vu d'ailes... Pourtant, elle ne le reconnut pas alors qu'il se tenait à trois pas d'elle. Il se retint de rire et profita de la sortie de visiteurs pour se faufiler enfin dans la maison.

— Nous n'y pouvons rien, expliqua l'épouse de Simon, contrite. Quand mon mari est sorti ce matin et qu'il a répondu «Bonne journée» à un commerçant, celui-ci est parti en courant proclamer que Simon parlait. Les voisins sont venus interroger mes enfants et, en dépit de la consigne que tu nous avais donnée, ils ont avoué que nous avions accueilli un voyageur qui avait guéri leur père... Pardonne-nous!

Jésus la rassura.

— Ton mari a été guéri à cause de sa sagesse et de la pureté de son cœur.

— Je connaissais son cœur, rabbi, aussi ta venue a été pour moi la preuve de la bonté du Seigneur. Je ne le savais pas, mais il suffisait d'attendre.

— Et le temps du Seigneur n'est pas celui des hommes, ajouta-t-il.

À la différence de tant d'autres, cette rumeur-là était tenace. Jour après jour, elle se répandit dans la ville basse et Jésus soupçonna qu'elle finirait par gagner la ville haute. La première journée d'enseignement avec Ismaël avait déjà été périlleuse ; si l'on apprenait au Temple que le Galiléen avait accompli un miracle, les prêtres s'en offusqueraient et la situation serait la même qu'avec les prêtres de Jéricho, sinon pire : méfiance et mise à l'écart. Jusqu'alors, il était protégé par son anonymat ; pourvu qu'il durât.

Il se garda de faire appel à son don, bien que les occasions fussent nombreuses : il ne se passait pas de semaine qu'on ne dût appeler un médecin pour un prêtre souffrant. Ces hommes, en effet, et surtout les lévites, étaient tenus de faire pieds nus le service du Temple, hiver comme été, de ne manger que de la viande, celle des sacrifices, et ils étaient nombreux à souffrir de la goutte. Ils traînaient donc sur les dalles brûlantes ou glacées des pieds enflammés ; et ce n'étaient pas leurs genoux, également atteints, qui atténuaient leurs douleurs.

Mais ils n'avaient qu'à s'en prendre à ceux qui régissaient leur discipline.

Jusqu'à la fin des leçons, ni Ismaël ni les autres prêtres ne donnèrent à Jésus motif d'inquiétude. Ils n'avaient donc pas, supposa-t-il, entendu les échos de la guérison de Simon le Silencieux ; les barrières splendides et sacrées qui les séparaient du commun les leur avaient épargnés. Ils avaient d'ailleurs bien d'autres soucis : cette année-là, vingtième de la vie du Galiléen Jésus, le grand prêtre Annas avait été destitué sur l'ordre du légat romain en Syrie, Valerius Gratus ; sans doute avait-il été trop malgracieux à l'égard des représentants de Rome. N'importe : Jésus ne put même pas assister au dernier sacrifice du pontife, un holocauste ou *tamid* du soir, tant la foule était dense dans la cour des Prêtres et sur les terrasses. Il n'avait jusqu'alors aperçu ce pontife que de loin, à l'occasion de la fête des Tabernacles ; il ne le reverrait plus.

Se frayant un passage parmi les fidèles, il avait cependant été stupéfait par le nombre des sacrifices exécutés ce jour-là : au moins trois cents brebis, pour ne parler que de ces animaux. Le Trésor du Temple avait réalisé de superbes profits ! Car c'était là qu'aboutissaient les sommes déboursées pour l'achat des animaux sacrificiels. Sans parler des petits bénéfices. Devant l'autel, en effet, se tenaient des prêtres en chef qui s'emparaient d'office des peaux sanglantes et les fourraient dans de grands sacs. Tous les soirs, Jésus l'apprit rapidement de commentaires glanés au passage, ces peaux étaient réparties entre les prêtres de service. L'usage qu'ils comptaient en faire n'était que trop évident : ils les revendraient à des tanneurs et corroyeurs. Deux ou trois fois, des bagarres avaient éclaté entre les prêtres eux-mêmes sur la propriété de ces dépouilles.

Et quelle boucherie ! Il en avait été écœuré. Les lieux de sacrifice ruisselaient du sang des animaux que les fidèles devaient eux-mêmes égorger, écorcher et désentripailler. Aussi les offrants venaient-ils avec leurs domestiques pour ces besognes.

Vraiment, le Seigneur en demandait-il tant ? Tout cela Lui agréait-il ?

Et quand Ismaël l'avait emmené admirer le Saint des Saints, sans doute dans l'intention secrète de l'émerveiller et de lui représenter la puissance et le faste de l'institution, l'effet avait été opposé. Ismaël lui avait montré les grappes d'or, oui, d'or pur, qui pendaient au-dessus de la porte. Quinze grappes, pas moins, luisant de leur éclat sur le portique de marbre.

— Ce sont les dons de riches fidèles, avait-il expliqué.

Pour acheter quoi ? Les faveurs du Seigneur ?

Les jours suivants n'avaient pas été moins agités, puisqu'il s'agissait de désigner le successeur d'Annas. Au terme de tractations aussi longues que hargneuses, car Annas ne consentait pas à perdre le pouvoir avec le siège, le nom fut affiché à toutes les portes du Temple : Ismaël ben Phiabi Iᵉʳ. Oui, Premier ; n'était-il pas l'égal d'un monarque ? Mais Jésus ne l'aperçut qu'une fois car, aux premiers sacrifices, la foule se pressait aussi pour voir le maître des tous les prêtres d'Israël. Il ne vit que des vêtements somptueux surmontés d'une opulente chevelure débordant d'un bonnet brodé et, de temps à autre, des mains qui se tendaient vers le ciel pendant que les chantres s'égosillaient.

« Est-ce là ma ville ? »

Telle était souvent la question qui l'assaillait, comme une mouche têtue, quand il regagnait le soir sa chambre de la rue des Barbiers.

Et une autre, plus perfide, bourdonnait aussi :

« Est-ce là mon peuple ? »

Le spectacle des militaires romains le lui rappelait sans cesse : c'était un peuple de vaincus que le sien. Des vaincus sur lesquels prétendait régner une caste d'orgueilleux totalitaires et impuissants, plus aptes à gérer leurs prébendes qu'à restaurer la liberté du peuple qu'avait jadis défendu David. Ces milliers de prêtres qui ne se recrutaient que dans leurs lignages, comme des princes !

« Qu'avez-vous fait du glaive de David ? » maugréait-il parfois quand il en voyait certains qui pavanaient comme des héros.

Il se prenait sourdement d'aversion pour eux.

À vingt ans, nul n'est plus orphelin. Lui pourtant soupçonnait de plus en plus qu'il n'avait pas eu de père. Et l'attitude des prêtres, confirmée par les confidences de Samuel, approfondissait ce stigmate.

Il se sentit exilé à Jérusalem. Mais quel autre pays aurait-il ? S'il retournait à Gamala, il s'y sentirait encore plus exilé.

Seule la ferveur presque amoureuse de Simon et de sa famille entretenait en lui la flamme de la chaleur humaine. Ils veillaient tous fiévreusement à son confort, Maya lavait son linge et le reprisait s'il était usé. Elle lui avait même offert une tunique neuve. L'ambition, cette ivraie de l'âme, les avait épargnés : l'amour du Seigneur qui rayonnait en eux leur faisait aimer leurs semblables, et Jésus par-dessus tous ceux qu'ils connaissaient et chérissaient.

Mais comme lui, ils méprisaient les prêtres.

— Moi, j'étais muet, mais Dieu est dans ma tête et il m'a fait parler par ta main, plaisanta Simon, mais eux, il est dans leur gorge et leur tête est muette.

C'était donc à regret que Jésus s'en allait chaque matin pour retrouver le monde hiératique et gourmé qui avait investi le Temple.

Dans le hourvari suscité par l'éviction d'un grand prêtre et la nomination d'un autre, les prêtres avaient évidemment eu d'autres chats à fouetter que la guérison d'un muet dans la ville basse. Car, friands de rumeurs et ragots, ils en avaient eu vent. Jésus n'avait donc pas eu à pâtir de la méfiance que suscitait sa réputation de guérisseur. Mais, au terme de son doctorat sans consécration, il dut modifier son avis.

Vint le jour crucial de l'examen. Il fut interrogé par un collège de prêtres sur un sujet épineux : fallait-il ou non célébrer une nouvelle union dans le cas d'un mariage léviratique ? Le lévirat était le mariage contracté d'office entre une veuve et le frère d'un mari mort sans enfant. Il répondit prudemment : l'union de fait ne nécessitait pas de célébration, mais elle gagnait à être publiquement confirmée par une cérémonie, surtout si la veuve et le beau-frère avaient été séparés pendant longtemps.

Il eut le sentiment d'avoir satisfait le jury. En effet, il reçut enfin son diplôme de *talmid hakam*, un parchemin à peine plus grand que la main, orné du cachet du chef des scribes, Hillel bar Hillel. Son maître Ismaël le prit à part pour le féliciter.

— Je n'ai jamais su où tu habitais, demanda celui-ci, incidemment, d'un ton détaché.

Jésus devina le sens de la question.

— Dans la ville basse.

Le regard d'Ismaël devint finaud ; un hochement de tête signifia : « C'est bien ce que je pensais. »

— Tu connais le proverbe : « Entends le conseil, accepte la discipline pour être sage à la fin » ?

— Oui, maître. Et je connais aussi celui qui dit : « À garder sa bouche et sa langue, on se garde soi-même de l'angoisse. »

Ismaël s'autorisa un rire bref.

— Est-ce pour cela que tu as rendu sa langue à Simon le Silencieux ? J'ai jugé inutile pour tes études et ton avenir de prêtre d'approfondir cette question. Ai-je entendu tes remerciements ?

— Entends-les donc maintenant, maître.

Maître de quoi ? Un vertige brouilla brièvement l'esprit de Jésus : était-il possible que les paroles du Tout-Puissant transmises par Moïse et celles des prophètes ne servissent qu'à ces ruses et prouesses de casuistique ? Qu'était donc le Temple ? Un repaire de phraseurs astucieux et cupides ?

Puis Ismaël lui rappela qu'avant d'être titularisé et de recevoir ses habits sacerdotaux, un manteau, des caleçons, une ceinture et un turban de byssus, Jésus devrait subir le bain de purification et présider à des sacrifices.

— Alors tu pourras retourner à Gamala.

C'était péremptoire. Lui avait-on demandé son avis ? Avait-il jamais dit qu'il projetait de retourner en Galilée ? Pour quoi faire ? Succéder à Zacharie ? Peu importait : le Temple décidait.

— Mais il faudra te marier. Connais-tu des filles de vertu et de bonne famille là-bas ? Non ? Peut-être pourrons-nous y pourvoir ici.

Jésus lui opposa un visage inexpressif. Cet homme prétendait disposer de sa vie, tel un sergent exécutant les ordres du monarque. Un monarque que les Romains pouvaient cependant démettre à leur guise.

Il crut sentir l'odeur douceâtre des ruisseaux de sang qui dégoulinaient des autels.

Il prit congé d'Ismaël sur les formules de déférence convenues.

Le hasard fit qu'il rencontra Samuel, l'aimable condisciple de jadis. Après les accolades, Samuel le félicita.

— Ils veulent me renvoyer à Gamala, dit Jésus.

Samuel détecta la contrariété dans la voix.

— Ce sont nos Romains à nous, dit-il avec un soupir.

L'exaspération est pareille à la vapeur qui fait sauter les couvercles des pots. Le lendemain matin à l'aube, sans adieux, Jésus bar Yousef franchissait la porte de la maison de Simon et quittait Jérusalem par la porte des Esséniens.

C'était une évasion.

Le soir, il arriva à Sokoka. Il lui sembla que le voyage avait duré une vie. Peut-être était-ce le cas : il s'était remémoré la sienne.

Ses pieds étaient veloutés par la poussière du désert. Le vent vierge des montagnes lavait enfin ses poumons de l'odeur du sang. Ses yeux étaient comblés par les ors du couchant. Peut-être le soleil enfouissait-il ses trésors dans le sable avant d'aller se coucher, mais auparavant, il en prodiguait des fortunes sur les murailles qui se dressaient là-bas, sur le plateau dominant la mer de Sel. Il en faisait une maison d'or, mille fois plus somptueuse que ce Temple orgueilleux où croyaient régner des orgueilleux.

Quand il y parvint, il chercha le portail. Un homme sur le rempart le comprit et le lui indiqua du geste. Deux portiers allaient le refermer quand il s'y présenta.

— Cherches-tu quelqu'un ?

— Jean bar Zekaria.

— Te connaît-il ?

— Nous sommes parents.

— Nous allons le prévenir.

Quelques instants plus tard, Jean accourait, radieux. L'accolade fut longue.

— Je le savais, ne t'avais-je pas dit que je te reverrais ?

Jean l'emmena vers un grand bâtiment au centre d'un ensemble assez disparate qui ressemblait à un petit village ou bien à une réunion de fermes. Tout était rustique, à cent lieues des ors et des pompes du Temple et de Jérusalem : les portes étaient faites pour clore et non pour vanter la gloire du vide sur lequel elles se refermaient ou s'ouvraient, les murs, pour soutenir les toits et non pour celer des compromissions honteuses. Le seul or visible était celui que le soleil accrochait aux briques de terre et aux pierres.

— Maître Daniel, dit Jean à un homme qui vaquait aux tables d'un vaste réfectoire où se côtoyaient plusieurs tables, voici celui dont je t'ai parlé.

L'homme, un gaillard vêtu d'une tunique de chanvre pareille à celle de Jean, ne lustrait certes pas sa barbe ni ses cheveux à l'huile ; il posa un cruchon de vin sur la table la plus proche et considéra Jésus.

— Bienvenue, dit Daniel, souriant. Tu es donc Jésus bar Yousef, le Galiléen, cousin de notre frère Jean. Nous t'attendions, car il nous a parlé de toi. Mais qu'est-ce qui t'a décidé à venir ?

Un maître qui disposait des cruchons sur les tables d'un réfectoire et vous souhaitait la bienvenue, cela changeait de Jérusalem.

— Ton accueil m'honore, maître. Je dirai ceci : mille lampes ne font pas le jour, mais la flamme d'une seule peut suffire à éclairer celui qui cherche l'Esprit.

Daniel hocha la tête.

— Ces mots prouvent la justesse du jugement de notre frère. Tes pas étaient guidés par la Lumière.

Il regarda longuement Jésus.

— Notre hôte, Jean, souhaiterait peut-être se laver des poussières du voyage. Nous avons un peu moins d'une heure avant le repas du soir.

Jean acquiesça et emmena Jésus vers un bâtiment dont sortaient des hommes d'âges divers, adolescents ou hommes mûrs, la plupart essorant ou peignant leurs cheveux mouillés et paraissant contents de leur sort. Il aida Jésus à se défaire de son ballot et de son manteau et lui indiqua une piscine dont le bouillonnement constant indiquait qu'elle était alimentée par une source.

— Va te rafraîchir. Je t'attends ici.

Défait de sa tunique, de son pagne et de ses sandales, il descendit dans le bassin. Un adolescent qui sortait de l'eau lui tendit le crin de courge avec lequel il s'était frictionné. Les traces de sueur et la poussière s'en allèrent. Puis il lava ses cheveux à l'aide d'un broc. Que peut espérer une créature sinon l'Eau et la Lumière ? Le renouveau et la vie ? Pensées passagères, peut-être, ou plutôt repères dans le long tissu des songeries d'un homme, drap immense, multicolore et percé de trous au travers duquel apparaît son aspiration profonde. Il tenta aussi de se laver la mémoire, mais les taches de la vie sont plus rebelles à effacer que le vin sur le lin.

Il remonta les marches, se secoua et s'exposa au vent souf-flant par les lucarnes ; bientôt sec, il se rhabilla. Jean l'emmena vers un bâtiment où des murets créaient des loges sans portes ; les paillasses au sol en indiquaient l'usage : c'était un dortoir ainsi conçu que, sans se retrancher de la communauté de ses frères, chacun s'épargnait les bruits ordinaires des dormeurs.

— Tu n'es pas initié, tu dormiras donc les premières nuits dans le dortoir des novices. Voici ta paillasse. Viens.

Ils sortirent du bâtiment et Jean indiqua à Jésus une vaste étendue déserte où foisonnaient des plantes sauvages, armoises, zizyphes, centaurées. Puis il lui tendit une truelle.

— C'est ici que nous nous soulageons des résidus quoti-diens du corps. Mais auparavant, nous creusons un trou pour les recouvrir ensuite de terre. C'est la règle.

Cela aussi changeait de Jérusalem, où certaines venelles de la ville basse et maints terrains au-delà de l'enceinte étaient devenus des déversoirs d'immondices.

Là-bas, des groupes d'hommes se dirigeaient vers le réfec-toire ; Jean conduisit Jésus vers une autre porte du même bâtiment.

— Les novices ne prennent pas leurs repas avec les initiés. Ce soir, nous prendrons donc notre repas avec les novices.

Pour sacrifier à l'hospitalité, Daniel avait fait exception à la règle et les attendait donc chez les novices. Des jeunes gens, des moins jeunes et même un homme fait attendaient, debout autour d'une table. Un des frères abaissa les lampes qui pendaient au plafond, les alluma et les remonta ; une lumière ambrée fit luire les chevelures. Daniel récita la prière implorant la bénédiction divine sur le repas qu'elle avait déjà concédé. À son invitation, Jésus prit place à sa droite et Jean à sa gauche. Puis, d'un geste, il invita les novices à s'asseoir.

— Jean m'a fait ton éloge et j'ai voulu t'accueillir personnel-lement, déclara Daniel, car je suis heureux de t'accueillir parmi nous. Le don que t'a concédé le Seigneur aurait dû te dispenser de tes études, si l'on suivait l'esprit des Écritures, car il révèle que le Seigneur t'a choisi pour donner la vie par ta main. Tu as voulu cependant te soumettre à la coutume. Tu es donc aujourd'hui *talmid hakam*. Nous en tiendrons compte quand nous considérerons le noviciat que nous imposons à nos recrues et qui dure deux ans. Il ne te reste qu'à te joindre solennellement à nous.

Il avait parlé à voix assez haute pour informer les convives.

— Comment le ferai-je ?

— Par ton adhésion volontaire, puis la cérémonie du bain rituel. Mais dis-moi pourquoi tu as suivi l'enseignement des prêtres de Jérusalem.

— Le peuple du Seigneur m'apparaît comme un champ laissé à l'abandon par de mauvais fermiers. L'ivraie y pullule. Que peut être la volonté du Seigneur, sinon de lui rendre sa fécondité et d'arracher l'ivraie ? Je sais qu'il y a dans ce peuple des âmes ardentes et pures, je veux pouvoir leur parler sans que les mauvais fermiers me disent que je n'en ai pas le droit. Les Écritures et les prophètes doivent être lus avec l'esprit et non les yeux, ils doivent être récités avec le cœur et non les lèvres.

Daniel hocha la tête, ravi. Jean et les novices avaient écouté attentivement.

— Ce que j'ai vu à Jérusalem, reprit Jésus, c'est la pompe et le faste dont les prêtres s'entourent sous le prétexte qu'ils sont dus au Seigneur, alors que ce sont eux qui mangent la viande des sacrifices et s'enrichissent du prix des offrandes. Ces princes héréditaires ont oublié les paroles d'Isaïe qui résonnent sans cesse dans ma tête et ma poitrine : « Quelle maison pourriez-vous me bâtir et quel pourrait être le lieu de mon repos, quand tout cela, c'est ma main qui l'a fait ? Mais celui sur lequel je porte les yeux, c'est le pauvre et l'humilié, poursuivit Jésus, impavide, c'est celui qui tremble à ma parole. »

Après un silence qui semblait vibrer, l'un des novices, de quinze ou seize ans, s'écria :

— Si tu étais mon maître, je te suivrais jusqu'à la mort.

— Songe d'abord à la vie, lui répondit Jésus. La tienne sera nécessaire pour combattre les esprits des Ténèbres.

— Tu parles selon nos têtes et nos cœurs, dit Daniel. Tu partages notre enseignement. Sois le bienvenu une fois de plus.

Il donna le signal et l'on commença à manger.

— Cette nourriture, dit-il à Jésus, est le fruit de notre labeur. Ces fèves, ces lentilles et ces poireaux viennent de nos champs et de nos potagers. La farine de ces pains a été moulue du grain que nous avons semé et récolté. Ce vin est tiré de nos vignes et les cruchons qui les contiennent ont été moulés et cuits par nos potiers. La table que voici et le banc sur lequel tu es assis ont été fabriqués par nos charpentiers avec le bois d'arbres équarris par nos bûcherons. Cela pour te dire que l'homme pur n'est pas l'esclave des puissances d'ici-bas, ni de ceux qui se sont faits serviteurs de la matière parce qu'ils ont cru la dominer. Ceux-là n'imposeront plus longtemps leur pouvoir aux créatures du Seigneur.

Après les salades, ils mangèrent des pains au poisson et des pains de figues. Tout cela était assez goûteux pour faire oublier que c'était frugal.

— Là-bas, à Jérusalem, on disait que vous vous nourrissiez de sauterelles, dit Jésus.

Daniel et Jean se mirent à rire :

— Les gens des villes ne savent plus rien de ce monde ! dit Daniel. Ils croient que, dans le désert, il suffit de se pencher pour récolter des sauterelles comme des baies sauvages !

Et, plus grave :

— Ils ont oublié qu'il est interdit par la Loi de manger ces insectes, qui furent les agents de l'une des Dix Plaies d'Égypte. Ah, l'ignorance est bien mère de la sottise !

Des prières de grâces clorent le souper et les novices se retirèrent après avoir, chacun à son tour, souhaité la bienvenue à Jésus.

Seules la mort ou la colère pouvaient interrompre la conversation commencée à Jéricho entre Jean et Jésus ; elle reprendrait dès qu'ils se retrouveraient en tête à tête. À la sortie du réfectoire, ils longèrent le canal qui menait au grand réservoir et finirent par s'asseoir sur une butte pierreuse dominant les bâtiments. À gauche, la montagne semblait un bloc de ténèbres et, devant, des miettes de lumière dispensées par le premier quartier de la lune pétillaient sur la mer de Sel, comme autant de regards ; à droite, les collines coulaient dans la nuit telles des Léviathans assoupis.

— Aucun de vous n'est marié ?

— Quelques-uns, moi non. Ils ont presque tous quitté leurs parents pour suivre notre enseignement et notre formation. Ceux qui ne peuvent y renoncer ont toutefois licence d'amener leurs épouses. Ils sont six ou sept qui habitent des maisons là-bas, juste avant les champs. Ceux qui avaient une famille avant de se joindre à nous restent près des villes. Mais l'immense majorité d'entre nous a préféré le célibat. C'est un état préférable pour se préparer au Grand Combat.

— Cela ne pose pas de problèmes ?

— Quels problèmes ? Les Fils de Lumière sont conscients que leur mission est un sacerdoce. S'il y en a qui s'égarent, ils sont exclus.

Jésus s'abstint de questions sur les égarements.

Il distingua des lumières dans les grottes au pied de la montagne.

— Il y a des gens là-bas ?

— Certains de nos frères recherchent la solitude pour fortifier leur ardeur.

— Ils ne descendent jamais ?

— Si, tous les jours, pour les prières du matin et du soir et les ablutions. Et ils prennent leurs repas avec nous.

Jésus tenta d'imaginer ces vies isolées : ne devenait-on pas fou ?

— Ce sont tous des solitaires ?

— Il en est deux ou trois qui y sont contraints, expliqua Jean. Ils sont en prison.

— Pour quels crimes ?

— Pas des crimes, des fautes graves. Certains se sont laissés aller à des... des rapports.

— Des rapports ?

— Entre eux, ou bien avec eux-mêmes. Parfois ils sont même exclus de la communauté.

Privés des exutoires ordinaires, ils compensaient évidemment les rigueurs du célibat avec les moyens du bord. Mais d'abord, était-il licite de contrarier à ce point la nature que le Créateur avait donnée à l'homme ? Yahweh considérait-il que l'eunuque était l'homme parfait ? Jésus ne jugea cependant pas utile d'approfondir la question.

— D'où viennent tes frères ?

— De Galilée, de Judée, de Pérée, de la côte... Ceux du Nord sont des Juifs perdus dans des contrées redevenues païennes et que les maigres discours des rabbins demeurés là-bas n'ont pas réconfortés. Ceux de Judée ont été rebutés comme toi, comme moi, par les manières royales des prêtres.

— Tu as parlé de combat ?

— Il ne reste plus rien du royaume de David et de Salomon. Les Grecs avaient déjà construit des sanctuaires sur la côte et les Romains ont continué. Nous sommes sous la botte des païens et de leurs complices, les Ténébreux !

Soudain réveillée, la passion de Jean flamba :

— Mais l'heure approche. « Alors se dessilleront les yeux des aveugles et les oreilles des sourds s'ouvriront. Alors le boiteux bondira comme un cerf et la langue du muet criera sa joie... »

— « ... Parce que auront jailli les eaux dans le désert et les torrents dans la steppe », poursuivit Jésus.

— Tu sais tout cela. Nous attaquerons les Kittim, nous détruirons les transgresseurs de l'Alliance. Et la paix régnera sur le royaume terrestre.

La voix de Jean était sonore ; peut-être avait-elle excité les créatures de la nuit. Des hurlements de chacals, des ululements de chouettes et des coassements lointains témoignèrent qu'en tout cas la nuit n'apporte pas le sommeil à tous.

Jésus médita sur les mots de Jean. Qui donc désignait-il par « les transgresseurs de l'Alliance » ? Était-il venu chercher la paix ? Il se retrouvait dans une citadelle où des hommes contraints à la condition d'eunuques préparaient la guerre.

— Vous avez des armes ?

— Nous en avons, nous en aurons davantage[32]. Nous les prendrons dans le camp même de nos ennemis, les Chercheurs de Fourberies. Le Seigneur y pourvoira. S'il veut bien nous envoyer le messager...

Jésus attendit les mots qui l'éclaireraient sur ce messager. Ils ne vinrent pas.

— Quel messager ?

— Le Roi, murmura enfin Jean. Le Messie.

— Vous attendez un Messie ?

— C'est lui qui insufflera une nouvelle vie dans l'Alliance. Les mots ne peuvent exprimer la vérité céleste.

Les nuages se déchirèrent et la lune apparut. Non, les mots seuls ne pouvaient dire la vérité : il sembla à Jésus que des portes s'ouvraient autour de lui, les unes après les autres.

Un dernier regard au paysage et les mots de Jean confirmèrent à Jésus qu'il avait bien quitté Jérusalem.

Ils s'en furent dormir. Le sommeil est une onde, lui aussi.
On y plonge comme dans la mer. On s'y noie parfois. Mais on
ne s'y lave jamais. Bien au contraire, on y retrouve jusqu'aux
cheveux perdus jadis dans le peigne.

Son premier sommeil à Sokoka n'offrit à Jésus que le repos
du corps[33].

Notes du chapitre 10

32. Le texte explicite autant qu'abondant de *La Règle de la guerre* (cf. J. Carmignac et P. Guilbert, *Les Textes de Qumran traduits et annotés*, v. bibl.) en témoigne formellement : les Esséniens se préparaient à une attaque militaire de Jérusalem. À leur époque, leur projet était ouvertement subversif ; à la nôtre, ils auraient été qualifiés de terroristes ; terroristes mystiques peut-être, mais terroristes quand même : ils fabriquaient bien des armes.

33. L'appartenance de Jésus à la communauté des Esséniens est un point qui fait évidemment débat depuis la découverte en 1947 des manuscrits de la mer Morte ; les Églises répugnent, en effet, à admettre que Jésus ait pu être influencé par un enseignement dont elles ne surent pratiquement rien pendant vingt siècles. Trop d'indices cependant penchent en faveur de cette hypothèse, que ces pages illustrent donc.

Le premier est la mention par les synoptiques de ces « quarante jours dans le désert », dont l'évangéliste Jean fait d'ailleurs l'économie, et que, d'un commun accord, ils transforment en un épisode où Satan aurait tenté de faire des siennes.

S'ils en étaient informés, leurs auteurs n'entendaient créditer les Esséniens d'aucune influence sur Jésus, d'autant plus que la secte avait disparu au moment où ils transcrivaient sur parchemin ou papyrus les traditions orales. Par ailleurs, les familiers des deux Testaments connaissent la valeur symbolique des chiffres : quarante désigne une valeur impossible à estimer, comme les quarante ans que les Hébreux auraient passés dans la traversée du désert. En l'occurrence, le centre principal des Esséniens était bien le « désert » au nord de la mer Morte.

Un autre indice déterminant est le baptême administré à Jésus par Jean le Baptiste. Le baptême était un rite spécifique des Esséniens, et dont des interprétations fantaisistes ont tendu à faire croire qu'en choisissant de le recevoir, Jésus quittait sa judaïté pour embrasser un christianisme qui n'existait pas encore et n'était même pas en gestation.

Ce rite initiatique ne fut certes pas administré de la façon que racontent les évangélistes, par un anachorète inspiré vivant de miel et de sauterelles dans le désert. L'abondante iconographie chrétienne sur le sujet, qui remonte à Byzance, figurant Jésus nu dans le Jourdain, et survolé par la colombe du Saint-Esprit cependant que le Baptiste l'asperge de l'eau du fleuve, ne peut rien y changer : il consacrait l'entrée de l'impétrant dans la communauté essénienne. Jean ne pouvait l'administrer que s'il détenait un titre dans l'organisation sacerdotale de cette communauté ; cela signifie bien qu'il séjourna lui-même longtemps à Quoumrân, sans exclure qu'il ait ensuite rejoint l'une des communautés restreintes qui vivaient aux alentours des grandes villes.

Divers points de dogme des Esséniens confirment que Jésus adopta plusieurs de leurs idées. Le prologue de l'Évangile de Jean démontre ainsi de façon éloquente que le Baptiste était porteur de la notion essénienne d'un Messie à venir, fondamentale dans le ministère de Jésus. Or, cette notion imprègne les textes esséniens et eux seuls dans la littérature judaïque de l'époque ; définissant ce personnage tantôt comme un roi, tantôt comme un prophète, c'est une spécificité de l'essénisme. La croyance dans la résurrection des corps, annoncée par Jésus, ne figure pas non plus dans la littérature canonique juive.

Enfin, un indice révélateur est celui du modèle de l'équipe, si l'on peut ainsi dire, de Jésus : un chef de section dirigeant douze hommes, le chiffre douze symbolisant les douze tribus d'Israël. C'était une réplique du conseil de douze dont s'était entouré le légendaire Maître de Justice. «Vous serez assis sur douze trônes, jugeant les douze tribus d'Israël», déclare ainsi Jésus aux apôtres (Mt. XIX, 28).

Pourquoi Jésus se joignit-il à eux ? Une partie de la réponse réside dans son expérience de jeune rabbin, *talmid hakam* : la condescendance, sinon l'hostilité du grand clergé de Jérusalem à un prêtre en puissance, sans légitimité certifiée et de surcroît galiléen – «Est-il jamais venu quelque chose de bon de Galilée ? » – le plaçait en situation d'infériorité constante et humiliante. Les études sur l'organisation cléricale juive de l'époque en tracent un tableau qui évoque les anciens régimes des époques ultérieures : il existait une véritable aristocratie sacerdotale, les fonctions supérieures y étaient héréditaires et l'enrichissement personnel allait de pair avec une pratique des affaires commerciales qui ne pouvait que heurter un prêtre pauvre et considéré comme étranger. Je renvoie le lecteur à la magistrale synthèse de Joachim Jeremias, *Jérusalem au temps de Jésus* (v. bibl.). L'appel du Baptiste vint donc à point nommé.

Le reste de la réponse réside dans le conflit théologique latent depuis la «découverte» des rouleaux du Deutéronome, désormais cinquième Livre du Pentateuque, lors de la restauration du Temple par le roi Josias, qui monta sur le trône de David vers 640 av. J.-C. (v. postface).

11.

Nul fils d'Adam ne vole. Son regard ne perçoit que le monde à hauteur d'yeux, les hommes, leurs bâtiments, les animaux qui n'ont pas d'ailes. Une colombe voit plus loin que lui. Ce n'est qu'au fil des jours, des semaines, des ans qu'il ébauche une vision plus large de la réalité environnante. Et plus tard, bien plus tard, même quand sa vue a faibli, il entrevoit parfois ce que voient d'en haut les anges et les démons, quand ils se lissent les ailes entre deux empoignades. Souvent le mortel se félicite alors d'avoir jadis eu la vue courte.

À son premier réveil, quand il sortit s'étirer après une lampée d'eau à la gargoulette près de sa paillasse, Jésus battit des paupières : le monde était fauve. Aussi loin que son regard portât, le paysage ressemblait à un vaste étalage de pelages, comme ceux qu'on vendait dans les marchés de Jérusalem, arrachés aux chacals, aux ours, parfois à des lions de pays lointains. Même les herbes, brûlées par l'été, évoquaient des crinières taquinées par le vent. On eût dit que tous les chasseurs du monde s'étaient unis pour couvrir la terre des dépouilles de leurs chasses. Peut-être la montagne, là-haut, était-elle constituée de crânes et les grottes n'étaient-elles que les trous des yeux disparus...

Et puis les rouages de la journée s'enclenchèrent. Ses voisins de chambrée échangèrent leurs premiers mots, se munirent de leurs truelles et s'égaillèrent dans les parages. À leur retour, le maître les conduisit vers la piscine, pour le premier bain rituel de la journée.

— Viens avec nous, lança-t-il à Jésus avec entrain.

Et Jésus les suivit donc. La pureté du corps devait, à Sokoka, rivaliser avec celle de l'esprit. L'eau emporta les scories de rêves douteux ensemble avec les traces de sueurs nocturnes. Tout ce monde se peignait encore ou serrait les cordelettes de ses braies quand le maître les rassembla sur le terre-plein devant la piscine et leur chœur s'éleva, dédiant les labeurs de la journée à la gloire du Seigneur.

Purifiés, sanctifiés et dociles, ils allèrent prendre le premier repas de la journée, du pain, du lait caillé, des figues.

Jean vint le retrouver au réfectoire :

— Le matin, les novices s'emploient aux travaux de la communauté, et l'après-midi, ils suivent des cours d'instruction. Tu en sais autant que leurs maîtres, je ne t'emmènerai donc pas aux leçons. Que veux-tu faire ?

— Je peux aider aux travaux de menuiserie, puisque j'en ai fait dans mon enfance. Dis-moi où l'on a besoin de bras.

Jean parut songeur.

— Il me tarde que tu sois initié.

Le mot éveilla des échos inconnus. Initié : à quoi ? Fallait-il vraiment s'initier à la splendeur divine ?

L'atelier de menuiserie suspendit ses ruminations. D'abord, l'odeur, non, le parfum. Et les flocons blonds... Il sourit aux souvenirs de son enfance. Les cinq hommes qui s'échinaient là sur un tronc s'interrompirent pour l'accueillir ; ils taillaient des poutres pour les toits de nouvelles habitations. Il reconnut les bois :

— Du pin du Liban.

— Comment sais-tu ?

— Je le connais. Et ça, c'est du cyprès. Il est préférable pour les poutres les plus longues.

Ils s'émerveillèrent.

— Tu es menuisier ?

— Mon père l'était.

Et quand ils le virent plus tard limer soigneusement les dents d'une scie qui ne mordait plus, puis les aplatir au marteau, ils s'exclamèrent :

— Mais c'est un chef, celui-là !

Ils lui tapèrent dans le dos en riant et l'un d'eux alla chercher un cruchon de vin doux qu'ils gardaient pour les grandes occasions. Ils n'avaient qu'un gobelet pour six : la première gorgée fut pour lui.

Évadé de Jérusalem, dépris à jamais du système hautain par lequel la hiérarchie sacerdotale maintenait son emprise sur le peuple, Jésus respira à Sokoka les brises neuves qui emplissaient les poitrines des Justes. Car il l'apprit dès son premier entretien théologique avec Daniel : l'humanité était partagée entre les Fils de Lumière et ceux que l'Ange des Ténèbres menait dans la perversité. À la fin des temps, le conflit éclaterait entre les Justes et les Égarés. Le combat serait féroce. Alors le Dieu d'Israël et son Ange de Fidélité viendraient au secours des Justes[34].

Il goûta presque avec délice l'absence totale de faste dans le village du désert. La communauté comptait pourtant des prêtres, un pour dix hommes, donc près de quatre cents à Sokoka. Et ils avaient aussi leur hiérarchie : un grand prêtre, dit Maître de Justice, un adjoint devant servir de remplaçant, douze prêtres en chef, douze chefs de section hebdomadaires, douze chefs de lévites... Daniel était justement un chef de section, et Jean, son remplaçant. Mais ni robes d'apparat ni bonnets brodés : on les reconnaissait à leurs visages, pas aux signes de pouvoir qu'ils arboraient. Mieux, bien mieux : l'on ne prisait pas à Sokoka les sacrifices sanglants et l'on ne présentait sur l'autel que des pains expressément cuits pour cela, on n'y versait que du vin.

— Le don des lèvres est plus doux au Seigneur, avait expliqué Daniel. Nous reprendrons les sacrifices quand nous aurons repris le Temple.

Ils s'apprêtaient donc à reprendre le Temple. Vaste projet.

Il s'accommodait sans effort de son faux noviciat. À vingt ans, il ne semblait guère différent de ces recrues que la soif d'une cause et d'un monde plus lumineux avait attirées à Sokoka. Plusieurs de ces garçons, avec lesquels il ne s'entretenait pourtant que brièvement, pendant les repas, parfois avant le coucher, s'étaient attachés à lui, comme s'ils percevaient une qualité d'eux seuls visible.

— Je voudrais être ton frère, lui dit un soir l'un d'eux.

C'était Bar Talmai, Bartholomé, celui-là même qui lui avait déclaré, lors du premier repas, qu'il le suivrait n'importe où.

— Mais tu l'es déjà, mon frère, répondit Jésus en riant. Qu'ai-je de plus que les autres?

— Tu es savant, je le sais, mais tu ne le montres pas. Tu es... clair.

— Clair?

— Les gens, les autres, ils sont opaques. Toi, tu es clair comme l'eau, comme l'air...

Jésus posa sa main sur l'épaule du garçon.

— Nous sommes tous clairs quand nous levons les yeux vers la lumière du Seigneur. Garde le cœur ouvert. La lumière y sèmera la connaissance de l'Esprit.

— Dis-moi que je serai à ton côté pour le Grand Combat.

— Le Grand Combat, répéta Jésus songeur, sans enthousiasme.

Et de nouveau, l'esprit d'agressivité que les paroles de Jean avaient révélé le premier soir lui apparut dans sa violence. Il ne répondit pas et le garçon s'éloigna.

Des semaines s'écoulèrent ainsi, sous le regard attentif de Jean. Jésus s'offrit pour participer aux vendanges avec les hommes de son groupe; il apprit à les connaître, les langues se délièrent, les sourires et même les plaisanteries fleurirent spontanément. Ils racontèrent leurs vies. L'un était fils de potier, un autre avait été forgeron, un troisième avait quitté sa famille à la mort de son père...

Mais il devina qu'il était en observation.

Un après-midi, Daniel lui répéta que le noviciat dans la communauté était de deux ans, mais que son don et son titre de rabbin pourraient l'en dispenser.

— Si tu veux toujours te joindre à nous, ajouta-t-il d'un ton faussement indifférent.

— Quel autre souhait aurais-je?

Et trois jours plus tard, il fut conduit par Daniel vers un bâtiment à l'écart, dont Jean l'avait informé que c'était le lieu des études de la communauté.

— Qu'allons-nous y faire?

Ils entrèrent dans une vaste salle déserte, meublée de bancs et d'écritoires.

— L'un de nos maîtres suprêmes souhaite te voir.

Daniel toqua à une porte, une voix cria d'entrer. Daniel laissa passer Jésus devant lui et lui dit :

— Jésus bar Yousef, tu es devant l'adjoint du Maître.

Puis il sortit et referma la porte derrière lui.

Jésus avait déjà entendu son nom : Melihou. Ce serait lui qui remplacerait le grand prêtre au cas où celui-ci disparaîtrait. La trentaine, presque maigre, il était assis sur un siège rudimentaire, près d'une table sur laquelle était posé un rouleau fermé. Il n'y avait pas d'autre siège dans la pièce, dont le seul autre meuble, si l'on pouvait ainsi le définir, était une paillasse au sol dans un cadre de bois. Une lucarne à hauteur de tête était la seule source de lumière diurne. La nuit, ce serait la lampe accrochée au mur.

— Sois le bienvenu.

Un moment passa.

— Pourquoi as-tu quitté Jérusalem ?

— Je n'y étais plus à ma place. Mes maîtres entendaient me renvoyer à Gamala.

— Pourquoi n'as-tu pas voulu retourner à Gamala ?

— Dans l'esprit de mes maîtres, je n'étais pas digne de mieux, puisque je n'étais pas de naissance établie et que je ne comptais pas de prêtre dans ma famille.

— Et Jean ?

— Je ne l'ai vu que plus tard, je n'avais pas pensé à lui...

— Tu as donc désobéi à tes maîtres ?

— Je ne les considérais plus comme mes maîtres.

Un silence tomba dans la pièce. Melihou se pencha en avant, attendant d'autres mots.

Les souvenirs refoulés déferlèrent.

— En quoi tes maîtres ont-ils démérité à tes yeux ?

— J'ai entendu des bouches, jamais des cœurs. J'aspirais à connaître les Livres, ils étaient gardés par des hommes d'orgueil.

À leur souvenir, la colère fermenta de nouveau dans le cœur de Jésus :

— L'accès au Père n'est ni la concession ni le privilège de princes héréditaires. Le premier mendiant venu peut connaître le Père.

— Pourquoi voulais-tu connaître les Livres ?

— Qu'y a-t-il d'autre à connaître ?

— Et quand tu les auras connus ?

— Je les ferai connaître. La créature doit connaître son Créateur.

Melihou aspira profondément et se radossa.

— Jean me dit que tu as un don.

— Un don, en effet, consenti par le Seigneur.

— Tu ne t'en es pas prévalu.

— Il a suscité la méfiance des gens du Temple.

— Et tu es *talmid hakam*.

— Je le suis.

Une fois de plus, Melihou laissa le silence lisser l'air.

— Dis-moi, reprit-il, les gens du Temple, comme tu les appelles, sont-ils pour toi des Justes ou des Égarés ?

— S'il n'est pas dans le chemin, l'homme s'égare.

— Ils ont lu les Livres. Pourquoi, selon toi, se sont-ils égarés ?

— Ils se sont crus détenteurs de la Parole. Mais la Parole n'est qu'un reflet de l'Esprit.

— Tu n'as pas évoqué leur destruction.

— L'insensé se détruit lui-même.

— Et le combat ?

— C'est lui qui le provoque.

Melihou hocha la tête.

— Va, conclut-il au bout d'un moment.

Puis il le rappela :

— As-tu du bien ?

— Les vêtements et les sandales que je porte.

— N'as-tu jamais tiré bénéfice de ton don ?

— Vais-je changer un don du Seigneur en marchandise ? répliqua Jésus.

Un hochement de tête mit fin à l'entretien. Melihou demeura songeur.

Mais Jésus était déjà sorti.

La suite était prévisible.

Sa candidature fut annoncée aux Nombreux, aux douze prêtres en chef et aux douze chefs de section hebdomadaires.

Il fut alors convoqué devant les douze prêtres en chef, en présence de Jean et, comme à Jéricho, l'on procéda à un examen physique de l'impétrant. Cette fois, il dut se dévêtir entièrement, pour le cas où, n'est-ce pas, il eût été une femme à barbe. On avait vu de tels cas. Un prêtre tendit le cou pour examiner ses génitoires : il était bien conformé et circoncis.

— S'épile-t-il les jambes ? demanda un autre prêtre.

Jean répéta la question à son cousin, abasourdi.

— Non, je ne m'épile pas les jambes.

Elles étaient, en effet, peu poilues. Il apprendrait plus tard que s'il avait eu de trop grosses cuisses, des orteils trop courts et des jambes velues, il aurait été quelque peu déconsidéré. La pilosité, à Sokoka, passait pour un vestige de la bestialité et une entrave à l'esprit, les orteils courts trahissaient une faiblesse du caractère, et les grosses cuisses, un attachement aux biens de ce monde.

Ils hochèrent la tête : il était homme, à part entière, et normalement constitué. Son admission fut votée par les Nombreux, unanimes.

Il jeûna un jour entier et fut admis le lendemain dans la salle de la piscine, en présence du Maître de Justice et des douze prêtres en chef. Une prière fut récitée en commun. Daniel aida Jésus à retirer sa tunique et lui fit signe de descendre dans la piscine où Jean l'attendait. Ils étaient tous deux en braies.

— Je te purifie pour que tu apparaisses dans ton innocence aux yeux du Très-Haut, déclara Jean en versant lentement un bol d'eau sur la tête de Jésus, et pour que tu entres pur à son service. Ton âme et ton corps sont désormais consacrés au triomphe de la Lumière sur les Ténèbres. Que la grâce divine rende tes yeux plus perçants, qu'elle arme ton bras et fortifie ton cœur.

Les prières bourdonnèrent. Jésus remonta les marches de la piscine. Daniel lui tendit un vaste linge pour s'y envelopper et le mena devant le Maître de Justice. C'était donc l'homme dont le lointain prédécesseur avait été crucifié.

— Ieshoua bar Yousef, je t'accueille parmi les initiés des Soldats de Lumière, dit solennellement le maître.

Sur quoi Daniel le mena vers une alcôve où Jésus put changer de *quad* et remettre ses sandales. Mais ce ne fut pas sa tunique qu'il enfila : Jean et Daniel lui en tendirent une neuve, qu'il examina brièvement avant d'y glisser la tête et les bras ; elle était bien plus fine que la sienne, en lin, et sans coutures, filée dans les ateliers de Sokoka.

— C'est le vêtement de Pureté, dit Jean, lui remettant l'ancienne tunique et le manteau. Tu ne porteras qu'elle au repas de ce soir.

Et il le prévint que ce repas serait présidé par le Maître de Justice.

Un coup d'œil informait vite l'observateur que chacune des six tables du lieu accueillait treize convives : un maître et douze disciples. Jean lui indiqua la table à laquelle ils prendraient place. Le Maître de Justice leur fit signe : Jésus à sa droite, Jean à sa gauche, puisqu'il était l'introducteur du néophyte dans la communauté. Les autres convives étaient tous des prêtres, comme aux autres tables. Melihou présidait à l'autre extrémité de la table. Jésus récita avec eux la prière de grâces préliminaire, enrichie d'un appel à la bénédiction du nouvel élu. Quand ils se furent assis, le Maître de Justice emplit un gobelet de vin et le tendit à Jésus.

— Bois le vin du Seigneur pour aviver la lumière dans ton cœur.

Il s'exécuta.

De sa place, il ne voyait que le profil du Maître de Justice, et celui-ci daignait à peine tourner la tête, même pour s'adresser au nouvel élu.

— Que disent de nous les gens que tu as quittés ?

— Je crains, maître, que leur savoir ne s'arrête aux portes de la ville.

— La carence ne cesse pas avec la multiplicité des paroles !

— Qui épargne ses lèvres est perspicace.

Le maître se tourna un peu plus, hocha de la tête, avec un sourire d'appréciation : le nouvel initié connaissait donc les proverbes. Jésus put ainsi voir qu'il avait la bouche petite et gourmande. Et la main qui saisit le poireau dans le plat et en fit savamment dégoutter l'huile avant de le porter à la bouche était fine : elle n'avait jamais travaillé la terre ni le bois.

Les convives observaient un parfait silence pendant ces échanges ; aussi était-ce, à Sokoka, une règle rigoureuse que de ne pas prendre la parole avant de s'être assuré qu'on ne la coupait pas à un autre. Ils apprenaient aussi à connaître le nouvel initié et celui-ci méritait l'intérêt : un *talmid hakam*, futur cohen, fût-il diplômé par les gens du Temple.

— Tu as beaucoup étudié !

— Mais le rouleau du Seigneur est infini.

— Est-il exact que tu sais écrire ?

— Cela est exact, maître.

— Couramment ?

— Tant que l'encre est fluide.

Le maître hocha du chef et se servit d'un autre poireau, puis, d'un geste du menton, signala aux convives que c'était leur tour de poser des questions s'ils en avaient.

— Quelle serait selon toi la première mesure à prendre quand nous aurons chassé les Ténébreux du Temple ? demanda un prêtre sur un ton plaisant.

La vie d'un serviteur du Dieu unique consistait-elle donc en examens sans fin ?

— Ouvrir les cœurs à la splendeur divine.

— Et comment le ferait-on ?

— Par la parole et par l'action, maître.

La réponse était prudente autant que vague.

— Et où siègent les Ténèbres ?

Jésus devina la réponse qu'il fallait donner ; il l'avait perçue dans ses entretiens avec Jean : dans les choses matérielles. Il ne le pensait pas. Il était même convaincu du contraire : à vouer le corps humain à la malédiction éternelle, on le condamnait à se détruire ou bien à se détacher de la divinité.

— Dans toutes choses qui ne sont pas bénies par l'Esprit de Lumière, maître.

— Dans toutes choses matérielles, donc, déclara le maître. Et nous, nous sommes les porteurs du flambeau de l'Esprit.

Autant dire que, sans les prêtres, le monde était perdu. Mais était-il impératif de remplacer un clergé par un autre ? Et cela au prix du sang ? Il s'absorba dans la dégustation du pigeon grillé qui, avec des fèves bouillies, constituait l'essentiel de son repas, tout en s'efforçant de ne pas souiller sa tunique. Puis il attendit son tour de se dégraisser les doigts dans le bol de sable mouillé que chaque convive passait à son voisin.

Ce soir-là, Jean le conduisit à ses nouveaux quartiers ; c'était un dortoir pareil à celui des novices, des paillasses séparées par des murets, rien de plus ; les mêmes patères au mur pour y suspendre les vêtements de jour, les mêmes gargoulettes.

— Ma litière est à côté, dit Jean.

Tel un insecte de nuit, une question qui voltigeait autour du nouveau venu depuis son arrivée à Sokoka se fit alors plus insistante. Était-ce vraiment la volonté du Seigneur que des centaines, voire des milliers d'hommes vécussent ainsi dans la solitude du corps et du cœur ? Qu'à force de continence, ils en devinssent stériles ? Ou pis ? Cette omniprésence tyrannique des voix, des haleines et des odeurs d'hommes devint pesante. Quoi, jamais une main de femme ?

Le sommeil chassa l'insecte.

Celui-ci avait cependant pondu des œufs.

Note du chapitre 11

34. Les textes esséniens les plus anciens professent un dualisme catégorique entre les forces de la Lumière et celles des Ténèbres, et leurs
recommandations ne visent qu'au strict respect de la Loi de Moïse.
Le dualisme est constitutif de toutes les religions, puisqu'il oppose les
forces du Bien à celles du Mal. Cependant, celui des Esséniens,
partiellement dérivé de la religion des Perses, développait une idée foncièrement étrangère à ce que devint l'enseignement de Jésus : l'esprit du
Mal imprégnait toutes choses matérielles, et celui du Bien ne pouvait
être que celui des choses spirituelles.

C'est dans les textes ultérieurs que l'on distingue l'attente messianique qui présage de l'idée que Jésus se faisait de sa mission.

12.

Il remit son ancienne tunique.

Après le repas du matin, Daniel l'emmena à l'office des scribes, une longue salle étroite contiguë à la salle du conseil des Fils de Lumière. Un banc de pierre devant lequel se dressait un comptoir, également de pierre et de même taille, occupait l'un des deux murs en face de lucarnes ouvrant à l'est. Le seul autre meuble, pour ainsi dire, était une vasque peu profonde posée sur un socle, emplie d'eau.

Quatre scribes étaient installés devant des rouleaux, les uns vierges, les autres anciens et certains apparemment délabrés. L'un des scribes avait la vue courte, à en juger la distance entre son nez et le parchemin devant lui.

— Voici votre nouveau collègue, Jésus bar Yousef, annonça Daniel.

Les visages se redressèrent. De loin plus âgés que Jésus, l'un d'eux d'âge vénérable, les scribes multiplièrent les paroles de bienvenue et dévisagèrent le nouveau venu, visiblement étonnés par sa jeunesse.

Jésus prit place à l'extrémité du banc.

Daniel lui avait expliqué la veille que la communauté se flattait de conserver la totalité des Livres saints et que plusieurs d'entre eux devaient être recopiés parce que le parchemin s'en était gravement altéré.

— Ce ne sont pas forcément ceux qu'on déroule le plus souvent, avait expliqué Daniel. Il en est que l'on ne consulte que rarement et qui sont pourtant en très mauvais état, parce que des insectes du Démon s'y sont faufilés et les ont lentement dévorés. Il faut donc les recopier.

Un prêtre venait d'entrer dans l'office.

— Et voici justement le maître des rouleaux, dit Daniel.

À son pas et à ses gestes, l'homme, Ezra, un quinquagénaire chauve à la barbe argentée, semblait alerte.

— J'attendais votre visite. Que la lumière du Seigneur guide ta main, dit-il à Jésus. J'avais été chercher à côté les rouleaux que je te destine.

Car c'était dans la salle du conseil que l'on conservait les Livres à recopier. Les autres rouleaux, expliqua Ezra, étaient entreposés dans les grottes de la montagne.

Il déposa sur la table trois rouleaux et en ouvrit un : c'était, annonça-t-il, ceux des premier et deuxième Livres de Samuel ; le troisième était un parchemin neuf. Une fois déroulé, le premier, qui avait été écrit sur une peau de chèvre soigneusement tannée, révéla les dégâts du temps, de la poussière du désert, des froids et des chaleurs extrêmes et des insectes combinés. En maints endroits, le parchemin était fendu sur presque toute sa hauteur et les atteintes au texte étaient innombrables. Le deuxième rouleau avait été écrit sur du papyrus ; il était peut-être plus récent, mais il n'avait pas moins souffert que le premier.

— Crois-tu pouvoir y remédier ?

— Je ferai de mon mieux, avec l'aide du Seigneur.

Ezra déposa ensuite sur la table un encrier, un pinceau et des calames. Jésus examina les pointes des calames et, tirant un couteau de sa poche, affûta l'extrémité de l'un d'eux pour obtenir des pleins et des déliés plus marqués.

À la surprise générale, il se leva et sortit et, par la porte ouverte, les cinq hommes demeurés dans l'office le virent se mettre en quête d'on ne savait quoi. Quand il revint, il tenait entre les doigts une feuille sèche, charriée par le vent. Il alla ensuite verser quelques gouttes d'eau dans l'encrier, dilua la pâte noire et s'assit. Il traça trois lettres sur la feuille, considéra le résultat et tendit la feuille à Ezra. Celui-ci éclata de rire :

— *Aleph, zeyn, resh*, mon nom ! s'écria-t-il, admiratif. Quelle calligraphie ! Superbe !

La feuille passa de main en main.

Et Jésus, cet examen-là.

La monotonie des jours est une ruse du Démon : elle vise à endormir l'esprit. Jésus s'y était immunisé depuis l'enfance ; il avait appris qu'aucune heure ne ressemble à la précédente et que la différence réside dans un vaste mouvement du monde. Le fait que l'ombre d'un arbre se fût déplacée de la largeur d'une main, par exemple, signalait que le Soleil poursuivait sa course céleste.

Quand il en arriva au passage du premier Livre de Samuel où le Seigneur s'adresse à Saül, premier roi d'Israël, par la bouche du prophète Élie, il déchiffra d'abord le passage du vieux rouleau, que les insectes maudits avaient à peine entamé : «Je suis résolu à punir les Amalécites pour ce qu'ils ont fait à Israël, pour la façon dont ils les ont attaqués sur le chemin de l'Égypte. Va, maintenant, fonds sur les Amalécites et détruis-les et confisque leurs biens. N'épargne personne ; tue-les tous, hommes et femmes, enfants et nourrissons au sein, troupeaux, chameaux et ânes*.» Il recopia donc, aussi soigneusement qu'il l'avait fait depuis la première lettre du Livre.

Puis quelque chose se détraqua dans les rouages du temps. Une roue grinça dans le ciel et le parcours du soleil parut cahotant.

Sans doute un malaise passager, une crampe dans le corps.

Il s'arrêta d'écrire un moment. L'encre sécha sur le calame. Il se leva pour aller reprendre de l'eau dans la vasque. Quand il se rassit, il fit un effort particulier pour que le tracé de ses lettres ne portât aucune trace de son émotion.

Quelque chose n'allait décidément pas.

Il s'adossa à la pierre. Son voisin lui jeta un regard amical :

— Il faut s'arrêter de temps en temps, sans quoi la main se raidit et l'œil se brouille.

Jésus hocha la tête. Mais la cause de la panne se dessinait plus nettement : le Seigneur avait-il vraiment ordonné à Saül

---

*I Sam., XV, 2-4.

de tuer les enfants et les nourrissons au sein ? On ne punit que le pécheur qui refuse de se repentir. Les enfants et les nourrissons ne sont-ils pas innocents ? N'est-il pas écrit dans la Genèse : « Celui qui fait couler le sang d'un homme, son sang coulera, car Yahweh a créé l'homme à son image » ? Et pourquoi massacrer les troupeaux, les chameaux et les ânes ? Quelle est leur faute ? En quoi seraient-ils les alliés des Fils des Ténèbres ? N'est-il pas écrit dans l'Exode : « Quand tu trouveras le bœuf ou l'âne de ton ennemi en train d'errer, ramène-les-lui » ? N'avait-il pas étendu l'Alliance aux animaux ?

Son voisin tourna de nouveau la tête vers lui ; il s'était avisé de la panne.

— Une difficulté ? demanda-t-il.

— L'encre était pâlie, je n'arrivais pas à lire.

Il devait se ressaisir. De la pointe du couteau, il gratta un point d'encre qu'il avait fait par inadvertance pendant ce moment de trouble. Et les caractères recommencèrent de s'aligner à la pointe du calame.

Mais le soleil ne tournerait plus jamais comme avant.

Après le souper, il s'esquiva et gagna la butte où il s'était assis le premier soir avec Jean.

Un cri retentissait au-dedans de lui : « Mon Dieu n'est pas un Dieu de vengeance ! » Il s'assit, les larmes au fond de la gorge.

Et ce cri recommençait. Était-il ivre ? Il n'avait bu qu'un gobelet de vin, mais il était près de crier ce cri avec sa voix. À quoi bon ?

Les Livres auraient-ils menti ? N'étaient-ils que le reflet des humeurs de ceux qui les avaient écrits ?

Il se retrouva seul dans l'univers entier.

« Non, mon Dieu n'est pas un Dieu de vengeance ! Ce Dieu-là, c'est celui des Fils des Ténèbres ! Ces Livres mentent ! Mon Dieu est celui du pardon et du rachat, il est la plus infinie bonté du monde... »

L'énormité de ce qu'il pensait le saisit : il blasphémait !

Il se fit un remous dans l'air, un corps étranger s'interposa entre lui et le ciel étoilé et se rapprocha. Une haleine humaine palpita à brève distance, l'air vibra des résonances d'une voix.

— Jésus ? Tu vas bien ?

Ballotté dans des bourrasques furieuses, il tendit la main.

— Jean...

— Tu vas bien ?

— Jean...

— Que se passe-t-il ?

Un temps.

— Les Livres sont faux.

— Quels Livres ?

— Ceux de Samuel.

Jean savait que Jésus était attaché à l'office des scribes et qu'il recopiait donc des rouleaux, mais il ignorait lesquels. Il écouta le récit de la découverte du texte incriminé.

— Ne t'en prends qu'à toi-même, dit-il enfin.

— Que veux-tu dire ?

— Tu n'avais pas bien lu la Torah. Il est écrit dans le Deutéronome que le Tout-Puissant a dit : « À moi appartient la vengeance*. » Si tu l'avais lue plus attentivement, tu aurais déjà su que les Livres confèrent la vengeance au Seigneur et tu ne te serais pas mis dans cet état. Que veux-tu faire maintenant ? Contester les Livres ? Dans le meilleur des cas, tu serais chassé d'ici. Où irais-tu ? Chez les païens ? Ressaisis-toi.

Un silence s'écoula.

— Cela n'est pas conforme à l'Alliance, dit Jésus, d'une voix rauque. Tuer les enfants et les nourrissons au sein, non.

Jean considéra longuement cette forme noircie par les ténèbres, un homme assis par terre qui se tenait la tête dans les mains. Il s'assit près de lui, fouilla dans la poche de son manteau, en tira quelque chose qui ressemblait à un morceau de galette ; il le brisa en deux et en tendit la moitié à Jésus.

— Tiens, mange ceci.

— Qu'est-ce que c'est ?

— Du Pain de Lumière. Il permet à l'Esprit de se dégager. Le tien est aussi agité qu'un torrent. Mâche-le lentement.

Du Pain de Lumière ? Sans doute un des remèdes que confectionnaient les apothicaires de Sokoka. Ne les appelait-on

---

*Dt., XXXII, 35.

pas aussi guérisseurs ou thérapeutes ? Jésus mit le fragment en bouche. Le goût était un peu amer. Il le mâcha donc lentement.

Les deux hommes demeurèrent en silence. Au bout d'un temps, Jésus s'apaisa. Un bien-être se répandait en lui. Et une sensation inconnue : il lui semblait voir plus clair, oui, il voyait dans les ténèbres. Il leva les yeux : les étoiles déversèrent sur lui une pluie de lumières. Il tendit la main et toucha la terre sur laquelle il était assis.

— Jean, je quitte mon corps...

— Non, c'est ton esprit qui s'élève.

Jésus se releva, la tête tournée vers le ciel nocturne.

— Mon Seigneur est proche... Je m'élève...

Il fit un pas et leva les bras.

— La Lumière est bonté... Je le vois... Elle est la bonté infinie, elle est la vie... Il n'y a, il ne peut y avoir que la bonté... Seigneur, ta lumière m'emplit...

Il abaissa les bras et ferma les yeux. Jean aussi regardait le ciel.

Qui prétendrait mesurer le temps de l'extase ? À la fin, Jésus se rassit. Il semblait osciller.

— Écoute, murmura Jean, je t'ai ouvert la voie.

— La voie ?

— Il est dans nos rouleaux un Livre que tu n'as pas encore lu, c'est le Livre d'Énoch. Il est inconnu des gens du Temple de Jérusalem. Le prophète y dit ceci : « L'ange Michaël me saisit par la main droite et m'éleva, et il me conduisit parmi tous les secrets. Il me révéla les secrets de la droiture. Et il me montra tous les secrets des confins du ciel. » Comprends-tu ?

— Je t'écoute.

— Et le prophète dit ensuite : « Je tombai sur la face. Et tout mon corps se relâcha et mon esprit fut transfiguré. » Tu ne peux pas, par ta seule intelligence, t'élever jusqu'au Seigneur. Il te faut l'aide du Pain de Lumière.

— J'étais au ciel...

— Oui, tu étais au ciel. Et maintenant, tu es redescendu, mais le souvenir de ton ascension demeurera. Tu n'oublieras jamais l'image du ciel.

Jésus hocha la tête. Il avait été au ciel.

— Allons dormir, dit Jean.

Le sommeil advint comme un coup de trique. Mais le lendemain matin, la gargoulette vide apprit au dormeur qu'il s'était réveillé la nuit pour la vider. Cependant, rien pour lui n'avait changé. Son esprit était serein, mais ses idées n'en étaient que raffermies : le Seigneur était la bonté suprême. Il n'était pas un Dieu de vengeance. Et il n'avait pas non plus cédé le monde matériel à Satan. Sinon, pourquoi l'aurait-il créé ?

Et comment ferait-il triompher cette conviction ? Car elle triompherait, il en était sûr.

— Qu'est-ce que tu m'as donné, hier ?

— Je te l'ai dit...

— Mais qu'est-ce que c'est ?

— De la panthère.

— Quoi ?

— C'est le nom d'une plante de Syrie.

— Pourquoi l'appelle-t-on comme ça ?

— Parce qu'elle est tachetée, comme ce fauve. Certains de nos frères là-bas savent la reconnaître. Ils en cueillent et nous en envoient. Tu l'as vu, elle libère l'esprit. Là-bas, en Orient, on l'appelle aussi *balag'anta*. C'est l'aliment des prophètes[35].

Jésus hocha la tête. Oui, l'esprit était parfois défaillant, il fallait le vivifier.

— Vous en prenez souvent ?

— Nous ne sommes que trois ici à en consommer, Daniel, Ezra et moi. Quand l'esprit s'alourdit et que ses ailes ne le soutiennent plus.

— Pourquoi vous trois seulement ?

— Daniel en a ainsi décidé. Il suffit de trois esprits libres dans une communauté. Elle pourrait égarer des frères dont l'esprit n'est pas affermi.

— D'où vous vient ce savoir ?

— Ils disent qu'un ange avait confié à Noé le secret des remèdes qu'on peut tirer des plantes pour chasser les mauvais esprits et combattre la maladie. Et ce savoir nous a été transmis depuis lors. Mais il doit être réservé aux Veilleurs.

— Qui sont-ils ?

— Qu'il te suffise de savoir que tu en fais désormais partie.

— À cause de mon don?

Yohanan hocha la tête.

À l'instar de tous les initiés, Jésus devait participer à la garde de nuit. Ils étaient trois par groupes de douze, qui se la partageaient de la tombée de la nuit jusqu'à l'aube; ils veillaient au sommet de la tour, qui dominait le paysage et le monastère du haut de ses trois étages, et là, pendant un tiers de nuit, chacun devait scruter les alentours pour signaler tout mouvement suspect, préludant à une attaque des Kittim, les Fils des Ténèbres : il soufflerait alors dans la trompe, le *sofar*, qui alerterait les Fils de Lumière. Et le combat, peut-être le Grand Combat, s'engagerait. Comme les groupes étaient au nombre de douze, seule une nuit sur cent quarante-quatre était ainsi consacrée à la veille. Jésus n'en connut donc qu'une seule depuis son élection. Ce fut le dernier tiers de la nuit qui lui échut.

Torche en main, il gravit l'escalier menant à la terrasse; là, son prédécesseur lui tendit le *sofar* en bâillant et lui prit la torche des mains pour redescendre et gagner sa paillasse.

C'était le lieu le plus solitaire du monde.

Jésus leva d'abord les yeux. La Grande Énigme scintillait.

Il parcourut le paysage du regard. À l'orient, la mer de Sel et les monts de Moab; non, l'ennemi ne viendrait pas de ce côté-là. À l'occident, la crête de la montagne; pas de ce côté-là non plus : trop escarpé et trop dangereux, surtout de nuit. Par le sud ou par le nord, alors. Mais on verrait leur armée de loin, bien avant qu'ils n'attaquent. Là-bas, dans l'une des grottes, un frère veillait, sa lampe était allumée, minuscule œil rouge dans l'immensité, dérisoire étoile terrestre d'un esprit inquiet. À quoi songeait-il? Sans doute à l'infime dimension d'un être humain.

Une créature aussi misérable ne pouvait fonder sa foi qu'en un Dieu bon.

C'est tout.

Une chouette le survola en ululant. Non, il n'était pas une proie pour elle.

Peu avant l'aube, il distingua un mouvement, là-bas, sur la rive du torrent qui dévalait vers la mer de Sel. Il lui fallut un bon moment pour identifier ces formes qui bougeaient si près du sol. Des chacals qui allaient boire.

Il faisait le tour des remparts, d'un pas égal, quand la lumière jeta ses premiers reflets sur les eaux noires de la mer de Sel. Les rochers se changèrent brièvement en or, puis en cuivre, puis ils prirent leur vraie couleur.

Comme toute créature au regard du Seigneur. Là-bas, dans sa grotte, la lampe s'était éteinte. Le veilleur s'était endormi. Jésus, lui, était parfaitement éveillé. Ce fut d'un regard clair qu'il accueillit son successeur.

Les membres de la communauté jouissaient d'une santé enviable. Depuis son arrivée dans leur sein, Jésus n'avait donc pas eu l'occasion d'user de son don.

Mais un jour, Jean déboula à l'office des scribes, l'air agité.

— Jésus, viens voir si tu peux faire quelque chose...

— Que se passe-t-il ?

— Viens vite, un novice s'est trouvé mal...

Il emmena Jésus à l'extérieur, dans les potagers. Un groupe de prêtres et de travailleurs indiquait le lieu où le novice avait donc eu un malaise. Ils entouraient un garçon allongé sur la terre d'une allée, livide ; le sac de fèves qu'il cueillait quelques instants auparavant gisait à son côté. Son visage ruisselant révélait qu'on avait tenté de le ranimer en l'aspergeant d'eau. En vain, semblait-il. Ils s'écartèrent pour laisser passer Jésus.

— Quand est-ce arrivé ?

— Il y a près d'une heure, expliqua un novice éploré. Il a poussé un cri, il s'est agité un instant et il est tombé...

Jésus se pencha vers la victime : quinze ou seize ans. Il lui tâta le pouls : rien.

— Il est mort, se lamenta un prêtre.

Jésus posa ses deux mains sur la poitrine du garçon. Mais un frémissement, peut-être des contractures semblèrent parcourir le corps sous la tunique de chanvre.

— Il a bougé les lèvres ! cria un novice.

Jésus posa la main sur le visage du garçon. Et celui-ci ouvrit les yeux. Des cris de stupeur jaillirent.

— Il est vivant !

— Lève-toi, dit Jésus, glissant la main sous le dos du garçon pour l'y aider[36].

Le garçon s'assit, égaré, hébété.

— De l'eau, murmura-t-il.

On lui tendit une gargoulette et il but à la régalade. Jésus l'aida à se mettre debout.

— Tu peux marcher ? demanda un novice.

Le garçon hocha la tête. Il regarda Jésus et fronça les sourcils :

— C'est toi qui m'as ranimé ?

— Oui. Comment t'appelles-tu ?

— Lazare.

Un garçon mince, pareil à un roseau qui vibre dans le vent. Il s'élança vers son sauveur et l'étreignit, frémissant de tout son corps.

— Va te reposer.

— Non, je continue le travail.

Cette manifestation de fierté juvénile fit sourire Jésus.

— Ce soir, il faudra te purifier, puisque tu étais mort, dit un prêtre. Et aux ablutions, tu réciteras avec nous une prière spéciale d'action de grâces.

Puis il approcha son visage de Jésus, si près que leurs nez se touchaient presque.

— On nous l'avait dit, mais nous ne savions pas…

— Telle est la différence entre entendre et savoir.

Évidemment alertés, des gens accouraient du monastère ; ils furent bientôt près d'une centaine, s'intéressant moins à celui qu'ils appelaient « le ressuscité » qu'à celui qui l'avait arraché à la mort. Melihou était du nombre ; il interrogea le garçon, puis alla vers Jésus.

— Tu as repris ce garçon aux Ténèbres.

— Je n'ai rien fait, maître. C'est la volonté du Seigneur qui a guidé mes mains.

— Mais c'est toi qu'Il a choisi pour accomplir Sa volonté.

— Je ne suis que Son serviteur et je ne peux que louer Sa bonté à l'égard de ce garçon.

— Tu ne le connaissais pas ?

— Je ne l'avais jamais vu.

— Il nous a rejoints il y a sept jours. Il est né dans une famille riche, mais le monde ne le séduisait pas.

— Il y a bien des vivants, maître, qu'il faut aussi arracher aux Ténèbres.

Melihou hocha la tête, l'air troublé.

— Bon, déclara-t-il à la cantonade, on reprend le travail.

Comme à contrecœur, les gens se séparèrent et regagnèrent leurs postes. Jésus en fit de même, puis se retourna : il savait que quelqu'un le regardait : c'était Lazare, immobile au milieu des autres travailleurs.

Il se retint de sourire quand, pénétrant dans l'office, il s'avisa que les scribes regagnaient leur banc en même temps que lui.

Il n'en fut pas surpris : l'épisode de la réanimation du jeune Lazare avait changé son statut dans la communauté. Le récit en était repris jusque dans les maisons au-delà des champs, celles où vivaient des hommes avec leurs femmes et leurs enfants. Car c'était bien autre chose de rendre la vie à un garçon qui avait semblé mort que de soigner des plaies avec des baumes et des maux d'estomac avec des décoctions. Ressusciter un homme qui présentait toutes les apparences de la mort, cela ne pouvait avoir été possible que par la volonté divine. L'initié Jésus bar Yousef avait donc été l'intercesseur du Seigneur. Et s'il possédait ce don en permanence, cela signifiait qu'il était l'un des Élus du Seigneur.

Il le mesura à la déférence qui désormais l'entourait. Et il en fut plus d'un qui se découvrit des maux dont il n'avait pas eu conscience auparavant : l'un boitait, l'autre avait le cœur qui battait trop vite, le troisième souffrait de troubles de la vue... Mais quand ils pressaient Daniel pour savoir s'ils pouvaient avoir accès aux pouvoirs de Jésus bar Yousef, il les en dissuadait avec plus ou moins de doigté :

— Tu n'es pas mort, que je sache, et jusqu'ici, tu étais en bonne santé. Ne gaspille pas le don du ciel.

Lors des repas, chacun hésitait à mettre la main au plat avant lui. L'on ne touchait à son gobelet de vin que si Jésus avait été servi et il dut prendre la liberté de prier en privé Daniel, qui présidait la table, de le servir en deuxième ou troisième, pour le ramener à un niveau de respect moins solennel.

— Ils sont quelques-uns, lui confia Jean un soir après le souper, à penser que tu devrais être un des prêtres en chef. Ils me l'ont dit.

— Ce statut ne me conviendrait pas, Jean. Dissuade-les d'y penser avant que cette idée se répande.

— Pourquoi?

— Parce que je ne pourrais pas parler selon mon cœur, tu le sais. Je serais asservi à la tradition de l'enseignement qu'on dispense ici. Je serais encore moins libre que je ne le suis à mon niveau. Ma langue serait entravée. Comment puis-je honorer le Seigneur et mentir aux hommes?

— Tu ne te sens pas libre?

— Non, et tu le sais. Seul mon rang modeste m'autorise le silence et seul le silence protège ma liberté.

Un moment s'écoula. Jésus leva la tête; il lui parut que les étoiles n'avaient jamais brillé aussi fort.

— Tu n'es plus avec nous.

— Nous ne sommes que des passants sur la terre. Seul demeure le Père.

Deux lampes rougeoyaient dans les grottes. Elles parurent étrangement dérisoires. Comment deux hommes solitaires pouvaient-ils penser qu'ils contribuaient au règne du Seigneur en s'absorbant dans des méditations infinies? Un tel égocentrisme frisait le blasphème!

— Ce monde-ci, Jean, celui de Sokoka, est une construction de l'esprit. L'homme n'est pas fait pour vivre seul. Voilà bientôt deux siècles que vous vous préparez au combat, et deux autres s'écouleront peut-être avant qu'il s'engage. Et comment vivez-vous? Mutilés volontaires. Point d'épouses, point d'enfants! Les prêtres du Temple, eux, se marient. Si les Juifs, pendant toutes ces années, avaient suivi votre exemple, nous aurions disparu! En attendant, le vrai peuple, dehors, attend la lumière de la Nouvelle Alliance.

— Tu as quitté Jérusalem, tu ne peux errer sans fin sur la terre. Si tu t'en allais...

La phrase resta inachevée. Point n'était besoin d'être mage pour en deviner le reste.

— La terre entière, Jean, n'est qu'un champ pour le Seigneur. Si je devais y errer, je n'irais pas beaucoup plus loin que le paysan qui fait ses semailles.

Notes du chapitre 12

35. La mention d'une consommation de substances hallucinogènes par Jésus et ses disciples peut surprendre les lecteurs, à l'exception des ethnologues et des spécialistes des religions anciennes ; ceux-ci savent qu'un grand nombre des religions antiques des cinq continents ont recouru à l'usage de plantes psychotropes pour atteindre des états qu'ils jugeaient transcendants ; peyotl des Aztèques ou soma des tribus asiatiques, elles ont fait l'objet d'études détaillées et de cartographies par espèce. L'usage de l'amanite tue-mouches, *Amanita muscaria*, dans les religions du Moyen-Orient m'a été indiqué par l'étude de John Allegro, *Le Champignon et la Croix* (v. bibl.), qui en fait remonter l'origine à Sumer. On en dégage trois points concordants :

Le Talmud et le *Toledot Yeshu* [Histoire de Jésus], ou *Josippon*, ouvrage attribué à Flavius Josèphe et non encore traduit (le manuscrit se trouve à la Bibliothèque nationale, à Paris), désignent plusieurs fois Jésus sous le surnom singulier de Bar Pandera, «Fils de la Panthère».

Ce surnom fait allusion non à la panthère mais au chapeau tacheté de l'*Amanita muscaria*, champignon hallucinogène, dont la consommation rituelle était pratiquée dans de nombreuses religions orientales antiques et par les Esséniens.

Le surnom donné à Jacques et Jean de Zébédée, Boanergès, qui, selon l'Évangile de Marc (III, 17), signifierait en araméen «Fils du tonnerre», ne peut en aucune manière avoir ce sens dans cette langue : il dérive de *Puanurges*, qui signifie en sumérien «homme puissant qui soutient la voûte du ciel» et se réfère à la tige du champignon qui soutient le chapeau de celui-ci. C'est un nom secret de la même amanite tue-mouches.

Ces indications semblent suffisamment probantes pour confirmer que Jésus recourut à la consommation de ce champignon, comme le suggèrent d'ailleurs plusieurs passages des Évangiles, notamment celui de Jean, où Jésus se désigne comme «celui qui est descendu du ciel» (Jn. III, 13). C'est une référence à la discipline qui enseignait à maîtriser la descente de l'extase céleste.

Les connotations péjoratives qui, à l'époque moderne, s'attachent fort justement à la pratique des substances hallucinogènes ne devraient pas faire oublier qu'elle fut jadis hautement respectée et réservée aux chefs religieux. Ses visions fantastiques donnent à penser qu'Ezéchiel en consomma, comme d'autres prophètes sans doute. Et elle fut considérée comme un moyen d'obtenir la révélation, notion fondamentale du gnosticisme qui marqua le christianisme jusqu'à la fin du IIᵉ siècle de notre ère.

36. Rapportée comme «résurrection» par Jean et lui seul (Jn. XI, 1-26), l'histoire de Lazare comporte plusieurs indices qui retiennent l'attention : d'abord, Lazare est donné comme «malade», ensuite Jésus paraît le connaître aussi bien que son mal, car il déclare de façon énigmatique : «Notre ami Lazare repose, mais je vais aller le réveiller» (Jn I, 11), mais l'évangéliste insiste pour certifier son récit, assurant que Jésus a confirmé la mort du jeune homme; enfin, Jésus ne semble guère se hâter pour aller le réveiller, car deux jours s'écoulent avant qu'il se mette en route. Les connaissances médicales de l'époque sont rudimentaires et le fait que les sœurs de Lazare le déclarent mort ne peut équivaloir à un constat d'arrêt cardiaque ni d'arrêt de fonctionnement du cerveau. Lazare peut avoir succombé à un accès de catalepsie, pendant lequel la chair paraît plastique comme celle d'un cadavre et le pouls est imperceptible; cet état peut durer plusieurs jours et, à l'époque, on concluait donc que le sujet était mort. La cause peut en être un choc psychologique. D'où l'attitude de Jésus, jugée désinvolte par Marthe et Marie; il sait que son pouvoir de thaumaturge suffira à tirer Lazare de sa transe. Il s'agit donc d'une réanimation plutôt que d'une résurrection.

Mais elle explique l'attachement que Lazare témoigna à Jésus jusqu'au mont des Oliviers (v. note 37).

13.

Dans un lieu aussi exposé à la poussière du désert que l'était Sokoka, de surcroît habité par le souci de pureté, l'on faisait grand usage de balais. Gros sable et fine poussière mêlés faisaient le siège constant du monastère, des sols, des vêtements et des corps. Ils crissaient sous les sandales, blanchissaient les cheveux et noircissaient les pieds ; la sueur sur les poitrines et les fronts en révélait l'omniprésence en y traçant des rigoles sombres et le soir, si l'on n'avait pas secoué sa paillasse, un nuage de poussière s'en élevait quand on s'y laissait tomber ; cruel et importun rappel du destin final de la créature !

Supérieurs ou novices faisaient donc grand usage des balais, Jésus comme les autres. Ayant constaté que, peu de jours après son baptême, la tunique blanche était devenue grise, il s'en impatienta. Quant à l'office des scribes, c'était un nid à poussière : celle-ci gagnait même le rouleau neuf sur lequel il travaillait et les quatre scribes semblaient pourtant s'y résigner. Aussi le balai de l'office ne comptait plus que quelques brins de jonc attachés au manche, à peine bons à chasser des rats et des souris. Jésus se rendit donc aux ateliers pour s'en procurer un neuf. Il y trouva des novices qui, justement, en confectionnaient de nouveaux avec les joncs cueillis près du torrent. Assis par terre, ils ficelaient fortement les extrémités des joncs aux manches, puis en taillaient les barbes inégales à l'aide d'un couteau. Parmi eux se trouvait Lazare. À la vue de son sauveur, son visage s'éclaira, s'illumina presque. Il se leva et s'élança vers lui.

— Mon maître !

Les autres novices levèrent les visages.

— Prends celui-ci, dit l'un deux, regarde comme il est bien fourni.

Jésus examina le balai, le brossa de la main, acquiesça et le garda en main.

— Soyez toujours armés d'un balai, lança-t-il. Il est plus utile qu'un glaive.

Et, comme ils paraissaient interloqués :

— Il chasse les impuretés qui souillent le corps, les insectes morts pareils aux idées inutiles et néfastes et la saleté qui envahit les couches.

Ils se mirent à rire.

— Toi, tu es un vrai maître ! s'écria l'un d'eux. Ramène-nous donc le manche de ton vieux balai.

Il le promit. Comme il sortait, Lazare lui emboîta le pas.

— Écoute-moi, maître. Un jour tu t'en iras. Je serai abandonné, comme un âne qui a perdu son maître. Tu m'as rendu la vie, tu es donc mon nouveau père. Et je serai alors orphelin.

— Qu'est-ce qui te fait penser que je m'en irai ?

— Je le sens dans mon cœur. Tu n'es pas d'ici.

Propos troublants.

— Ton père est le Seigneur et tu ne seras jamais orphelin de lui. Pourquoi es-tu venu ici ?

— Si j'étais resté dans la maison que mon père nous a léguée, à Béthanie, j'aurais dû suivre son exemple et devenir pareil à tous les hommes que je voyais : chef d'une maison, négociant et borné.

Jésus ne put s'empêcher de rire.

— Ma sœur aînée, Marthe, me faisait une vie d'enfer, reprit Lazare. Ses récriminations et ses lamentations commençaient à l'aube et ne s'arrêtaient qu'à la nuit.

— Tu n'as pas de frères ?

— Non, je n'ai qu'une autre sœur, Marie. C'est elle qui m'a suggéré de venir ici, puisque je ne voulais pas fonder une famille.

— Pourquoi ne le voulais-tu pas ?

— Maître, toi qui sais tant de choses…

— Quoi ? Parle.

— Les as-tu regardés ? N'as-tu pas vu les créatures dérisoires qu'ils sont ? Et ils en sont fiers ! Ils sont fiers de leur
personne, de leurs bedaines, de leurs barbes, de leurs maisons, de leurs femmes, de leurs enfants, de leurs domestiques...

Il s'exprimait d'un ton désespéré.

— Ils sont fiers de tout, et d'abord d'être vivants. Je ne peux
pas, je ne veux pas leur ressembler. Quand ils prient, je vois
leurs bouches s'animer et j'ai l'impression de voir des brebis
qui broutent. Leur vie est vide... Je ne peux pas me résigner à
leur être semblable.

Étonnant garçon. Il parlait comme un sage qui aurait vécu
des lustres.

— Est-ce pour cela que j'ai été mis au monde ? Marthe m'a
envoyé d'autorité à Jérusalem. Et j'ai vu le Temple et les prêtres. Ils sont pareils aux autres, avec encore plus d'assurance.
Alors je suis venu ici...

Il ressentait donc les mêmes choses que Jésus.

— Mais toi, reprit-il, tu me donnes l'impression de vivre. Ne
m'oublie pas.

— Lazare, je te le dis : je ne t'oublierai pas. Toi, songe à la
bonté de ton Père, qui te tendra toujours les bras.

Il le quitta après une tape sur l'épaule[37].

Il en était donc qui seraient prêts à le suivre parce qu'ils
pressentaient en lui l'homme qui ouvrirait une nouvelle voie.
Parce qu'il donnait un autre sens à la vie.

Ce fut l'ennui qui l'alerta.

Car il n'était plus vraiment à Sokoka. La fièvre qui habite
tout homme content de son sort avait disparu : non, ce n'était
pas un signe de santé. Cette absence de fièvre indique l'anémie.
Un lieu où les gens considéraient leur corps comme une substance méprisable ne pouvait être son foyer.

Il s'avisa de son état au cœur du premier hiver à Sokoka,
à la saison où les ablutions du matin et du soir tournaient
à l'épreuve pénitentielle. Tout le monde frissonnait et serrait
les mâchoires, puis courait dans les rares salles que chauf-
fait un feu. Car à Sokoka, brûler du gros bois sans but précis
était presque un péché : on allait une fois par mois l'acheter

à Jéricho et il servait surtout aux ateliers des verriers et des forgerons, ainsi qu'aux cuisines.

Depuis que le temps avait fraîchi, Jésus et Jean avaient espacé leurs entretiens nocturnes : on parle peu quand on songe surtout à se réchauffer. Un soir, après le souper, Jésus demanda pourtant à Jean :

— As-tu de la galette à la panthère ?

L'autre alla fouiller dans sa besace et revint. Il tendit un fragment à Jésus qui, se drapant dans son manteau, lui dit alors :

— Sortons.

Le vent ne mordait pas trop ce soir-là, mais le sol était glacé. Nulle chance de trouver du petit bois pour bâtir un feu : les artisans des ateliers ratissaient la campagne jusqu'à Jéricho pour en ramasser et alimenter leurs fours. Ils marchèrent donc jusqu'à ce que l'effet de la panthère se fît sentir.

— L'Esprit est libre, Jean. Il souffle partout, parce que c'est sa nature. Sur la montagne et sur la plaine, sur les eaux...

Jean ne disait rien : les paroles qu'il entendait faisaient écho à ses propres pensées.

— Le sens-tu ? Nous marcherions jusqu'à la mer que nous le sentirions à chaque battement du cœur... Pourquoi nous enfermer ? Il faut porter la Lumière dans le monde.

Jean s'était alors déserté : ce n'était que son corps qui marchait aux côtés de Jésus, son esprit s'était affranchi de cette enveloppe ô combien imparfaite. Il restait silencieux.

— C'est de l'avarice que de garder la Lumière pour nous... C'est indigne ! Comment, nous sommes comblés de la bonté du Seigneur et nous la garderions ?

Allait-il s'envoler ? Il regarda près de lui, il avait parlé pour lui-même. Il se retourna. Jean était immobile, là-bas. L'avait-il entendu ?

— Jean ?

Il revint sur ses pas.

— Jean ?

— Pourquoi marcher ? murmura celui-ci. Tu l'as dit, il est partout...

Il haletait. Jésus lui prit le bras.

— Rentrons.

Quand ils revinrent au monastère, Jésus se tourna vers lui :

— As-tu compris ce que j'ai dit ? Ce n'est pas un métier que de porter la Lumière. C'est la vie ! On ne peut la mépriser.

À la clarté de la lampe accrochée près de la porte, il vit son compagnon acquiescer.

— Non, ce n'est pas un métier, répéta Jean.

Un homme dans une barque sur l'eau ne voit que sa barque. Les rivages s'éloignent et se rapprochent, mais s'il regarde devant lui, il ne voit que la proue de l'esquif et s'il se retourne, la poupe. Près de trois ans s'étaient écoulés depuis l'arrivée de Jésus à Sokoka.

Les mois défilèrent, avec leurs lunes et leurs fêtes. Jésus ouvrit bien des rouleaux et médita. Il lut et relut ainsi le Premier Livre des Rois, s'interrogeant sans trouver de réponse à la question qui le taraudait sur la disgrâce de Jéroboam. Qu'avait donc fait ce roi pour mériter le courroux divin et la mort de son fils Abiyya ? Et la seule réponse que trouvaient ses yeux était celle-ci : il avait nommé prêtres des hommes qui n'étaient pas de la tribu de Lévi, des hommes pris « dans le commun », disait le rouleau.

Le commun ? Y avait-il donc dans le peuple d'Israël des gens de catégorie inférieure, qui n'avaient pas le droit de servir leur Seigneur comme les gens de la catégorie supérieure ? Cela était contraire à la notion d'un Dieu de bonté, et ce ne pouvait convenir qu'à la caste sacerdotale. C'était elle qui avait écrit ce Livre !

Selon elle, la transgression de Jéroboam était la raison pour laquelle Yahweh avait décidé de la mort d'Abiyya. Mais quelle avait été la faute de celui-ci ? Les innocents devaient-ils payer pour les fautes des autres ? Cette vengeance aussi était contraire à la notion d'un Dieu de bonté. À l'homme tombé dans l'erreur, le Seigneur tendait toujours un bras pour l'aider à se relever.

Il ne pouvait partager ses réflexions qu'avec Jean, car aucun des prêtres de Sokoka n'aurait admis une remise en question des Livres aussi radicale. Et Jean l'écoutait le plus souvent sans mot dire.

— Les Livres sont un voile que le temps est en train de déchirer, dit-il un soir à Jean.

— Je t'entends, mais seul mon corps est ici, murmura l'autre.

Avait-il consommé de la panthère ?

— Il y a bien des mois que je suis ailleurs, reprit Jean. À t'entendre, je sais qu'une tempête précédera la Lumière. Elle sera terrible, mais elle dissipera les fumées des Ténèbres ! Un homme avancera à l'horizon, il sera envoyé par le Seigneur pour annoncer la Lumière... Et la tempête s'éloignera...

Un silence suivit la prédiction.

— Cet homme sera notre roi, le Messie...

Plus un mot ne troubla la sérénité nocturne. « Ailleurs », oui. Jésus sentit dans sa chair qu'il y était déjà, lui aussi. Sokoka n'était plus à ses yeux qu'un théâtre, une parodie. Et ce ne serait pas de la guerre que préparaient les frères que viendrait jamais la lumière. La guerre était une idée archaïque, puérile, voire criminelle.

À trois jours de là, ce fut à nouveau le tour de Jésus d'assumer son tiers de nuit de veille sur la tour. Une fois de plus, le dernier tiers lui échut. Il porta là-haut son ballot. Au matin, il posa le *sofar* sur le rempart et descendit avec son ballot sur l'épaule. Personne dans la cour. Aussi l'aube était-elle glaciale. Il se dirigea vers la porte par laquelle il avait été admis dans le monastère, il y avait un temps indéfini. Elle n'avait pas encore été ouverte, mais il suffisait de soulever la barre de fer censée la garantir contre les assauts des Ténébreux ; ce qu'il fit. Il l'ouvrit, sortit et la referma. Un autre rabattrait la barre.

Il marcha vers l'ouest. Le chemin serait long[38].

Son but était d'aller vers le nord et l'itinéraire le plus logique aurait été de remonter la rive du Jourdain. Mais il n'avait pas souvenir de villes ni de villages tout au long de cette vallée et, en hiver, c'eût été une gageure de s'y aventurer : outre sa tunique de lin, un *shaq* de rechange, sa truelle et une galette entière à la *balag'anta*, il n'avait dans son ballot que trois pains et quelques figues sèches, assez pour deux jours de voyage tout au plus, mais pas un shekel. Et il n'envisageait pas de passer les nuits dehors, sur la terre gelée, ni de servir de repas aux chacals ou aux ours. Il se dirigea donc vers Jérusalem, pensant y demander le gîte à Simon le Silencieux. Le ciel en décida autrement : dans l'après-midi, il se chargea de nuages malveillants et déversa ensuite de la grêle et de la pluie, aussi dru qu'un torrent d'avanies. Le chemin devenait impraticable. Il courut vers les bâtiments devant lui pour y chercher refuge, ne fût-ce que sous un auvent. Il frappa à une porte, un homme lui ouvrit et l'invita à entrer puis claqua la porte à la pluie qui essayait de pénétrer elle aussi.

Jésus ruisselait.

— Assieds-toi, voyageur. Je vais prévenir ma maîtresse.

C'était donc un domestique. Jésus reprit son souffle et parcourut la pièce du regard ; des aulx, des oignons et des bottes d'herbes pendus à une poutre, ainsi qu'une rangée de pots sur une étagère en indiquaient l'usage : une cuisine. Il s'assit devant un âtre où flambait un feu généreux. Une femme vint saluer le voyageur : la cinquantaine, jadis belle, maintenant impérieuse.

— Bienvenue, voyageur. Mais tu es trempé ! Ouria, prends le manteau de cet homme et mets-le à sécher. Sers-lui du vin et un repas.

Jésus se leva pour se défaire du manteau et se retrouva en tunique. Il affronta alors le regard de la femme. L'expression en avait changé : surprise, interrogative, troublée. Il en comprit la raison : elle avait reconnu la tunique.

— Tu viens de Sokoka ?

— Oui.

— Comment t'appelles-tu ?

— Jésus bar Yousef.

Elle porta la main à sa poitrine, effrayée, et cria :

— Marie !

Le domestique abasourdi regardait Jésus. Une autre femme, plus jeune, entra dans la pièce et dévisagea l'inconnu.

— Marie, c'est l'homme qui... Jésus bar Yousef...

La cadette s'empressa de soutenir sa sœur qui vacillait et l'aida à s'asseoir. Puis son regard revint vers Jésus.

— C'est toi ?

Il ne bronchait pas. Elle s'agenouilla, lui saisit la main et la couvrit de baisers.

Il lui sembla que c'était la première fois de sa vie qu'il touchait un corps de femme. L'impression était inconnue : celle d'une source qui s'écoulait dans ses veines. La sœur aînée quitta sa chaise pour se mettre aussi à genoux et baisa l'autre main de Jésus ; elle la couvrit aussi de larmes.

Il retira ses mains :

— Lazare m'a parlé de vous.

Ouria, le domestique, hagard, posa sur la table un plat et un gobelet, puis un cruchon de vin. Sa main tremblait quand il versa le vin dans le gobelet et qu'il voulut tendre celui-ci au voyageur. Jésus le lui prit des mains et but une longue gorgée.

— C'est toi, rabbi, qui a ressuscité notre frère Lazare ?

Un crépitement soudain fit lever les têtes : la grêle. Quelques grêlons tombèrent dans l'âtre et explosèrent. Puis une bourrasque secoua la porte et la fenêtre.

— Rabbi, dit l'aînée, je suis Marthe et voici Marie. Tu ne peux reprendre ton chemin ce soir. Cette maison est la tienne. Ouria, va préparer la chambre de notre hôte, je m'occupe du repas.

Elle décidait donc pour les autres et le souvenir surgit des propos de Lazare. Jésus, amusé et peu désireux d'affronter une lapidation glacée, ne répondit pas ; cela valait acquiescement. Elle s'affaira, remua le contenu du pot qui pendait dans l'âtre, touilla le contenu d'un autre sur une table, saupoudra ceci de sel, jeta des herbes sur cela... Pendant ce temps, Marie, assise, regardait Jésus. Ses yeux semblèrent occuper tout son visage : c'était à peine s'ils laissaient de la place pour la bouche et le nez. Elle ne regardait pas, non, elle dévorait des yeux. Bien qu'elle fût brune, comme toutes les femmes d'Orient, il y avait dans son teint une blondeur pareille à celle des dattes que le soleil a rendues presque translucides.

Une constatation s'imposa : c'était une maison sans hommes.

— Où sont vos maris ?

Marthe entendit la question :

— Je suis veuve, rabbi. Mon mari est parti voilà près de dix ans dormir avec ses ancêtres.

— Et toi, Marie ?

À l'évidence, la question embarrassa la cadette. Elle entrouvrit la bouche, aucun son n'en sortit, puis elle se décida à dire :

— Je l'ai quitté.

— Pourquoi ?

— Il me battait cruellement. Presque tous les jours. Et il m'insultait... Il a fini par mourir, il y a deux ans. Nous vivions à Tarichée*.

Une femme ayant quitté son mari constituait une singularité autant qu'un objet de scandale ; on la traitait probablement d'impudique. Marie vivait sans doute recluse à Béthanie, regards et commentaires malgracieux lui emboîtant le pas. Le retour d'Ouria dans la pièce mit fin à ces aperçus sur les vies des deux veuves ; le domestique annonça que la chambre était prête et qu'il y avait installé un brasero. Marthe lui donna l'ordre de servir le maître.

Et Jésus avait faim. Il bénit le repas et fit honneur à la salade de fèves, puis au ragoût de volaille, enfin aux galettes de miel. Les sœurs de Lazare avaient le bec fin. Il but peu de vin et beaucoup d'eau. Puis il remercia ses hôtesses et demanda à se retirer.

— Ouria, dit Marthe, accompagne notre maître. Et s'il veut se rafraîchir le corps, montre-lui le lieu réservé et tiens-toi à son service.

La proposition ne déplut pas à Jésus. Ouria le conduisit à une pièce dotée d'une lucarne haute, éclairée par une lampe à huile, où l'atmosphère était étrangement tiède. Une piscine peu profonde et vide en occupait le centre mais, contre un mur, deux grandes jarres étaient chauffées par un brasero. Ouria saisit une écuelle pendue au mur et expliqua à Jésus :

— Tu puises de l'eau dans une de ces jarres pour te mouiller et te savonner, puis pour te rincer.

Il plongea l'écuelle et la remplit. Jésus tâta l'eau : elle était presque chaude. C'était pour lui un luxe tel qu'il n'en avait jamais connu ; il en ignorait même l'existence.

— Voici le savon, maître, et la serviette. Je suis à tes ordres.

Jésus flaira le savon : il était parfumé. Ces douceurs permettaient en tout cas de se purifier le corps. Surpris de se laver à l'eau tiède pendant que la pluie glacée battait les murs, Jésus en sourit. Le contraste avec Sokoka était si rude qu'il donnait même à rire.

---

*Magdala, sur les bords de la mer de Galilée.

Mais le sourire fut bref. Là-bas étaient demeurés Jean et, comment ne pas y penser, Lazare.

Garnie de tapis et de tentures, la chambre d'hôte prolongea la surprise. La paillasse n'était pas à même le sol, mais sur un cadre à pieds, et sur la couverture en laine en avait été jetée une autre, en peau de mouton. Enfin, l'air était parfumé : le bois qui brûlait dans le brasero était mêlé de cardamome. Ces luxes distrayaient sans doute les privilégiés de leurs tourments intimes et leur permettaient d'aller d'une rive à l'autre de la vie sans avoir rien appris. L'austérité de Sokoka avait été plus riche, et Lazare, bien avisé de l'avoir préférée.

La fatigue ferma rapidement les yeux du voyageur. Sur une image : ceux de Marie.

Le ciel du matin fut clair. Les vents d'occident avaient porté leur hargne plus loin vers l'orient.

Jésus se passa la main sur le visage et la bouche, geste familier de tous les hommes depuis toujours quand ils affrontent l'inconnu ; peut-être fut-ce celui d'Adam quand il émergea du premier sommeil. Puis il regarda la haute fenêtre. Ce mouvement infime éleva son cœur. La lumière s'étendait sur le monde ; elle l'appelait.

Son corps avait ses exigences : c'est une monture. Il se rappela avoir aperçu la veille un réduit à l'écart, près de la salle d'eau, et s'y rendit ; c'était bien cela : un trou dans le sol. Point besoin de truelle. Il retourna ensuite dans sa chambre, enfila son manteau, serra les cordons de son ballot et sortit.

Ouria apparut, puis Marie.

— Que ta journée soit souriante, rabbi.

— Que la Lumière te guide, Marie. Je reprends ma route.

— Tu vas sans doute rejoindre ton épouse.

Il secoua la tête.

— Je n'ai pas d'épouse.

Marthe arriva et présenta ses souhaits à son tour.

— Tu nous quittes, rabbi.

Elle en paraissait réellement désolée, presque éplorée.

— Je ne sais combien ta route sera longue, mais un repas avant ton départ ne pourrait être inutile.

Il acquiesça et alla s'asseoir à la même table où il avait pris son souper. Marie emplit son bol de lait chaud et posa devant lui un plat garni de galettes de miel et de petits pains aux raisins secs; il considéra ceux-ci un instant, songeant à l'époque où cette modeste friandise lui avait été interdite. Il bénit le repas et, une fois de plus, mangea sous les yeux des deux femmes et du domestique.

— Rabbi, dit Marthe, je ne sais si toutes les maisons sur ton chemin t'accueilleront comme tu le mérites. Car tu es pour nous l'envoyé du Seigneur, puisqu'il t'a investi du don suprême de rendre la vie. Mais pour la paix de notre cœur, accepte, je t'en supplie, cette petite provision pour des imprévus.

Elle lui tendit une bourse. La proposition advenait à point nommé.

— Chacune de mes actions est accomplie dans un seul but : faire connaître la parole du Seigneur parmi les hommes. J'accepte ton don, Marthe. C'est une offrande plus utile qu'un bélier sur les autels du Temple.

— Tu combles mon cœur, murmura Marthe.

— Permets-nous de t'offrir un âne, s'écria Marie.

— Je t'en remercie, mais j'ai bien assez à me soucier de moi-même, répondit-il avec un sourire. Et ceux que je rencontrerai, je préfère leur parler à hauteur d'homme.

Il se leva, elles s'élancèrent pour lui baiser les mains. Ouria était à genoux. Jésus lui posa la main sur la tête.

— Mon manteau doit être sec.

Marthe s'esquiva et revint, portant un autre vêtement, bien plus beau.

— C'était un manteau d'enfant que le tien, dit-elle.

Elle avait vu juste : c'était celui qu'il portait quand il avait quitté Gamala, bien des années auparavant.

— Il était déchiré et la laine en était tellement usée qu'elle ne pouvait plus te protéger. Accepte celui-ci, dit-elle en le déployant pour l'inviter à l'endosser.

Ce manteau-là descendait jusqu'aux chevilles, la grosse laine était teinte en brun foncé et la capuche, doublée d'agneau, était ample et profonde : une petite grotte où la tête pouvait se réfugier quand la bise et la pluie attaquaient.

Jésus hocha du chef. Le vêtement avait dû appartenir au défunt mari de Marthe. Personne n'en serait donc privé. Il l'endossa.

Marie aussi s'était esquivée ; elle revint une paire de sandales neuves à la main. L'évidence ne pouvait lui avoir échappé : celles du voyageur étaient déchirées. Elle s'agenouilla sans mot dire, retira chaque vieille sandale du pied et enfila la nouvelle. Là encore, il fut troublé par le contact de ces mains sur sa peau, et plus encore quand elle se pencha et baisa chaque pied.

Enfin, Ouria lui tendit un sac bien rempli :

— Un peu de pain et quelques dattes, maître...

Jésus ouvrit le sac et trouva bien plus : du fromage, des galettes aux pistaches, des figues sèches...

— Que le Seigneur veille sur chacun de tes pas, dit Marthe.

Le moment d'après, il était sur la route rocailleuse et glacée. Le souvenir de l'accueil à Béthanie tenait aussi chaud que la grosse laine et la capuche.

Trois compagnons semblaient apparaître par moments sur la route. Jean, Lazare et désormais Marie.

Notes du chapitre 13

37. L'hypothèse que Jésus ait connu Lazare chez les Esséniens est inspirée par un épisode énigmatique de l'Évangile de Marc : quand les apôtres eurent tous pris la fuite, « un jeune homme le suivait [Jésus], n'ayant pour tout vêtement qu'un drap. On [les policiers] le saisit, mais lui, lâchant le drap, s'enfuit tout nu » (Mc. XIV, 51-52). Incident bizarre : que faisait donc un jeune homme nu enveloppé d'un drap au mont des Oliviers ? Et pourquoi Marc le rapporte-t-il dans un récit aussi dramatique que l'arrestation de Jésus ?

Trois indices retiennent l'attention : le drap en question ne pouvait en être un, la literie de l'époque n'étant pas la même que celle des siècles ultérieurs ; il s'agissait d'une pièce de tissu sans couture qui, une fois déchirée, passa pour un drap. Détail révélateur, c'est une pareille tunique que portait Jésus lors de son arrestation : « La tunique était sans couture, tissée d'une pièce à partir du haut. » (Jn. XIX, 23.) Or, c'est le vêtement de rigueur chez les Esséniens après les ablutions. Il y avait donc, en plus des apôtres, un disciple des Esséniens ce soir-là sur le mont des Oliviers. En 1958, lors d'un séjour au monastère de Mar – Saba, dans le Sinaï, le professeur Morton Smith (*Clement of Alexandria and a Secret Gospel of Mark*, v. bibl.) découvrit un passage inconnu de l'Évangile de Marc, recopié par Clément d'Alexandrie (IIᵉ-IIIᵉ siècle), père de l'Église grecque, à l'intention d'un disciple. Ce texte comporte un récit presque identique à celui de la résurrection de Lazare ; prévenu par les sœurs d'un jeune homme déjà au tombeau, qu'il connaît, comme Lazare, Jésus s'y rend, interpelle le mort et celui-ci sort de son sépulcre. Il s'agit d'un jeune homme riche, comme Lazare. Bien que le ressuscité ne soit pas nommé, la similitude des récits indique qu'il s'agit de deux versions différentes du même épisode et que le jeune homme non nommé du récit de Marc est bien Lazare. Détail marquant, Marc ajoute ceci : « Le soir, le jeune homme vint à lui, vêtu d'un vêtement de lin sur son corps nu. » Or, le texte de Marc use du même mot pour le ressuscité que pour le mystérieux fuyard du mont des Oliviers, *neaniskos*, « adolescent » ou « éphèbe ».

Ce texte a depuis été publié intégralement (*Écrits apocryphes chrétiens*, v. bibl.) ; selon les commentaires de Clément d'Alexandrie, il aurait été censuré en raison des soupçons qu'il suggérait. Il est vrai que deux jeunes hommes nus sous un vêtement léger dans le même Évangile sont de trop. On rejettera ces allégations, mais on retiendra de ces trois indices que Lazare avait adopté un vêtement rituel essénien, la tunique de lin d'une seule pièce, donc qu'il appartint à la communauté essénienne.

Incidemment, on jugera de la liberté que les censeurs prenaient avec les textes évangéliques et l'on ne s'étonnera plus guère que Marc ait été surnommé « l'évangéliste aux doigts courts ».

38. Son enseignement démontre que Jésus partagea plusieurs idées des Esséniens, et en tout cas leur aversion pour le clergé du Temple, mais il est certain qu'il ne faisait plus partie de leur communauté quand il commença son ministère public (v. postface).

14.

L'étape suivante fut Jéricho. Il évita le quartier où il avait vécu et personne ne le reconnut donc. Puis Senaa, Phasaëlis, Carpan, Çaphon, Scythopolis, Salim... À partir de Yarmout, il sentit qu'il était dans son pays, la Galilée, terre de liberté sur laquelle les esprits chagrins et cupides du Temple avaient renoncé à étendre leur emprise. L'accent, à coup sûr, contribuait à ce mystérieux confort qu'on ne ressent que dans les terres où l'on a entendu et prononcé les premiers mots.

L'hiver réduit le flot des paroles qu'échangent les humains pour s'imposer les uns aux autres. Aussi les pauvres et les humbles sont-ils taiseux, comme les sages, et les riches, diserts. Jésus avait peu parlé aux gens durant son voyage, parce que eux-mêmes n'étaient pas disposés à raconter l'inutile, qui est toujours transitoire. S'il arrivait au crépuscule, on devinait vite qu'il cherchait un gîte et on lui cédait un coin de grange ou d'étable, parfois une paillasse laissée libre par un fils parti à l'aventure. À l'occasion, on lui offrait un bol de soupe au froment et un gobelet de *shomet*s. Il payait son écot et s'en allait à l'aube. Ah, ce n'était pas aux grands fermiers qu'il eût demandé l'asile pour une nuit : leur espace à eux était compté.

Et lequel des égrotants rencontrés sur le parcours, bancroches, sourds, pieds-bots ou cachectiques, eût jamais songé à lui demander le bienfait divin ? Il l'accordait au jugé, avant de partir, afin de n'être pas poursuivi par des cris de gratitude qui lui semblaient frivoles. Il le consentit même à une infirme de l'âme : une vieille femme acariâtre et probablement haineuse, qui accablait le monde d'invectives quand elle lui accorda l'usage d'une étable. Aussi le sort ne l'avait pas privilégiée, car elle était laide et crochue ; il eut pitié d'elle, sachant que les infirmités du corps ne sont pas les seules. Il lui saisit la main pour y déposer le shekel qu'elle réclamait pour une nuit à l'abri. Elle trembla, son regard changea, elle articula avec peine :

— Ô merci, voyageur, que le ciel te soit favorable !

À l'aube, elle lui apporta un bol de lait chaud enrichi d'orge cuite. Il faillit en rire, à songer qu'elle ne se reconnaîtrait plus elle-même.

Il ne reconnut pas plus Gamala que Gamala ne le reconnut. Bien des voyageurs de cette terre s'en étaient allés au mystérieux *Shéol*, ignorant qu'un jour ils ressusciteraient, et ceux qui les avaient remplacés n'étaient pas nés ou bien n'étaient que des bambins quand il avait pris le large.

Il s'arrêta un instant au sommet du chemin, pour inventorier le paysage. Des arbres avaient grandi, d'autres disparu. La synagogue avait été crépie de frais. Une grande maison inconnue était apparue, sur la crête du village. Mais la maison de Yousef le charpentier était toujours là, flanquée de l'atelier qui faisait un angle.

Il avança, d'un pas plus lent. Il pénétra dans le jardin et posait la main sur la porte quand une voix rude l'interpella :

— Hé, là ! Où vas-tu ? Qui es-tu ?

L'homme qui se tenait à la porte de l'atelier était un gaillard proche de la cinquantaine, le crâne dégarni. Une tête apparut par-dessus son épaule, plus jeune, mais guère plus amène. Jésus n'avait jamais vu d'autre reflet de lui-même qu'à la surface d'une flaque d'eau, s'il se penchait dessus. Mais il souhaita n'avoir aucune ressemblance avec ceux-là.

Il alla vers eux.

— Judas, dit-il, la voix chargée d'un sarcasme subtil.

L'homme cligna des yeux.

— Et Joset.

Celui-ci tendit le cou.

— Tu nous connais ?

— Comme vous me connaissez.

Ils firent un pas en avant et le dévisagèrent, ignorant qu'ils se faisaient pareillement scruter. Le blanc de leurs yeux n'était plus blanc, et les commissures des lèvres étaient creusées par la frustration. Il flaira la chair malpropre et le remugle des passions animales qui affleurent dans les replis de la peau. Sokoka lui avait fait le nez creux. Judas tendit un doigt vers lui :

— Tu... Tu serais...

— Jésus.

Figés. Il ne se retint pas de rire. Ils en furent encore plus décontenancés.

— Où étais-tu tout ce temps? On t'a cru mort...

— J'étudiais les Livres.

— Tu es prêtre?

Ils allaient de surprise en stupeur.

— Oui. Où est ma mère?

Judas fit un geste vers la maison. La porte s'ouvrit et une femme inconnue apparut; elle dévisagea le visiteur sans lui attribuer plus d'importance que cela et sortit du jardin, une cruche sur la tête.

— Qui est-ce?

— Ma femme, dit Joset.

Ni l'un ni l'autre n'avaient jugé utile de l'appeler pour lui présenter leur demi-frère; cela en disait assez sur leur sentiment à l'égard du visiteur. Ils regardèrent le manteau et les sandales et il devina leurs pensées : il devait être devenu riche. Ah, le chemin serait long pour ces deux-là vers la lumière du Seigneur! Vu le peu de chaleur de leur accueil[39], il se détourna d'eux sans plus de cérémonie et se dirigea vers la maison. Il poussa la porte et se trouva devant un garçonnet et deux fillettes qui le fixèrent d'un œil ahuri.

— Mère! cria-t-il d'une voix sonore.

D'autres visages apparurent, également ébaubis. Puis une femme proche de la quarantaine, face lasse et pâle. Un instant d'incrédulité et elle s'élança vers lui.

— Mère!

Il la soutint, elle défaillait. Une femme accourut avec un siège. Elle s'assit les mains agrippées aux bords du manteau de son fils, le visage baigné de larmes et levé vers le revenant. Il lui caressait les épaules. Il fit appel à son don. Le choc pouvait être fatal, non, il voulait lui rendre des forces. Elle poussa un soupir aussi long que l'âme, s'apaisa enfin sous les yeux de la maisonnée réunie, silencieuse, égarée. Elle se leva et les regarda, comme dans un défi :

— Le Seigneur m'a rendu mon fils.

Puis :

— Que quelqu'un aille retirer le pot du feu.

Le reste de la matinée fut consacré aux récits que Jésus fit à sa mère de son existence depuis qu'il avait quitté Gamala ; le repas du soir fut organisé dans le désordre ; tous les membres de la famille y assistèrent ; on avait été quérir le cadet Jacques pour cette occasion extraordinaire, Simon étant en voyage à Tyr ; quant aux deux sœurs, Lydia et Lysia, elles habitaient sur la côte avec leurs époux, autant dire dans un autre monde. Aucun des convives ne connaissait la Judée ; ils ne faisaient pas le pèlerinage de la Pâque, Jésus leur parlait d'un pays inconnu. Ils furent surpris par la bénédiction du repas, sans doute la première à laquelle ils assistaient. Jacques retint le regard de son demi-frère : pensif et réservé, il avait échappé à la grossièreté rustique de ses aînés ; de temps à autre, il adressait à ce frère inconnu, quasi virtuel, un regard interrogateur, comme anxieux et en tout cas troublé.

La nuit tomba sur ces entrefaites. À l'évidence, il ne restait pas une coudée carrée de libre pour s'allonger et dormir, et moins encore une paillasse.

— On peut demander au rabbin de t'accueillir, il a une grande maison, suggéra Joset.

— Je connais le chemin, dit Jésus.

Il embrassa sa mère et promit de revenir le lendemain. En route vers la synagogue, un constat s'imposa : de l'agitation qui avait occupé la journée, de ces rencontres et de la poussière des mots qui avait empli l'air, un fait seul subsistait : il avait revu sa mère.

Il toqua à la porte ; on tarda à répondre. L'homme qui ouvrit enfin l'un des vantaux du portail était le rabbin lui-même.

— Pardonne-moi d'avoir tardé, dit celui-ci, j'ai une jambe entravée. Que puis-je faire pour toi ?

— Je suis un collègue, rabbi. Aurais-tu un lieu où je puisse dormir ?

— Certainement, entre. M'as-tu dit ton nom ?

— Jésus bar Yousef.

Le rabbin s'immobilisa. La lampe qu'il tenait en main trembla et fit danser les ombres.

— Jésus ? Je suis Mika !

Ils s'étreignirent. Cette fois, la lumière de la lampe entraîna les ombres dans une gesticulation furieuse. Une femme arriva : l'épouse. Les explications ou plutôt les exclamations de son mari l'assurèrent que le visiteur était une vieille connaissance et un homme de bien. Elle lui souhaita la bienvenue et s'empressa d'aller préparer une paillasse, des couvertures, un cruchon d'eau. Mika commençait à poser des questions, Jésus l'interrompit :

— Il faudrait toute la nuit pour te répondre, Mika. Il y a plus pressé.

— Quoi ?

— Assieds-toi là.

— Seigneur, je me souviens... Tu... Non, c'est l'autre jambe...

Jésus releva la tunique jusqu'au genou. Un beau rhumatisme ! Le genou était gonflé, déformé, rouge, comme jadis celui du père de Mika, Zacharie. Il le prit entre ses mains et le garda un moment ainsi. Quand il écarta les mains, un son étrange, tenant du mugissement, sortit de la poitrine du rabbin. Sa femme accourut, alarmée ; elle trouva son mari allongé sur la chaise, les bras écartés, la tête renversée dans une expression d'extase.

— Qu'est-ce qu'il a ? s'écria-t-elle.

— La visite du Seigneur, Aya, murmura Mika.

Elle ne comprenait rien.

— Regarde !

Mika se leva d'un seul élan. Elle cria d'effroi.

— Regarde !

Il étreignit Jésus.

— Je perds la raison, dit-elle, qu'est-ce que... ?

— Loue le Seigneur, Aya, lui dit Jésus, c'est tout. Loue la bonté du Seigneur. Mika, j'ai fait cela parce que c'est toi qui m'as révélé le don que le Seigneur m'a fait. Maintenant, allons dormir. Nous parlerons demain.

La chambre était froide mais les couvertures étaient chaudes, et en se couvrant la tête, on récupérait la chaleur de son souffle.

Ils parlèrent le lendemain, en effet. Mika avait fait ses études à Jéricho et obtenu son diplôme de *talmid hakam*, mais pas l'autre, car il était trop jeune. Mais il n'y avait personne d'autre que lui pour tenir la synagogue de Gamala ; qui donc aurait connu la fièvre intellectuelle de Jéricho et serait allé s'enterrer dans un bourg de Galilée ? Ses connaissances suffisaient à entretenir le culte et la fidélité au Dieu d'Israël dans une région si proche du paganisme. Comme son père, il subsistait grâce aux maigres dons des quelque deux cents âmes de Gamala, et comme lui, il tirait sa nourriture et d'infimes suppléments de gain de quelques chèvres et de ses potagers, derrière la synagogue.

— Que peut-on faire d'autre ? demanda-t-il d'une voix résignée.

— Bien plus, Mika. Bien plus.

— Veux-tu prendre la parole au sabbat qui vient ? Je serai, moi, heureux de t'entendre.

— Je veux bien. As-tu conservé les rouleaux de ton père ?

— Tous.

C'était à deux jours de là ; il habiterait donc chez Mika pendant ce temps.

Il retourna à la maison qui avait été celle de son enfance. Il n'y reconnaissait que l'amandier, dont il avait tant apprécié les fruits. Judas avait changé tout le reste. L'atelier était ouvert et l'on entendait le crissement strident d'une scie, attaquant sans doute un nœud dans le bois. Personne ne le vit passer. Il poussa la porte de la maison ; sa mère l'attendait dans la salle commune, assise à la table, devant ce qui restait d'un bol de lait.

Elle le considéra avec tendresse mais résignation.

— Judas et les autres te traitent-ils bien ? demanda-t-il.

— Mieux qu'ils ne t'ont traité, sans doute : aussi m'ont-ils trouvé une utilité.

— Laquelle ?

— Je prépare les repas et je garde les enfants en bas âge. Et toi, as-tu trouvé ta voie ? Tu m'as dit hier que tu avais quitté

Jérusalem, et puis que tu avais été à Sokoka et que tu es aussi parti. Où iras-tu ?

— Dissiper la torpeur et les Ténèbres partout où elles règnent. Ce peuple ne voit plus son Seigneur.

— Quand il en parlait, le défunt Zacharie disait que cela durait depuis notre exode d'Égypte. Les prophètes n'ont pas cessé d'invectiver notre peuple. Tu veux donc prendre leur succession. Qu'est-ce qui te ramène à Gamala ?

Il hésita à répondre.

— Tu tardes à le dire, c'est donc important, alors je te répondrai : l'homme est le jouet du Seigneur et la femme, celui de l'homme. Cela devrait te suffire.

Autrement dit, elle avait été le jouet des hommes. C'était déjà beaucoup dire. La longueur du silence qui suivit fut également éloquente. Quand Marie reprit la parole, sa question s'inscrivit dans le fil des réflexions de l'un et de l'autre :

— Es-tu marié ?

— Non.

— Alors rappelle-toi ce que le Créateur a dit quand il a vu Adam seul au paradis terrestre : « Il n'est pas bon que l'homme soit seul. »

— Je ne suis pas au paradis terrestre, mère.

— L'opinion divine demeure.

Un homme est toujours un adolescent pour sa mère. À Jérusalem, à Sokoka ou à Gamala, la solitude ne faisait que changer de décor. Les images de Jean, de Lazare et de Marie s'imposèrent.

— « Sourds, entendez ! Aveugles, regardez et voyez ! Qui est aveugle, si ce n'est mon serviteur ? Qui est sourd comme le messager que j'envoie ? Qui est aveugle comme celui dont j'avais fait mon ami ? Yahweh a voulu, par esprit de justice, rendre la Loi grande et magnifique, et voici un peuple pillé et dépouillé ! »

La voix qui lisait le texte antique était ardente et sonore ; elle vibrait d'une passion qu'ils n'avaient certes pas connue à Mika, tous ces gens qui étaient venus à la synagogue comme les sabbats précédents, depuis qu'ils avaient appris à marcher. Ils écoutaient un texte dont ils ne comprenaient pas grand-chose, marmonnaient des prières et s'en retournaient chez eux observer le repos parce qu'ils avaient toujours fait ainsi et qu'il n'y avait pas de raison de changer.

Et voilà que le rituel changeait. Qui était cet homme ? Du haut d'une estrade de trois marches, il semblait parler du sommet d'une montagne.

— Voici ce que dit encore Isaïe, reprit-il : « C'est moi, je suis celui qui vous console, qui es-tu pour craindre l'homme mortel, le fils d'homme voué au sort de l'herbe ? Tu oublies Yahweh, ton Créateur, qui a tendu les cieux et fondé la terre... »

Le silence était absolu.

— Lequel d'entre vous, quand il se lève le matin, adresse en son cœur une prière de grâces au Seigneur, pour le remercier d'avoir vu un nouveau jour, de pouvoir contempler sa famille et de reprendre son travail ? Lequel, quand le soir tombe, le remercie du repas et du repos qui l'attendent ? La torpeur vous rend inconscients du démon qui vous maîtrise de ses griffes et vous éloigne du Seigneur de Lumière. Éveillez-vous ! cria-t-il soudain.

Ils sursautèrent.

— Sinon, c'est la servitude et la damnation qui seront le sort du peuple d'Israël !

Il observa une pause brève et descendit les trois marches.

— Qui es-tu pour nous parler ainsi ? lui lança un fidèle, le sourcil froncé.

C'était un homme de près de trente ans, sans doute sûr de son statut.

— Ton serviteur le plus fidèle.

— Comment ?

— Je t'alerte du péril que tu encours.

— Cet homme est des nôtres, intervint Mika. Il a grandi ici, à Gamala. Et il possède le don de Dieu. Ne m'avez-vous pas vu marcher ? N'avez-vous pas vu la différence ? Il m'a seulement touché et il m'a guéri.

Le dissident fut réduit au silence, du moins pour le moment. Les femmes, à gauche, murmurèrent ; elles se souvenaient en effet de ce garçon, le fils du charpentier Joseph et de sa seconde femme, Marie ; il possédait le don de guérir et des malades venaient le voir de partout dans les environs ; elles ne s'avisèrent pas que sa mère se tenait derrière elles ; aussi avait-elle baissé son voile sur son visage et la pénombre de la synagogue achevait de protéger son anonymat.

— Allez en paix, dit Mika.

Mais ce n'était pas la sérénité qui imprégnait ces fidèles quand ils sortirent. Son demi-frère Judas, le premier, alla vers Jésus, qui se tenait alors au bord de la falaise, à une vingtaine de pas de la synagogue :

— De quelle autorité nous interpelles-tu ainsi, nous traitant de sourds et d'aveugles et nous menaçant de servitude et de damnation ?

Ils étaient bien une demi-douzaine, autour de Judas, la mine hargneuse, attendant le prétexte de se colleter avec ce fâcheux qui les menaçait de la colère divine. Ils avançaient lentement ; peut-être projetaient-ils de le pousser, pour qu'il perdît l'équilibre.

— Ce sont les paroles d'Isaïe qui t'offensent, Judas ? Quant à mon autorité, elle est celle de quelqu'un qui a lu les Livres et qui les garde en son cœur.

Jacques devina peut-être leurs intentions ; il alla, en effet, se ranger aux côtés de Jésus. Ils parurent alors pris de court et Judas lui lança :

— Je louerai le Seigneur aujourd'hui que nous ne t'ayons pas comme rabbin !

Il s'en fut, entraînant les autres, ainsi que leurs femmes et leurs enfants. Marie, elle, s'arrêta devant son fils :

— Tu as semé la tempête. Maintenant, le sable va nous fouetter le visage.

Ce n'était pas dit comme un reproche, mais avec résignation, encore. Un fait était clair : il ne serait plus le bienvenu à la maison de Judas. Il devrait donc prolonger son séjour chez Mika. Mais il le devinait aussi, il risquait de causer de l'embarras à celui-ci. Les gens de Gamala avaient été habitués à la récitation mécanique des prières et Mika ne les avait jamais interpellés par la lecture des prophètes.

Il n'avait plus rien à faire à Gamala. Le temps était beau. Les gens étaient repliés chez eux pour le repos du sabbat. Il gagna sa chambre, fit son ballot et, une fois de plus, s'esquiva sans prendre congé. Personne ne le vit prendre le chemin de Bethsaïde. Il y arriva avant le crépuscule.

Ce n'était pas le calme du sabbat qui frappait quand on arrivait à Bethsaïde : la ville vibrait de ses activités ordinaires, et même extraordinaires. Un cortège de mariage passa en chantant, précédé de danseurs, au moment où Jésus arrivait dans la grand-rue. L'ancien petit port de pêche, dont le nom signifiait modestement «maison de pêcheurs», avait été transformé en une ville grecque ou romaine ; jamais en reste de flagornerie, le tétrarque d'Iturée, Philippe, l'avait même renommé Ioulias, en hommage à Iulia, fille de l'empereur Auguste. Il n'y avait qu'à voir les maisons qui longeaient l'avenue pour comprendre qu'il avait réussi ; avec leurs frontons à colonnes, leurs balustrades et leurs jardins fleuris, elles ne devaient rien aux habitudes architecturales de la Galilée, où l'on n'avait jamais considéré les potagers comme des ornements. Et il y avait affluence aux débits de boisson sur la rue.

Que restait-il du peuple de David à Bethsaïde-Ioulias ? Jésus se préparait à le découvrir. Il se rappela soudain la bourse que Marthe lui avait remise à son départ de Béthanie ; il l'ouvrit par curiosité et vérifia une fois de plus la générosité des deux sœurs. Il pourrait donc louer une chambre ou un coin de grange, car il doutait de l'hospitalité des gens, d'autant plus que son manteau n'indiquait pas la misère.

Après s'être étonné que ce voyageur n'allât pas à l'auberge, un commerçant lui consentit une remise d'agriculteur où il restait assez de paille pour se constituer une litière, à condition d'en chasser les souris. Le lieu était froid, et la compagnie des fourches et des faux pendues au mur n'était pas la plus chaleureuse qu'on pût espérer. Le commerçant avait refusé de lui prêter une lampe, arguant que c'était un danger dans un lieu rempli de paille ; il soupa donc dans une quasi obscurité sur les provisions données par le domestique Ouria. Puis il rabattit la capuche, s'emmitoufla dans son manteau et s'allongea.

Les images de Jean, de Lazare et de Marie, fantômes désormais familiers, adoucirent ses derniers instants de lucidité.

À l'aube, il vérifia l'utilité universelle de la truelle de Sokoka. Il s'aperçut aussi qu'il avait pris l'habitude des ablutions biquotidiennes et s'interrogea sur la possibilité de garder un esprit pur dans un corps imprégné de ses propres sécrétions. Mais il était vain d'espérer disposer d'eau qui fût au moins tiède dans cette ville étrangère et glacée. Il sortit explorer les parages. On s'éveillait décidément tard à Ioulias. Un gémissement vague, comme un râle, attira son attention; il émanait d'un tas de haillons surmontés d'une tignasse crasseuse et dont émergeaient des pieds nus. C'était quand même ce qu'on appelle un homme, assis contre un mur. Avait-il passé la nuit là, dans le froid? Les passants l'évitaient, comme une immondice. Jésus s'approcha de lui.

— Fils d'Adam, m'entends-tu? dit-il en araméen.

L'homme leva la tête, la bouche entrouverte. Des taies blanches couvraient ses yeux. Aveugle. Il tendit la main. Jésus tira un shekel de sa bourse et le déposa dans une paume qui n'avait même plus couleur de chair.

L'aveugle marmonna un remerciement.

Était-ce pour aboutir à ce tas indigne que le Créateur avait tiré Adam de l'argile?

Jésus s'accroupit devant lui et lui dit :

— Regarde-moi.

Il cracha dans une main et, mouillant son pouce dans la salive, le passa sur chaque œil de cette créature.

— Qu'as-tu à faire avec cet aveugle? lança un passant. Méfie-toi, il est peut-être lépreux!

L'aveugle, lui, tendit une main vers Jésus et le regarda, incrédule. Car ses prunelles étaient apparues.

— Je vois! bégaya-t-il.

— Homme, la lumière que tu vois est celle du Seigneur, entends-tu?

— Je te vois!

— Rends grâce au Seigneur!

— Je vois! cria l'homme d'une voix suraiguë, se levant soudain dans un tourbillon de haillons.

Des passants s'arrêtèrent, stupéfaits; ils le connaissaient bien, ce mendiant; comment, il voyait?

— Il a perdu la raison après avoir perdu la vue, dit une femme.

— Mais non, femme, je te vois bien, avec tes perles bleues sur le front! répliqua le mendiant, vindicatif.

Il dévisagea les gens autour de lui et de Jésus, car un attroupement s'était formé.

— Et c'est cet homme qui m'a rendu la vue!

Les regards se tournèrent vers Jésus.

— C'est toi?

— Grâce soit rendue au Seigneur qui m'a permis de retrouver la vue par la main de cet homme! cria le mendiant. Et il m'a donné un shekel!

Ils regardaient Jésus sous le nez. Plusieurs commentaient l'affaire en grec ou en latin, allez savoir, qu'il ne parlait pas.

— Occupez-vous de cet homme, dit Jésus. Que quelqu'un lui trouve des vêtements! Et de quoi manger!

— Qui es-tu?

— Je ne suis que l'instrument du Seigneur qui vous a donné la vie. Mais à vous, il n'a donné que la vie, car il a oublié le cœur.

Le sarcasme les laissa pantois. Un remue-ménage se fit dans la maison devant laquelle la scène s'était déroulée. Un jeune homme en sortit, portant un *saq*, un *chalouk*, un *talith* et des sandales pour les donner au miraculé, mais celui-ci était à genoux et baisait les pieds de Jésus.

Des gens accouraient vers l'attroupement.

— Va te nettoyer, dit Jésus au mendiant.

— Me nettoyer? Mais où?

— Emmène-le aux bains, c'est par là, dit un homme.

Jésus prit le mendiant par le bras.

— Comment t'appelles-tu?

— Abel, dit l'autre en drapant le manteau neuf sur ses guenilles.

Quand ils parvinrent aux bains, l'attroupement s'était changé en cortège. Le gardien était ahuri. Jésus voulut payer l'entrée, plusieurs hommes s'interposèrent et payèrent pour lui et Abel, puis pour eux-mêmes, car ils ne voulaient rien perdre de ce que ferait le mystérieux guérisseur. L'extraordinaire, peut-être le divin, avait fait irruption dans leur quotidien et il leur conférait une importance nouvelle. Ils pourraient dire : j'étais là.

Quand cette escouade jacassante déboula dans le sudatorium, les clients déjà présents s'alarmèrent. On les informa

promptement de l'affaire. De nouvelles exclamations jaillirent :

— Comment, l'aveugle qui mendiait devant la maison des
Constantin ? Ce n'est pas possible !

Les visages incrédules se tournèrent vers Abel, qui avançait comme titubant, entre deux hommes. Eh oui, c'était lui !
Outre le reste, le mendiant n'avait jamais vu de bains. Le spectacle de ces hommes nus, affalés et suants, le confondit.

— Qu'est-ce que je fais maintenant ? demanda-t-il, désemparé.

— Tu te déshabilles et tu fais comme les autres, expliqua
le nouveau compagnon des deux hommes, un Grec nommé
Miltos, tendant les haillons à un garçon de bain avec l'ordre
de les brûler.

Voyant Jésus prêcher d'exemple, Abel s'exécuta donc, de
plus en plus égaré. Quand il fut nu à son tour, on constata
qu'il était maigre à faire peur.

— Voici donc à quoi est réduit un homme sur la terre de
Noé, dit Jésus.

Abel n'était cependant pas au terme de ses tourments, car
il fallait ensuite descendre dans la piscine. Miltos donna la
pièce à un autre garçon de bain et le chargea de frictionner le
miraculé autant que faire se pouvait.

— Il usera le savon à lui seul, dit le garçon.

— Il suffit d'un garçon de bain pour laver cet homme, dit
Jésus, mais pour laver la population de cette terre, c'est un
Déluge qu'il faudrait.

Les autres baigneurs entouraient Jésus et, quand il sortit de
la piscine, ils se disputèrent le soin de le rincer et de le sécher.
Ils étaient finalement plus dévoués que les frères de Sokoka
lors des ablutions.

Une bonne heure plus tard, les trois hommes étaient dehors.
Plusieurs des témoins de la guérison extraordinaire les attendaient. Lavé, peigné, vêtu de chaud, Abel était méconnais-
sable. Dans un geste spontané, il saisit une main de Jésus et
la baisa.

Spectacle rare : baiser la main d'un homme en public signifiait qu'on était son féal, et cela n'advenait pas souvent. Les
témoins en furent encore plus émus.

Où habitait le guérisseur? Les offres d'hébergement plurent. Il accepta l'hospitalité de Miltos, à la condition que celui-ci offrît un asile à Abel.

Le soir, il bénissait le repas que son hôte donnait chez lui; un festin plutôt. Non seulement la famille d'accueil était-elle présente au grand complet, mais elle s'était enrichie des amis suppliant d'assister au repas que présiderait le guérisseur Jésus bar Yousef[40].

Celui-ci fit honneur au repas, mais certes moins qu'Abel.

— Ne croyez-vous donc à la puissance divine que lorsqu'elle se manifeste par des prodiges? dit-il comme à regret quand un convive évoqua la guérison de l'aveugle. Elle vous environne, mais vous êtes avec le Père comme ce commerçant qui ne croit qu'au shekel.

Les convives promirent de se le rappeler. Mais l'émotion était encore trop fraîche et les esprits pareils à ces eaux bouillonnantes où les feuilles mortes et les cailloux apparaissent une fraction d'instant avant de sombrer au fond.

Il le savait : c'était leur mémoire qu'il devait remodeler. Autant recréer Adam et Ève, soupira-t-il.

Il ne l'avait pas prévu, mais la croyance dans l'intervention divine, que les sadducéens rejetaient si dédaigneusement, était pareille à ces feux de broussailles que l'éclair allume parfois l'été sur des plaines desséchées : elle courait d'une créature à l'autre en l'espace de quelques mots et, chez les parents de malades, elle flambait alors furieusement.

Le matin, un tout jeune homme au regard misérable et aux pieds poussiéreux l'approcha et lui demanda :

— Peux-tu faire quelque chose pour moi? Mon père est au plus mal et je n'ai que lui au monde.

— Qu'a-t-il?

— Je ne sais pas... Il est à moitié paralysé, il ne peut pas parler... Je n'ai rien à t'offrir, mais je t'en prie... On dit que tu fais des miracles...

— Où est-il?

— À Chorazéïn.

C'était à une bonne heure de marche.

— Je me suis levé à l'aube, je t'en prie.

Le ton impérieux de la prière fit sourire Jésus. Ce garçon semblait croire que les miracles étaient réservés aux riches.

— Bien, allons-y.

En chemin, il demanda au jeune homme comment il s'appelait :

— Joaquim.

— Tu n'as pas de frères ou de sœurs ?

— Tout le monde est mort, je n'ai que mon père, je te l'ai dit. Depuis qu'il est malade, nous n'avons plus rien à manger.

Joaquim habitait une masure de deux pièces, dans l'une desquelles un homme point trop âgé gisait sur un grabat. À la vue de son fils et d'un étranger, il tenta de parler, mais sa bouche était tordue et les sons qui en sortirent étaient inintelligibles. Il s'agita. Jésus s'accroupit près de lui et posa la main sur sa tête. L'homme sursauta et poussa un cri. Jésus garda la main sur sa tête et l'homme s'agita de nouveau. Son fils s'accroupit aussi et lui prit la main.

— Père...

Le visage du malade sembla retrouver sa symétrie. Il se tourna vers Jésus, égaré :

— Qu'est-ce que tu as fait ?

— J'ai appelé sur toi la miséricorde du Seigneur.

— Quoi ?

— Père, tu parles !

L'homme leva le bras droit.

— Et mon bras... J'ai retrouvé mon bras !

— Et ta jambe, père : regarde !

L'homme se leva d'un bond, faillit perdre l'équilibre et saisit Jésus par les épaules :

— Qui es-tu ? Dis-moi ton nom !

— Jésus bar Yousef, fils d'Adam.

Il tira de sa besace deux pains qu'il avait emportés, les mit dans les mains du miraculé et donna un shekel au jeune homme. Celui-ci se jeta aux pieds de Jésus et fondit en larmes.

— Rendez grâce au Seigneur, et toi, reprends ta vie pour que vous puissiez vous nourrir. Et toi, Joaquim, apprends que la faveur divine ne s'achète pas, mais qu'elle est concédée par le repentir.

Il était déjà dans la rue, mais le père et le fils l'agrippaient par le manteau et Joaquim criait :

— Cet homme a guéri mon père !

Des voisins accoururent et les bouches béèrent. Une femme se précipita chez elle et en ressortit quelques instants plus tard, tenant dans les bras un enfantelet presque bleu.

Jésus était venu le matin guérir un homme ; il ne put quitter Chorazeïn que lorsque le soleil commençait à décliner. Une bonne partie de la population le suivit sur la route de Bethsaïde en chantant les louanges de l'Envoyé du Seigneur.

Notes du chapitre 14

39. Les rapports que Jésus entretint avec sa mère et ses frères diffèrent radicalement de l'image que l'on tendrait à s'en faire ; ils ne sont pas de mon invention, mais sont décrits par les Évangiles eux-mêmes. Marc rapporte que, lorsque Jésus commença à prêcher et qu'il attira des foules, « la famille se mit en route pour le prendre en charge, car les gens disaient qu'il avait perdu la raison » (Mc. III, 21). Incidemment, cela indique que sa mère aurait porté peu de crédit à la prédiction de l'ange Gabriel, qui lui avait annoncé la naissance en Jésus du « Fils du Très-Haut ».

Jésus ne leur portait guère plus d'attachement ; on lit ainsi, dix versets plus bas : « Alors sa mère et ses frères arrivèrent et, demeurés à l'extérieur, ils lui firent porter un message lui demandant de sortir les rejoindre. » (Mc. III, 31.) Jésus et les apôtres se trouvaient en effet dans une maison envahie par ceux qui voulaient l'entendre. Jésus reçut le message et s'écria : « Qui est ma mère ? Qui sont mes frères ? » Et, regardant autour de lui le cercle de ceux qui étaient assis, il dit : « Voici ma mère et mes frères. Quiconque accomplit la volonté de Dieu est mon frère, ma sœur, ma mère. » On n'est pas plus aimable.

Sans doute cette animosité familiale explique-t-elle d'autres déclarations véhémentes telles que celle-ci : « Si quelqu'un vient à moi sans haïr son père, sa mère, sa femme, ses enfants, ses frères, ses sœurs et jusqu'à sa propre vie, il ne peut être mon disciple. » (Lc. XIV, 26-27.) Ces propos seraient de nos jours jugés odieux, mais dans le monde juif du Ier siècle, ils étaient blasphématoires, car ils contrevenaient avec brutalité au sixième commandement : « Père et mère honoreras. » Néanmoins, il s'obstina : « N'appelez personne votre "père" sur la terre, car vous n'en avez qu'un, le Père céleste. » (Mt. XXIII, 9.)

Cette véhémence porte évidemment à s'interroger sur les frères de Jésus et les raisons de l'hostilité réciproque. Matthieu est le seul à citer des frères et des sœurs de Jésus ; il nomme seulement les premiers, au nombre de quatre, Jacques, Joseph, Simon et Judas (Mt. XIII, 55-56), les sœurs étant sans doute tenues pour quantité négligeable ; on connaît cependant leurs noms par un évangile apocryphe, le Protévangile de Jacques, selon qui Joseph avait eu d'un premier lit et d'une épouse nommée également Miryam (Marie) quatre fils et deux filles, Lydia et Lisya. Ces frères et ces sœurs n'auraient donc eu, en fait, aucun lien de consanguinité, Joseph n'étant pas le père biologique de Jésus. Les qualités de frères et sœurs ne pouvaient leur être concédées que par le fait que Joseph aurait reconnu Jésus. Sans doute ne firent-ils pas bon accueil à un enfant qu'ils considéraient comme né de père inconnu, donc bâtard.

Paul écrivit plus tard qu'il n'avait connu aucun des apôtres – ce qui est douteux, puisqu'il eut maille à partir avec Pierre –, « à l'exception de Jacques, le frère du Seigneur » (Gal. I, 19), qu'il accuse cependant d'avoir détourné Pierre de « la voie droite » (Gal. II, 11-14).

40. Les Évangiles rapportent plusieurs guérisons d'aveugles par Jésus ; il faut rappeler que diverses affections oculaires, telles qu'ophtalmie, conjonctivite, blépharite, pouvant réduire considérablement la vue, surtout non soignées, étaient à l'époque considérées comme des cécités ; sans réduire en rien le pouvoir de Jésus, on peut avancer que leur guérison n'était peut-être pas la plus révélatrice de ce pouvoir. Et celle que Jésus opère en appliquant de la salive sur les yeux d'un de ces malades (Mc. VIII, 23) pourrait avoir été un acte thérapeutique simple enseigné chez les Esséniens, qui faisaient aussi profession de guérisseurs (on les appelait Thérapeutes) et avoir inspiré un récit évidemment prodigieux. Elle pourrait avoir consisté tout bonnement à laver à grande eau des paupières scellées par les sécrétions d'une conjonctivite ; on relève d'ailleurs que, dans cette guérison, Jésus emmena l'aveugle « hors du village ». Si ç'avait une guérison miraculeuse, elle aurait pourtant pu se faire sur place.

15.

— N'est-ce pas toi qui as pris la parole à la synagogue de Gamala, au dernier sabbat ?

Informé du miracle de l'aveugle Abel, le rabbin en charge de la synagogue de Bethsaïde-Ioulias s'était rendu à la maison de Miltos. Voix feutrée, ton déférent, sourcils inquiets. Il s'appelait Ezer bar Sallaï.

Jésus hocha la tête.

— C'est donc toi qui as guéri la jambe de mon frère Mika ?

Les nouvelles couraient vite.

— Oui.

Les gens ne s'intéressaient-ils donc qu'aux prodiges ?

— Écoute, mon frère, le vrai prodige adviendra quand tous ces gens se rappelleront l'existence de leur Seigneur et qu'ils prendront conscience de leur servitude.

— Je suis venu te demander si tu accepterais de prendre la parole à la synagogue ce sabbat.

— Je le ferai.

Le rabbin se confondit en remerciements, il prit congé et l'esquisse d'un sourire adoucit le visage de Jésus. Pris au dépourvu par un miracle dont il ignorait tout, Bar Sallaï se donnait ainsi l'air de contrôler les événements.

Et comme prévisible, une fois de plus, dans les heures suivantes, les égrotants de Bethsaïde-Ioulias défilèrent à la maison de Miltos pour implorer le secours du guérisseur. Ils se groupèrent devant sa porte.

— Examine les désespérés, dit Jésus à son hôte. Il ne revient pas au Seigneur de remédier aux excès de bonne chère de ces gens, ni aux effets de leurs imprudences. Notre Dieu n'est pas un rebouteux !

Miltos sortit donc inventorier les candidats aux grâces divines. Il en connaissait plusieurs : à sa vue, ils entonnèrent leurs gémissements ou leurs geignardises, c'était selon. Ils souffraient des infortunes ordinaires de la vie, rhumatismes, mauvaise vue, obésité, pas de quoi alerter le ciel. Mais il y avait une jeune fille qu'il n'avait jamais vue : treize ou quatorze ans, échevelée, encadrée par deux hommes qui tentaient de la maintenir et suivie par des femmes éplorées, elle grimaçait affreusement et crachait des indécences. Elle était laide comme un rat.

— Qu'a-t-elle ? demanda-t-il en pointant le doigt vers la disgraciée.

— Un démon l'habite, gémit une femme, sans doute sa mère.

La possédée poussa un glapissement. Miltos rentra prévenir Jésus.

— Tu la reconnaîtras tout de suite. Je la crois vraiment possédée.

Jésus sortit. Une clameur l'accueillit. À sa vue, la fille glapit encore plus furieusement que tout à l'heure. Elle hurla une obscénité et se débattit dans les poignes qui la maîtrisaient. Sa furie se déchaîna quand Jésus posa les mains sur sa tête. Elle tenta de le mordre. L'odeur qui se dégageait d'elle était détestable.

— Sors de cette fille, esprit impur ! Sors, larve des ténèbres !

La fille hurla. Elle bavait et pleurait à la fois. Mais Jésus lui maintenait aussi la tête dans ses mains. Les autres observaient la scène à distance, épouvantés, s'attendant à voir un monstre griffu déchirer la peau de l'ensorcelée et répandre ses excréments alentour. Leurs maux ne pesaient certes pas lourd en regard de cette malédiction vivante.

Hoquetant et haletante, la fille grognait comme une bête enragée.

— Sors, je te l'ordonne au nom du Dieu de bonté ! Sors, immondice, fiente du Mal !

La fille vomit et ses vomissures souillèrent sa robe. Elle n'en finissait pas de vomir. Mais elle avait cessé de se débattre.

C'étaient des sanglots qui maintenant la secouaient. Jésus retira ses mains et la malheureuse leva vers lui un visage défait, désolé, désemparé. Et elle n'était plus laide. Elle haleta, hoqueta :

— Pardon... Pardon...

— Je te pardonne, au nom du Dieu de bonté.

Ses gardiens la relâchèrent, elle s'écroula, face contre terre, devant Jésus.

— Emmenez-la et lavez-la, de ses cheveux à ses pieds. Brûlez les vêtements qu'elle porte et donnez-lui des neufs. Habillez-la comme pour la fête, car elle a été bénie par le Seigneur. Elle vient de renaître. Et faites faire à la synagogue le sacrifice requis pour sa purification.

Il rentra dans la maison tandis qu'une rumeur d'hommages s'élevait. Les mal-portants ordinaires s'abstinrent d'importuner le mystérieux guérisseur.

L'épreuve décisive serait celle du sabbat, il le savait.

— On ne parle plus en ville et alentour que de tes bienfaits, l'avait prévenu Miltos. Même les païens.

Aussi Ezer bar Sallaï n'avait jamais vu tant de monde à sa synagogue. Des Grecs et des Romains, dont plusieurs parlaient aussi l'araméen, occupaient même le parvis. Le rabbin annonça qu'il céderait la parole à Jésus bar Yousef, l'homme par qui le Seigneur répandait ses bienfaits à Bethsaïde.

Et Jésus monta donc en chaire.

— Nous sommes dans ce lieu pour prier le Seigneur notre Dieu unique de nous garder dans sa faveur selon nos mérites. Car c'est lui qui, dans sa toute-puissance et son infinie sagesse, commande chaque chose de la vie de ceux qui l'honorent et lui demeurent fidèles. Mais combien d'entre vous ignorent que les prières qui ne se disent qu'avec les lèvres n'atteignent pas le ciel, et que seules celles qui sont dites avec le cœur parviennent au trône de la Lumière où siège le Seigneur ? Telle est la raison de l'angoisse qui vous amène si nombreux en ce lieu. À peine avez-vous entendu que votre Dieu manifeste sa toute-puissante miséricorde en effaçant la misère de ses créatures les plus défavorisées que vous accourez, songeant : « Et moi ? M'a-t-il oublié ? » Absorbés par votre existence terrestre, que vous croyez être la seule et la plus précieuse de toutes, en quête perpétuelle de richesses, tels des renards en quête de rats, enivrés de plaisir, telles des souris dans un grenier garni, vous en demandez toujours plus et nul d'entre vous n'est jamais repu. Connaissez-vous les proverbes ? Il y en a un qui dit : « Mieux vaut peu avec la crainte de Yahweh qu'un trésor avec l'inquiétude. » Ainsi êtes-vous tombés dans la torpeur et la servitude, qui flattent la paresse de l'âme.

Il observa une pause. La perplexité, sinon la contrariété, se lisait sur plus d'un visage.

— Mais nulle saison n'est éternelle, celle de la paresse comme les autres. Le châtiment suivra. Vous vous êtes émerveillés que la miséricorde divine ait rendu la vue à un aveugle que, d'ailleurs, vous aviez fini par ne plus voir. Mais les aveugles, c'est vous ! Et nul ne peut vous guérir, parce que vous tenez un bandeau sur vos yeux. Retirez-le et la Lumière de l'Esprit céleste vous comblera. Votre cœur vous mènera vers le Créateur, le Dieu de bonté qui vous tend les bras. Gardez-le et, le Jour du Seigneur, vous défilerez avec les damnés qui descendront vers les abîmes de la misère éternelle.

Le silence qui suivit ces mots signa la fin du sermon.

— Qui es-tu, toi ? s'écria un des fidèles. Tu parles comme Élie. Es-tu celui-là ?

— Es-tu rabbin ? demanda un autre.

— Je le suis.

— Est-ce le Seigneur qui t'envoie ?

— Le Seigneur décide de chaque pas que fait sa créature. Celui qui marche de travers est égaré par le Démon. Je ne suis que l'envoyé de mon Créateur, notre Père à tous.

— Quel était le mérite de la possédée que tu as libérée ?

— Dans son indulgence, le Seigneur concède le pardon, insuffle sa force aux faibles et relève ceux qui sont tombés. J'ai libéré cette enfant des griffes du Démon.

— Tu es donc la main du Seigneur ? Mais dis-le, dis-le !

Dans un mouvement général et donc confus, les questions se multiplièrent, les fidèles se pressèrent vers Jésus et le rabbin Bar Sallaï, décidément dépassé par les événements, leva les bras pour ramener un peu de calme. Yacoub, le demi-frère de Jésus, Miltos et d'autres entourèrent Jésus, l'accompagnèrent à la porte et lui frayèrent un chemin dans la haie des enthousiastes et des fiévreux qui l'attendaient à l'extérieur. L'un de ceux-ci était un jeune homme à la mise modeste, sinon râpée, qui ne s'agitait pas et se contentait de regarder Jésus. Quand le groupe se fut éloigné de la synagogue, son regard se fit pressant et Jésus le perçut.

— Tu veux me parler ?

— Oui, rabbi, je t'ai entendu. Je me nomme Philippe et je suis natif de cette ville. J'ai dix-sept ans. Je suis pêcheur. Tu as changé ma vie. Je ne te demande qu'une chose : laisse-moi être avec toi.

— Comment ai-je changé ta vie ?

Des gestes désordonnés des mains révélèrent que Philippe ne se servait pas facilement des mots. Il fallait regarder ses yeux pour y déchiffrer ce qu'il tentait d'exprimer. Et quoi ? De l'ardeur. De la joie. De l'attente.

Philippe : un nom grec, qui signifiait « ami des chevaux ». Que de Juifs qui portaient des noms grecs, tels qu'Alexandre, « protecteur des hommes », ou Nicodemos, « peuple victorieux »... Les fils d'Israël étaient-ils donc à court de noms, qu'ils allassent en emprunter aux Grecs ?

Sa vie était sans but et sans lumière, finit-il par expliquer. Allez exposer le morne quotidien d'un pêcheur de Galilée, lever à l'aube, coucher au crépuscule et travail harassant entre les deux, sous un ciel de feu ou bien de glace, tout ça pour arracher des poissons au lac !

— Rabbi, il te faudra des hommes pour te seconder.

C'était vrai.

— Bien, tu prendras ce soir ton premier repas avec moi.

La joie dans les yeux de Philippe faisait chaud au cœur.

Jacques avait entendu l'échange.

— Moi aussi, dit-il.

Cela ne signifiait apparemment rien. Le langage, qui semble si riche quand il faut défendre l'insignifiant ou le dérisoire, devient pareil à un instrument mal taillé pour exprimer les sentiments. Mais Jésus comprit.

— Que dira Judas ? demanda-t-il.

Un geste de colère de la main, comme pour chasser une guêpe. Puis un haussement d'épaules.

— Judas n'est pas mon père.

— Tu ne gagneras pas d'argent avec moi.

— Je saurai me nourrir.

— Ton choix me convient.

Jacques saisit une main de celui qui était après tout son demi-frère présumé et la serra avec force. Les deux hommes se sourirent et la maison de Miltos compta donc deux occupants de plus[41].

Une heure avant le souper, Jésus emmena Jacques et Philippe à la rivière proche.

— Le respect que vous devez au Seigneur et à vous-mêmes veut que vous ne preniez vos repas que purifiés, déclara-t-il en se défaisant de ses habits et de ses sandales. Faites comme moi.

Il avança dans l'eau, s'accroupit et se lava. L'eau était glacée, mais elle fouettait le sang. Il avait emporté avec lui un savon et un linge dont ils ignoraient l'usage. Il s'en servit pour se sécher rapidement et se rhabilla. Ils l'imitèrent, mais en soufflant comme des soufflets de forge et se servirent du même linge avec une belle énergie. Puis ils allèrent souper. L'eau froide avait aiguisé les appétits.

— Nous ne serons pas longs chez toi, Miltos.

— Rabbi, ta présence et celle de tes disciples est un honneur. Mais où iras-tu ?

— Parler aux gens des autres villes de Galilée.

Il resta cependant à Bethsaïde-Ioulias plus longtemps qu'il ne l'avait prévu. Les nouvelles des guérisons avaient circulé dans la région et des gens venaient des parages à la recherche du guérisseur envoyé du Seigneur, car c'était ainsi qu'on le désignait désormais ; ils emmenaient avec eux des malades dont seule la puissance divine, en effet, pouvait changer le sort.

Et ils avaient constaté que lorsqu'on lui présentait un malade, il ne pouvait s'empêcher de tendre les mains vers lui. Un irrépressible élan de bonté le poussait à chasser la souffrance d'autrui. Car la souffrance, c'était le Mal...

Mais Jésus semblait fatigué. Ces guérisons absorbaient une partie de ses forces. Et les gens à l'extérieur essayaient de se frayer un passage dans la maison. Philippe, Jacques et Miltos tentèrent de les repousser.

— Nous voulons voir l'Envoyé du Seigneur ! Nul n'a le droit de nous en empêcher !

Jésus leur fit face et leva les bras.

— Pieuses gens, laissez-moi le temps de me reposer. Vous êtes venus parce que vous avez entendu que le Seigneur m'a concédé le pouvoir de soulager les souffrances. Mais songez que la puissance du Seigneur se manifeste partout. Moi, je ne puis soulager qu'une seule de ses créatures à la fois. Revenez demain et priez en attendant, préparez vos cœurs au Jour du Seigneur...

Ce fut alors qu'il aperçut un visage dans la foule. Inattendu et pourtant connu. L'échange de regards fut infinitésimal, pareil à l'éclair au loin, mais chacun sut que l'autre l'avait vu.

— Sois béni, Envoyé du Seigneur, dit un homme, mais sois certain que nous reviendrons.

Jésus hocha la tête. Ils partirent et, un moment plus tard, il sortit à la rencontre de Marie, la sœur de Marthe et de Lazare.

Car c'était elle. Il l'avait tant appelée en pensée qu'elle l'avait sans doute entendu. Il songea alors qu'elle ne lui manquerait plus.

Elle lui baisa les mains et le regarda un long moment.

— Tu es venue de Béthanie ?

— Des voyageurs m'ont appris que tu étais en Galilée. Ils avaient la bouche pleine de tes prodiges. Rabbi, ma vie loin de toi n'a aucun sens. J'ai compris que je ne peux vivre que sous ton regard. Lui seul justifie mon existence.

— Ton regard aussi est une lumière. Mais je serai tout le temps en voyage. Que feras-tu pendant ce temps ?

— Si tu le permets, je te suivrai.

Elle s'avisa de la présence des trois hommes qui observaient la scène à distance.

— Rabbi, j'ai loué une maison à Kefar Nahoum. Elle est à toi.

Il apprécia le sens de l'organisation autant que la générosité de cette femme : elle avait donc été d'abord à Kefar Nahoum pour louer la maison, puis était venue à Bethsaïde afin de l'y inviter.

— Ces hommes sont mes compagnons.

— Ils sont les bienvenus, rabbi.

Il lui dit leurs noms. Elle les salua. Il leur annonça qu'elle serait des leurs ; ils furent évidemment gauches. Une femme suivant des hommes sur les grands chemins ? Seule l'autorité de Jésus pouvait couvrir pareil manquement aux coutumes.

— Partons donc, dit Jésus.

— Et les gens qui reviendront demain ? intervint Philippe.

— Ils iront à Kefar Nahoum. Ce n'est pas loin.

Miltos, lui, ne pouvait quitter sa famille ; il demeurerait à Bethsaïde-Ioulias.

— Qui est cette femme ? demanda Jacques dès qu'il en eut l'occasion, mais sur le ton de quelqu'un qui aurait détenu quelque autorité sur son frère.

— La sœur d'un homme que j'ai sauvé.

— Va-t-elle vraiment nous accompagner ?

Le ton de la question exprimait la désapprobation ; aussi Jésus ne répondit pas tout de suite, mais défia son frère du regard.

— Y trouverais-tu à redire ?

— Une femme seule ?

— Et toi, n'es-tu pas un homme seul ?

— Que vont dire les gens ?

— S'il y en a qui s'étonnent de la présence d'une femme, tu leur demanderas si leur père s'est accroupi pour les mettre au monde.

La crudité de la repartie laissa Jacques interdit ; il n'insista pas.

Marie avait amené deux ânes, mais Jésus ne voulait pas bénéficier d'une monture quand ses adeptes allaient à pied ; cela choquait la délicatesse à l'égard de deux hommes qui lui vouaient leur vie. Elle fut donc seule à faire le trajet à dos d'âne ; aussi, c'était une femme, et comme elle était bien née, elle montait en amazone ; l'autre bête fut chargée des ballots des trois hommes. Ils longèrent la mer qui se dorait de plus en plus dans le couchant et parvinrent à destination peu avant le crépuscule. Les pêcheurs halaient leurs barques le long du rivage. D'une certaine manière, ces bateaux étaient des ânes de mer : il fallait à la fin de la journée les ramener en lieu sûr.

C'était une vaste demeure à la grecque que Marie avait louée à Kefar Nahoum : ces païens cultivaient l'art de vivre et ils y mettaient du talent. Des domestiques attendaient les hôtes devant la porte. À l'intérieur, des braseros entretenaient une tiédeur apaisante et parfumée[42].

— La maison comporte une étuve, rabbi, annonça-t-elle.

Elle se souvenait de l'attachement de Jésus au rite des ablutions. Les trois hommes purent donc y sacrifier dans des conditions moins éprouvantes que dans la rivière glacée. Quand ils se furent rhabillés, un domestique annonça que le souper était servi. Des salades, du poisson frit, un ragoût de mouton et un cruchon de vin. Trois couverts. Les coutumes que Jacques avait rappelées un peu plus tôt voulaient qu'aucune femme ne participe à des repas d'hommes, étrangers de surcroît. Jésus fit appeler Marie et bénit le repas. Ils s'assirent. Elle demeura debout.

— Assieds-toi, Marie. Le Seigneur a réservé sa place à la femme dans son royaume.

Il emplit un gobelet de vin et le lui tendit. Elle avait sans doute soupé, car elle ne toucha à aucun plat. Elle ne parvenait pas à se défaire aussi vite de la tradition. Jacques demeura impassible, et Philippe semblait étranger à la coutume : chez les pêcheurs, on était trop content d'avoir à manger et l'on ne possédait même pas une table.

— Rabbi, dit Marie, il viendra beaucoup de monde. Il y a près d'ici un homme qui annonce ta venue à pleins poumons.

— Un homme ? Quel homme ? Depuis quand ?

— J'ai appris qu'il est arrivé à Salim voilà quelques jours. Il s'appelle Jean[43].

La stupéfaction de Jésus fut évidente.

— Jean bar Ezekiah, précisa Marie. Il est passé nous voir à Béthanie, Marthe et moi, quand il a quitté Sokoka, lui aussi. Il nous apportait des nouvelles de Lazare.

Jean avait donc suivi son exemple ; il avait quitté la Judée pour la Galilée.

— Que veux-tu dire par "annoncer ma venue" ?

— Il nous a dit, à Marthe et moi, qu'un Envoyé du Seigneur viendrait ouvrir la voie de l'Esprit et de la Lumière. Mais je n'ai pas été à Salim.

Philippe et Jacques écoutaient, l'air grave. Les liens entre leur maître et cette femme étaient donc plus étroits qu'ils ne l'avaient cru.

— Est-ce toi, rabbi?

— Les temps sont proches, répondit-il après un long silence. Les voiles qui protégeaient les Ténèbres tombent en lambeaux, la Lumière de l'Esprit ne tardera pas à percer.

— Où est Salim? demanda Jacques.

— Au sud de la mer de Galilée, répondit Philippe.

Pourquoi, grand ciel, Jean avait-il choisi cette ville-là? Jésus y était passé en remontant vers la Galilée, mais n'en avait pas gardé un souvenir marquant.

L'heure du repos vint. Marie baisa la main de Jésus et se retira. Gagnant sa chambre, l'esprit occupé de la présence de Jean dans les parages, Jésus s'avisa que Marie s'en allait vers la partie opposée de la maison. Peut-être les deux disciples s'en avisèrent-ils aussi.

Pourquoi les coutumes des hommes séparaient-elles ce que le Créateur avait uni? Nul ne s'était-il donc avisé qu'elles en révélaient bien plus qu'elles ne cachaient?

Notes du chapitre 15

41. Tel qu'il est décrit par les évangélistes, le recrutement des apôtres est expédié, c'est le seul mot approprié, comme une formalité d'intérêt secondaire. Ce furent pourtant ces hommes qui fondèrent la première Église et y risquèrent leur vie, comme Pierre et Jean. Le souci de le reconstituer avec quelque vraisemblance ne procède pas d'une nécessité romanesque, mais de la compréhension du contexte. Il était nécessaire de montrer qu'il y avait à l'époque des gens disposés à quitter famille et métier pour suivre sur les grands chemins un homme qui changerait l'essence de la foi. Qui étaient-ils ? Les Évangiles ne nous éclairent pas le moins du monde et avancent même des détails apocryphes, comme le fait que Thomas aurait été surnommé Didyme, invention tardive d'un traducteur inexpérimenté, le nom « Thomas » et le mot « jumeau », *tourné* en araméen, ne se différenciant que par la position d'un accent. Il semble également que la désignation « Iscariote », traditionnellement accolée à Judas fils de Simon, soit une invention d'origine araméenne, *iscaria* signifiant « hypocrite » dans cette langue, et non pas « sicaire », reprise par un traducteur grec qui n'y avait rien compris.

Certains apôtres sont réduits à des personnages sans substance, tels Simon, tantôt dit « le Cananéen », appellation qui n'a pas grand sens, puisqu'elle signifie « de Canaan », ce qui était le cas de tous les autres, et tantôt « le Zélé » ou « le Zélote », et dont le nom du père n'est même pas cité. Tel est également le cas de Judas et de Jacques.

Mais c'est surtout le mode du recrutement décrit par les Évangiles qui défie la crédibilité : il représente Jésus désignant ses apôtres du geste pour leur intimer de le suivre, comme un parrain d'il y a deux mille ans aurait choisi ses sbires. Ainsi, apercevant Pierre et André sur la rive du lac de Génésareth, il leur aurait dit : « Venez à ma suite et je vous ferai pêcheurs d'hommes », ce qui ne pouvait pas signifier grand-chose pour des pêcheurs de l'époque, puis il aurait fait de même avec Jean et Jacques de Zébédée, et les quatre hommes auraient tout abandonné sur-le-champ, famille, métier, barques et filets, sans même savoir qui il était. Idem pour Matthieu, qui aurait quitté son bureau de la douane sur une seule injonction : « Suis-moi. » C'était là prêter bien peu de sens commun aux futurs apôtres.

La mention cursive, voire expéditive, de soixante-douze autres disciples (Lc., X, 1), sur lesquels rien n'est dit, ne contribue pas à la clarté des récits. Il faudrait en conclure que les apôtres auraient été 84, et non 12.

Ces récits linéaires, bien plus proches de l'apologue que d'une relation véridique et crédible de la vie de Jésus, étaient destinés à des auditeurs qui n'en savaient pas plus sur le monde juif que les auteurs ; visant à démontrer la nature irrésistible de l'appel de Jésus, ils ne peuvent expliquer l'engagement de ces hommes pendant les trois années du ministère de Jésus. Or, cet engagement ne pouvait procéder que d'un ralliement volontaire ; il était autant motivé par le spectacle des guérisons miraculeuses opérées par Jésus que par l'attente diffuse d'un nouveau David qui rendrait sa fierté à un peuple sous une double domination : celle de l'étranger païen et celle d'une institution sacerdotale isolée dans sa puissance et sa splendeur.

42. Une lacune criante des récits évangéliques affecte le mode de subsistance des douze hommes qui suivirent Jésus. Même astreints à un régime ascétique, ils devaient quand même subsister sur un minimum, se nourrir, acheter des sandales, pour ne parler que de ces accessoires, et, quand ils arrivaient dans une ville étrangère, payer un toit pour la nuit. Car on ne peut imaginer que, pendant près de trois ans, Jésus et les apôtres aient dormi à la belle étoile, n'aient bu que de l'eau et se soient nourris de baies sauvages. Il est certes vraisemblable que Jésus ait reçu des dons de riches adeptes ou de bénéficiaires de bienfaits miraculeux, mais ils étaient par nature irréguliers et ne pouvaient suffire aux besoins de treize hommes constamment sur les grands chemins. De surcroît, l'hostilité croissante des pharisiens devait freiner la générosité des donateurs.

L'explication la plus plausible est qu'une partie des frais fut assumée par Marie de Magdala, dont les Évangiles nous apprennent, par l'épisode fameux du repas chez Simon, le Lépreux selon Matthieu et Marc, le Galiléen et Pharisien selon Luc, qu'elle était très riche : elle versa sur les cheveux et les pieds de Jésus un flacon de parfum qui valait, estime Judas dit l'Iscariote, trois cents deniers, somme alors considérable sinon démesurée pour un hommage à un maître spirituel, ce qui scandalisa Judas, révélant ainsi sa présumée vénalité (v. note 66). Elle n'était pas la seule à assurer les frais de voyage de Jésus et des disciples, Luc rapportant que Jeanne, femme de Chouza, intendant d'Hérode, et

Suzanne «les assistaient de leurs biens» (Lc. VIII, 2-3). On ignore tout de cette Suzanne, que seul Luc mentionne, et encore une seule fois, sans aucun détail sur sa parenté, ce qui révèle une fois de plus que les évangélistes en savaient bien peu sur la réalité de la vie de Jésus et les personnages qui l'entouraient. De surcroît, l'intention des évangélistes n'est que trop évidente : reléguer les femmes à l'arrière-plan d'une histoire d'hommes.

Rien n'est indiqué non plus sur les maisons où Jésus habita, notamment à Jérusalem lors de son dernier séjour. Il faut pourtant admettre que ni lui ni les apôtres n'y dormirent sur le pavé et que, soucieux comme il l'était de la propreté rituelle, il y disposa d'une demeure.

43. Les premières mentions des activités de Jean le Baptiste sont situées par les évangélistes «dans le désert de Judée» (Mt. III, 1), «dans le désert» (Mc. I, 4 et Lc. III, 3) et «à Béthanie» (Jn. I, 28); incidemment, on imagine mal ce qu'il faisait à Béthanie, près de laquelle ne se trouve aucun cours d'eau. Mais ensuite, on voit que le Baptiste a été arrêté et décapité par Hérode (Mt. XIV, 3 et Mc. VI, 17), ce qui n'a pu avoir lieu dans le désert de Judée, hors de la juridiction du tétrarque. Jean, lui, rapporte qu'avant son arrestation il «baptisait à Aenon, près de Salim, car les eaux y abondaient» (Jn. III, 23). Il faut en conclure que le Baptiste avait quitté Quoumrân, au nord de la mer Morte, pour la Galilée; les Esséniens ne passaient pas obligatoirement leur vie à Quoumrân et certains, notamment ceux qui voulaient fonder une famille, partaient constituer des communautés isolées aux abords des villes. Peut-être le Baptiste quitta-t-il la communauté de Quoumrân pour les mêmes raisons que Jésus : lassitude de la vie quasi monastique et désir de passer à l'action.

16.

Le sommeil tarda.

Les images de Jean et de Marie se succédaient en désordre dans la pénombre où rougeoyait un brasero. Le comportement et les propos de Marie montraient sans conteste qu'elle s'était donnée à lui : *ma vie loin de toi n'a aucun sens*. Et elle avait déclaré qu'elle voulait le suivre toute sa vie : elle se donnait donc à lui, corps et âme. Que n'était-elle là, dans ses bras ? Il n'avait connu aucune femme ; elle était la première qu'il désirait. Mais s'unir à elle signifierait qu'il fonderait une famille et il voyait trop bien qu'il ne pouvait faire courir les grands chemins à une mère et à ses enfants. L'avait-elle compris, elle aussi ? Cela ne changeait cependant rien au désir.

Son arrivée en Galilée démontrait que Jean s'était rallié aux convictions que Jésus lui avait exposées lors des veillées au bord de la mer de Sel. Il admettait enfin que les Livres avaient autant vieilli que leur parchemin et que, si la Loi demeurait éternelle, le Seigneur de vengeance qu'ils présentaient au peuple ne pouvait être le Dieu de bonté que le monde attendait. Jean était parvenu à la même conclusion que Jésus : c'était de Galilée que viendrait la Lumière qui se répandrait sur la Judée ; celle qui confondrait un clergé sclérosé asservissant depuis trop longtemps le peuple du Seigneur, la lumière d'une nouvelle Alliance. Mais leurs convictions s'harmonisaient-elles ? Jean avait vécu plus longtemps que lui à Sokoka, trop longtemps peut-être, et Jésus n'était pas certain qu'il souscrivît entièrement au rejet de ceux qu'il désignait comme les Livres de Vengeance. Et pourquoi n'était-il pas venu voir Jésus à son arrivée ?

Mais enfin le sommeil descendit.

Les premières heures de la matinée confirmèrent les prévisions de Marie. Les gens qui entouraient la maison étaient encore plus nombreux qu'à Bethsaïde-Ioulias. Kefar Nahoum était une ville de commerce ; on y parlait donc beaucoup et les nouvelles allaient vite.

— Est-ce ici qu'habite l'Envoyé du Seigneur ?

— Quand pourrons-nous voir l'Envoyé du Seigneur ?

Car ils avaient été informés par ceux qui étaient venus de Bethsaïde-Ioulias : le guérisseur prodigieux était le même que celui qu'annonçait Jean. Ils ne venaient pas tous dans l'espoir d'une guérison, mais il y en avait quand même beaucoup.

Il sortit enfin sur la terrasse, escorté de Philippe et de Jacques. Une rumeur monta et enfla :

— Le voilà !

Alors, aux premiers rangs de l'attroupement, un homme voûté et prodigieusement laid, gros nez déformé, menton fuyant, yeux de belette, l'apostropha d'une voix stridente et grinçante :

— Qu'es-tu venu faire dans ce pays, mauvais berger ?

Des cris d'indignation jaillirent.

— Tais-toi ! Chassez ce mécréant ! Ne l'écoute pas, rabbi, c'est un possédé !

Des bras saisirent ceux du trublion afin de l'écarter. Mais il résistait avec hargne, fixant Jésus d'un regard haineux et secouant vers lui une main souillée qui semblait près de se démancher.

— Approche un peu, phraseur, que je te fasse mordre la poussière !

Là, des hommes l'empoignèrent plus fermement, mais l'autre était animé d'une force singulière et ne se laissait pas maîtriser.

— Approche un peu !

Des bâtons se levèrent. Il fallait éviter qu'ils retombent sur le provocateur. Jésus descendit de la terrasse et s'avança vers son insulteur. La fureur de celui-ci redoubla. Il cracha, grogna, gronda et poussa des hurlements aigus. Quand Jésus, excédé par ces mômeries bestiales, le saisit par les épaules, l'agitation du démoniaque atteignit son paroxysme. Il sautait sur place, hurlant de plus en plus fort. Et il répandait une puanteur tellement infâme que les hommes près de lui détournaient la tête en grimaçant.

— Je te connais, excrément des Ténèbres! cria Jésus, hors de lui. Sors de cet homme. Sors! Que les scorpions de ton maître te piquent de leur venin! Sors, ordure! La Lumière te tord les tripes, n'est-ce pas, esprit de merde!

L'homme hurla, glapit, sanglota et tomba face contre terre, secoué des derniers spasmes de la folie maléfique. Les gens le regardaient, épouvantés. Au bout d'un temps indéterminé, peut-être une demi-heure, ses sanglots se mêlèrent de spasmes et de gémissements. Puis il s'immobilisa, haletant, rampa vers les pieds de Jésus et, à la stupéfaction générale, les couvrit de baisers. On le releva : une loque pantelante qui retomba sur ses genoux cette fois.

— Il est parti, bégaya-t-il, il est parti... Que le Seigneur te bénisse...

Jésus posa la main sur sa tête. L'homme leva vers lui un visage ruisselant et béat.

— Oui, soupira-t-il, qu'il te bénisse.

— Va te laver, ordonna Jésus. Coupe-toi les cheveux et brûle-les. Puis demande au rabbin de faire ce qu'il faut pour ta purification.

On l'emmena, mais il fallait le soutenir par les aisselles. Il tenait à peine debout. Il s'appelait Amos.

— Il commande aux démons, s'écria un témoin extatique. C'est bien lui, l'Envoyé du Seigneur!

Le commentaire se répandit dans la foule. Sur quoi Jésus remonta sur la terrasse et échangea un regard avec Marie, saisie. Il rentra dans la maison et commença les ablutions du matin, avec encore plus de soin que d'habitude, comme si le contact avec le possédé lui avait laissé des souillures sur les mains. Rien que d'y penser, il en avait un haut-le-cœur. Avec le temps, il en était de plus en plus convaincu, l'infamie de l'esprit contaminait le corps et un homme devenait responsable de son visage.

— J'avais l'impression de visiter le *Shéol*! lui confia Marie après l'épisode du possédé. Vas-tu guérir tous les démoniaques du monde ?

— Il faudrait plus de force pour rejeter les misérables que pour les délivrer, Marie. Et une dureté de cœur que je ne puis avoir. Et plus, la renommée de ces guérisons me permet de répandre la lumière du Seigneur[44].

Ni Marie, ni Jacques, ni Philippe, nul n'avait proféré un seul mot en ce sens, mais l'évidence l'indiquait : la première mesure à prendre était de se rendre à Salim pour savoir ce que Jean disait de Jésus. Il avait certainement modelé l'esprit de centaines, de milliers de gens par ses discours et Jésus n'en savait rien. C'était comme si Jean dictait de loin les actions et les prédications de son ancien frère de Sokoka et la situation ne pouvait se perpétuer longtemps. Personne ne fut surpris quand Jésus annonça au souper qu'il partirait le lendemain de bonne heure pour Salim.

Ils furent donc quatre dans le matin froid, Marie sur un âne et un autre âne portant les provisions, les trois hommes à pied. Le voyage prendrait bien trois jours. Le trajet offrit assez de loisirs pour des échanges. Jacques et Philippe, ainsi que Marie, qui captait des bribes de leurs conversations, en apprirent assez sur Jean pour se faire à la fois une idée du personnage et de ses rapports antérieurs avec Jésus.

— Pourquoi as-tu quitté Sokoka ? demanda Jacques.

— Ce n'est pas en s'isolant dans une citadelle que l'on sert le Seigneur. Et je ne donne pas cher des chances de succès d'une attaque armée sur le Temple et, forcément, sur Jérusalem. Les Romains interviendraient sur-le-champ.

— Ne le savent-ils pas, à Sokoka ?

— La présomption leur laisse croire que, puisqu'ils se sont rangés sous la bannière du Seigneur, la victoire leur sera acquise.

— Mais pourquoi détestent-ils autant le clergé du Temple ?

— Jadis, leur grand chef, qu'ils appellent le Maître de Justice, fut exécuté avec ses compagnons par le grand prêtre du Temple, qu'ils désignent depuis lors sous les noms de Mauvais Prêtre et de Menteur.

— Est-il permis de te demander, rabbi, ce qui t'a attiré et ce que tu as appris chez eux ?

— J'ai été les rejoindre après avoir entendu ce que Jean m'en avait dit : ils se sont voués à la pureté et à la recherche de la Lumière, qu'ils veulent faire triompher contre les Ténèbres. J'ai aimé leur dépouillement et leur rejet des richesses. Ils sont tous égaux et leurs prêtres ne sont pas désignés parce qu'ils appartiennent à une caste supérieure, comme c'est le cas dans le clergé de Jérusalem. Ils ne s'enrichissent pas des dîmes qu'ils prélèvent sur le peuple et de l'argent des sacrifices. Chacun donne ce qu'il peut. Ils sont farouchement ennemis de la corruption qui règne à Jérusalem.

— Mais tu les as quittés...

La réponse vint après un temps :

— On ne sert pas le Seigneur, je l'ai dit, en s'enfermant dans une citadelle, hors de la vie qu'il nous a faite, en s'interdisant d'avoir des compagnes et une descendance. Et loin de ceux qui vivent comme le Seigneur l'a voulu, avec une famille.

Marie avait-elle entendu ces mots ? Elle tourna la tête et regarda Jésus.

L'entretien s'achevait, car le jour avait cédé la place au crépuscule et les voyageurs arrivaient en vue de leur première étape : Tibériade. On voyait de loin que cette ville, ainsi nommée par Hérode en l'honneur de l'empereur païen Tibère, était neuve et riche. Les voyageurs n'eurent pas de peine à trouver une auberge, où Marie loua des quartiers séparés pour les hommes et pour elle-même. Philippe mena les ânes à l'écurie, où des chevaux les considérèrent avec dédain. Puis il rejoignit ses compagnons aux bains dont l'auberge était évidemment dotée et qui comportaient même une salle réservée aux femmes.

Ils se retrouvèrent pour le souper. Jésus pria Marie à la table. Une fois de plus, Jacques ouvrit de grands yeux : une femme à table avec des hommes ?

— N'est-il pas écrit que Yahweh créa l'homme et la femme à son image ? dit Jésus, relevant leur surprise. De quel droit l'homme dédaignerait-il l'un des deux reflets du Créateur ?

Pris de court, le disciple baissa la tête.

— Ne sois pas embarrassé. Ta surprise reflète ton ignorance. La tradition ne crée pas la Loi. Et celle qui tient les femmes à l'écart des hommes ne fait que trahir leur faiblesse. Les hommes purs ne craignent pas de regarder les femmes.

Marie feignit de n'être pas décontenancée par le rang nouveau qui lui était assigné. Elle se contraignit à se servir de la salade de fèves et à en manger.

— Je ne sais pourquoi je nous trouve pareils à des pèlerins, dit-elle, à cette différence près que j'ignore où s'achèvera le pèlerinage.

La réflexion fit sourire Jésus.

— C'est une vie bénie que celle qui ressemble à un pèlerinage, car elle mène à la sagesse et au Seigneur. Les autres ressemblent au trajet des condamnés vers le supplice. Ils aboutissent à la mort sans savoir pourquoi ils ont vécu ni quelle est la cause de leur sentence.

— Sais-tu où se trouve le prophète Yohanan? demanda Yacoub à un homme sur le chemin, qui menait quelques moutons devant lui.

Le paysan fit un geste ample et vague :

— Devant, près de la rivière. Vous n'êtes plus très loin.

Les voyageurs reprirent donc leur route, réalisant que Jean était célèbre dans la région. Le mot « prophète » dans la bouche de Jacques surprit Jésus; il n'avait jamais considéré Jean comme un prophète. Il en fit l'observation à Jacques :

— Un prophète n'annonce-t-il pas l'avenir? S'il parle en public, c'est donc qu'il a quelque chose à annoncer.

Un attroupement de quelques dizaines d'hommes et de femmes sur un monticule leur signala l'endroit où prêchait Jean. Marie descendit de l'âne, Philippe attacha les deux bêtes à un chêne, puis ils avancèrent vers les gens. Avant même de le voir, Jésus reconnut de loin la voix de Jean :

— … Le monde, mes frères, est fait de lumière et de ténèbres. Si vous n'êtes de la Lumière, vous êtes des Ténèbres, c'est-à-dire du péché et du crime, de la pourriture et de la mort. Mais si vous êtes de la Lumière, la béatitude et la vie de l'Esprit vous sont promises. Car la Lumière est le royaume du Seigneur, alors que les Ténèbres sont celui du Démon. Si vous êtes des Ténèbres, vous êtes méchants jusqu'à l'os. On vous craindra, mais l'on vous haïra et votre vie sur cette terre n'aura été qu'un misérable prélude à la damnation éternelle! Après que vous serez ressuscités, comme tous les corps, vous serez rejetés dans les Ténèbres, où les démons déchireront votre carcasse pourrie jusqu'à la fin des temps! Cette chair que vous aurez préférée à l'Esprit n'en finira pas de se décomposer et les griffes des démons s'y enfonceront encore et encore!

Une rumeur d'effroi s'éleva des auditeurs.

Jésus se fraya un passage vers les premiers rangs, afin de voir Jean sans être aperçu de lui.

— Si vous avez combattu pour la Lumière, jamais les Ténèbres ne s'abattront sur vous, même la nuit, car vous y distinguerez les étoiles de la splendeur divine. Vous baignerez dans la bonté et la miséricorde du Seigneur, car il est le dispensateur de ces bienfaits. Quand on abaissera vos paupières sur votre dernier sommeil, vous apercevrez le sourire de la bonté.

Il observa une pause. Il portait la tunique de Sokoka sous le manteau; à ses pieds gisaient un maigre ballot et une gargoulette. Son masque émacié, sculpté par le soleil de midi, revêtait une expressivité que Jésus ne lui avait pas connue. Jean avait changé. Jacques avait raison: il était devenu un prophète.

— Jadis, notre peuple fut fidèle à ce Dieu qui l'avait arraché à la servitude de Misr. Son roi David fonda Jérusalem et le royaume que gouverna son fils Salomon. Le centre de ce royaume était le Temple, demeure du Seigneur. Mais les Ténèbres sont pleines de ruse! Elles entreprirent de corrompre les serviteurs de la Lumière et même Salomon toléra la présence sur son royaume de temples dédiés aux faux dieux! L'amour de son propre corps lui fit prendre des épouses asservies à ces faux dieux! La faiblesse s'est emparée de nos chefs comme le vice mine le corps. Les prêtres du Temple eux-mêmes ont été mordus par les serpents des Ténèbres!

Une pause brève, puis:

— Ces créatures d'argile se sont prises pour les princes de ce monde! Elles se sont vêtues d'or et d'écarlate et se sont enrichies de l'argent des offrandes que les fidèles font au Seigneur! Et cela en plus de la dîme des arbres et du bétail et de la dîme des vignes! Ils font même payer la dîme de l'aneth! Vous qui n'allez pas à Jérusalem, ce clergé vous considère comme des infidèles, puisque vous ne lui apportez pas vos dîmes !

Jean avait là atteint un paroxysme d'indignation ; il sembla près de s'étrangler. Il but une goulée d'eau à sa gargoulette et reprit :

— Et nous sommes tombés dans la servitude ! Et l'oubli du Seigneur de bonté ! Mais la patience du Seigneur est à bout. Bientôt son messager apparaîtra pour balayer les Ténèbres et la vermine qui la propage !

À l'intensité furieuse du discours, Jésus devina que Jean avait consommé de la panthère.

— Ce messager viendra restaurer le royaume de David et le culte unique de notre Seigneur dans toute sa pureté. Ouvrez vos yeux, ouvrez vos oreilles et surtout, ouvrez vos cœurs et purifiez-vous. Car si vous êtes purifiés, vous le reconnaîtrez à sa parole de bonté, ce vrai défenseur de la foi ! Il annoncera le jour du Seigneur !

Vacillait-il ? Il sembla épuisé.

Nul ne l'avait interrompu.

— Sais-tu quand, prophète ? lança enfin un homme.

— Le temps du Seigneur n'est pas celui des hommes, mais l'heure approche.

Pour signaler qu'il avait terminé sa harangue, Jean s'assit par terre. Se retournant pour chercher du regard Marie, Jacques et Philippe, Jésus constata que la foule se clairsemait. Les menaces n'attirent pas plus les humains que le vinaigre n'attire les mouches. Les gens se retiraient. Il demeura sur place et bientôt les deux hommes se retrouvèrent face à face, à une vingtaine de pas de distance. Jean reconnut celui qu'il avait jadis attiré à Sokoka ; il descendit lentement du monticule, le pas hésitant. Il étreignit Jésus et posa son front contre le sien, sans mot dire. Abandon et confiance.

— Tu es donc venu, dit enfin Jésus, l'écartant de lui pour mieux le regarder.

— Je prépare la voie du Seigneur. Et c'est de Galilée qu'il faut donner l'assaut.

Un temps s'écoula. Jean gardait ses yeux fixés sur ceux de Jésus.

— C'est donc toi que j'annonce.

— Moi ?

— Je savais déjà tes pouvoirs, j'ai appris les prodiges que tu accomplis au nom du Tout-Puissant. Tu ne peux ignorer que tu es l'Envoyé.

Il est des moments où les mots n'obéissent pas à la pensée : ils ne viennent pas d'emblée sur la langue, tout prêts à servir. C'était pour Jésus l'un de ceux-là ; il ne sut que répondre.

Marie, Jacques et Philippe s'étaient approchés.

— C'est ta femme ?

— Non, ce sont mes compagnons.

Jean hocha la tête. Marie murmura quelques mots à l'oreille de Jésus.

— Veux-tu te joindre à nous pour le souper ? demanda Jésus.

— Je t'en remercie, mais nous nous sommes dit là-bas ce que la volonté divine voulait que nous nous disions. Que pourrions-nous échanger maintenant sinon des mots de poussière ?

— Des mots de poussière ?

— Tout ce qui se dit ici-bas est poussière, tu le sais bien, je te l'ai entendu dire. Parfois, dans la nuit, là-bas, nous avons parlé selon l'Esprit. Ces mots-là ne tomberont pas sous nos pas. Où habites-tu ?

— Sur la terre, Jean, comme toi.

— Alors, où habite cette femme ?

— À Béthanie.

— Adieu.

Ils s'étreignirent de nouveau, longuement, puis s'éloignèrent l'un de l'autre. La certitude s'imposait pour Jésus : c'étaient leurs adieux et la dernière fois qu'il voyait Jean.

Les quatre voyageurs se retrouvèrent seuls dans le vent du soir. Aucun prodige n'avait révélé la présence de Jésus à Salim, personne ne vint donc lui offrir un toit et un repas. Pendant l'heure qui suivit, consacrée à la recherche d'une auberge ou d'un abri à louer pour y passer la nuit, ni lui ni ses compagnons n'échangèrent un seul mot sur l'entretien avec Jean, chacun pour ses raisons. La rencontre avec celui-ci avait figé leurs esprits sur le mode interrogatif : ils n'avaient en tête que des questions.

Pour Jésus, les mots de Jean posaient celle-ci, brûlante : savait-il, par inspiration divine, que Jésus était celui qui ferait triompher la Lumière et ouvrirait l'ère nouvelle? Avait-il admis qu'à l'exception de la Loi les Livres ne disaient que la vérité des prêtres et non celle du Seigneur?

Pour Marie, Jean avait confirmé ce qu'elle ressentait au plus profond d'elle-même : Jésus était l'Envoyé du Seigneur, ses pouvoirs le démontraient de façon éclatante. Mais elle appréhendait les combats à venir.

Pour Jacques, les pouvoirs de Jésus révélaient sa prédestination à un rôle important, mais il n'entrevoyait celui-ci que de façon confuse.

Pour Philippe, enfin, Jésus était le héros auquel son cœur aspirait et il se félicita de s'être spontanément rallié à lui. Mais quel serait son rôle dans les prochains combats?

Le seul espace qu'ils trouvèrent pour la nuit fut une grange qu'ils partagèrent avec deux vaches et les ânes. Et le seul repas fut une soupe de froment et de miettes de volaille qu'ils mangèrent en silence, à la lumière d'une lampe. Heureusement, Marie avait emporté des bols. Et aussi quatre couvertures, qu'elle distribua. Quand Jésus eut accroché la lampe à une poutre, ils s'emmitouflèrent chacun dans sa couverture, s'allongèrent sur la paille et partirent pour le sommeil. L'hiver était froid en Galilée. Comme à l'habitude, les capuches rabattues permettaient de récupérer un peu de la chaleur du souffle.

Peut-être le désir d'un corps dont ils auraient partagé la chaleur hanta-t-il les dernières lueurs de lucidité des voyageurs. Peut-être fut-il même plus précis et le désir fut-il, pour les hommes, celui d'un corps de femme et, pour celle-ci, d'un corps d'homme. Mais aucun regard, aucun geste, aucun mot ne le révéla, même dans le secret de la nuit. Qu'importe : les mots sont, à leur façon, souvent infidèles; quand ils sont prononcés, ils ne sont pas toujours exacts et quand ils sont insuffisants, les sentiments en sont parfois plus ardents.

Note du chapitre 16

44. Les miracles et prodiges de Jésus occupent une place considérable dans les écrits canoniques et apocryphes et, trop nombreux, ils ne sont pas tous repris dans ces pages. Il paraît évident qu'ils contribuèrent à la renommée de Jésus et qu'ils attirèrent des foules que ses seuls discours n'auraient pas atteintes. On ne peut donc tenter de retracer son ministère sans eux : ils furent la base de son prestige, car les personnes qui possédaient pareil pouvoir étaient depuis des siècles considérés comme des chefs désignés par Dieu, ainsi qu'en atteste Isaïe (III, 7) : « Je ne suis pas un guérisseur, ne me faites pas chef du peuple. »

Note au chapitre 10

17.

Ils auraient quitté Salim le ventre creux, n'étaient les provisions que Marie, toujours prévoyante, avait apportées et distribuées.

— Où irons-nous, rabbi?

Il fut long à répondre. Avait-il changé depuis la veille? Son regard semblait tourné vers l'intérieur.

— Betsheân, répondit-il.

Ils n'osèrent demander s'il connaissait déjà la ville. En sortant de Salim, Jacques s'enquit du chemin : c'était au nord. Jésus parla peu durant le trajet, les yeux fixés sur un horizon insaisissable, certes pas celui où ils arrivèrent peu après le midi. C'était une ville antique, cernée de hautes murailles; elle devait être prospère, car les maisons avaient largement débordé cette enceinte militaire et s'étendaient à travers les champs et les vignes. Aux portes de la ville, maintenant grandes ouvertes et où s'engouffrait une caravane de chameaux, Marie s'arrêta pour demander à des marchands apportant des légumes d'hiver et des outres de vin si l'on pouvait y louer une habitation; ils indiquèrent un quartier dans la ville haute, la plus riche.

— Combien de temps veux-tu demeurer ici, rabbi? demanda-t-elle à Jésus.

— Six jours.

Nouvelle surprise : comment savait-il si exactement la durée de cette étape?

Betsheân connaissait le sort de bien des villes sous occupation romaine : elle s'était garnie de maisons récentes à la mode païenne, c'est-à-dire bien plus confortables que les antiques demeures galiléennes. Aussi y avait-elle gagné un nom que les voyageurs eurent du mal à prononcer, Scythopolis, parce que beaucoup de ces guerriers du nord, les Scythes, s'y étaient installés. L'essentiel fut que Marie trouva une demeure comparable à celle qu'ils avaient laissée à Kefar Nahoum : somptueusement meublée et garnie de tentures et braseros qui tenaient le froid en respect. Elle fut louée avec ses esclaves. Race étrange qui emplissait Jésus de perplexité : des objets qui parlaient. Et les paroles de Job lui revinrent à l'esprit : «Celui qui m'a créé n'a-t-il pas fait l'esclave dans le ventre de sa mère, comme moi?» Et il fut encore plus troublé quand, visitant la demeure, il fut attiré par le son d'une flûte, frêle et comme souriant, et qu'il découvrit un esclave assis par terre, l'instrument aux lèvres. Le musicien s'interrompit sur un échange de regards.

— Le maître désire-t-il quelque chose?

Le flûtiste était un adolescent. Ce n'était pas la servilité que déchiffra Jésus, mais une expression frisant l'ironie, peut-être le mépris.

— Non, continue de jouer.

Pourquoi le Créateur tolérait-il cette humiliation? Et Jésus songea à racheter l'esclave. Un jour, il remédierait à cette injustice.

La demeure était dotée de bains privés, ainsi les voyageurs purent-ils satisfaire au rite des ablutions, auquel Jacques et Philippe commençaient à s'habituer.

— Tu attaches de l'importance à la pureté des corps, rabbi, observa Philippe.

— Elle incite à respecter et entretenir celle de l'âme.

— Ceux qui ne peuvent pas y satisfaire sont-ils donc condamnés à l'impureté de leurs âmes?

— Là où il y a de la vie, il y a de l'eau. Et quand il y a de l'eau, on peut toujours effacer les sueurs de la bête.

L'expression «sueurs de la bête» parut plaire à Jacques. Il en sourit même et la répéta.

Ils sortirent en ville le lendemain. Allant vers la ville basse, où Marie voulait faire des emplettes, ils virent un homme qui s'appuyait péniblement sur un serviteur pour descendre chaque marche d'un grand escalier, et même soutenu de la sorte, son visage se crispait de souffrance. Sa tenue indiquait que c'était un Romain, à moins que ce fût un Grec. À un certain moment, il manqua perdre l'équilibre, poussa un cri et son serviteur le rattrapa de justesse. Son regard croisa ceux des voyageurs tout proches et donc celui de Jésus; il était pathétique.

— Quelle est la cause de ton mal? demanda Jésus.

Le serviteur répondit pour son maître, qui ne parlait pas araméen :

— Une blessure à la jambe...

— Dis-lui de s'asseoir.

Le serviteur dévisagea l'inconnu avec étonnement et traduisit le conseil. Tout aussi surpris, mais sans doute content de s'asseoir, le Romain obtempéra.

— Montre-moi la blessure.

L'autre releva sa robe et montra une longue cicatrice qui creusait un sillon sur la cuisse. Jésus se pencha et posa les deux mains dessus. Un bref moment plus tard, l'infirme poussa un cri aigu, bizarrement modulé et des passants se retournèrent. Un autre cri et le Romain saisit le bras de Jésus et le regarda avec des yeux de fou. Ni Jésus ni ses compagnons ne comprirent ce qu'il disait. Puis il se redressa, de plus en plus ébahi, et tomba dans les bras de son sauveur, sous les yeux du domestique ahuri. Des passants s'arrêtèrent.

— Que se passe-t-il?

Le domestique tenta d'expliquer, mais il bégayait. Le Romain, lui, parlait par saccades véhémentes, comme délirant. Les gens s'arrêtèrent et s'enquirent de la cause de ce désordre, mais personne ne répondait à leurs questions de façon satisfaisante, les compagnons de Jésus guère plus que les autres; ils avaient bien assisté à d'autres prodiges, mais celui-ci s'était opéré de façon si imprévue qu'ils en avaient perdu la parole. Le Romain entraînait Jésus on ne savait où, et le domestique, Marie, Jacques, Philippe et le reste des témoins les suivaient. Il semblait que Betsheân eut en quelques minutes été pris de folie.

— Qui est cet homme? demanda Marie.

— C'est le questeur...

Elle n'avait aucune idée de ce qu'était un questeur et ne le devina qu'à l'arrivée à un bâtiment neuf gardé par des légionnaires. Là, nouvelle bouffée d'agitation. Ceux-ci accueillirent l'homme avec des cris, mimiques de stupeur et autres gesticulations. Des visages apparurent aux fenêtres de la rue.

— Questeur! Mais comment...

D'autres Romains sortirent du bâtiment et tentèrent d'interroger le miraculé; il les fit taire du geste et s'arrêta devant la porte. Il leva le bras et prit la parole en latin.

— Citoyens, vous savez tous l'infirmité dont j'ai souffert jusqu'ici...

Jésus ne comprenait évidemment rien, mais il devinait que le bonhomme allait clamer sa guérison et le désigner comme l'auteur du prodige. Peu de badauds parlaient latin, mais tous percevaient l'émotion du fonctionnaire et tous s'interrogeaient sur l'inconnu qui se tenait près de lui, tel un personnage de marque. Les mines des employés de la questure en disaient long : ils regardaient l'inconnu avec un émerveillement évident. À la fin de sa proclamation, le Romain étreignit Jésus et leva le bras avec emphase. Sur quoi un interprète vint à peu près traduire en araméen les propos du questeur.

Une bonne partie de la population de Scythopolis s'était rassemblée devant la petite place et bloquait le trafic des charrettes et des voitures à bras. Puis le questeur entraîna Jésus à l'intérieur du bâtiment et Marie et ses deux compagnons le perdirent de vue. Qu'allait-il se passer maintenant?

Le questeur remit à Jésus une bourse en témoignage de sa gratitude et insista pour lui faire accepter un gobelet de vin. Et l'interprète reprit du service.

— Comment t'appelles-tu?

— Jésus bar Yousef.

— Habites-tu Scythopolis?

— Non.

— Quel est ton métier?

— Je suis rabbin.

— Où habites-tu?

— Pour le moment, à Kefar Nahoum.

— Comment réalises-tu tes prodiges?

— Par la volonté du Seigneur.

— C'est le nom de leur Jupiter, expliqua l'interprète.

— À moins que ce ne soit celui de leur Esculape, suggéra un des fonctionnaires.

Après de nouvelles accolades, Jésus put enfin prendre congé du miraculé. Il devinait trop bien ce qui l'attendait dehors : la foule bloquait l'accès et la sortie de la questure. Il fallut que les légionnaires de garde intervinssent pour lui frayer un passage. Marie, Jacques et Philippe parvinrent enfin à le rejoindre.

— C'est l'homme dont on nous avait parlé ! C'est l'Envoyé du Seigneur !

Des gens tentaient de lui saisir les mains pour les baiser. Comment sortir de là ? Il leva les bras :

— Vous voulez tous entendre la parole du Seigneur. Venez l'écouter demain à la porte du Sud.

Quand ses compagnons le rejoignirent, il murmura :

— Et je ne connais même pas le nom de cet homme !

— Claudius Municius Nari, dit Philippe.

Largement diffusée par son bénéficiaire, la guérison du questeur fut bientôt connue dans toute la ville de Scythopolis et les environs ; celle d'un païen par un rabbin ne pouvait qu'intriguer les Juifs autant que les Romains, Grecs et autres Scythes. L'affluence à la porte du Sud fut considérable. C'était là qu'aux autres saisons se réunissaient les marchands venus écouler leur bétail, leur volaille, leurs légumes et leur vin. Jésus gagna un monticule d'où il dominait l'espace alentour.

— Vous vivez sur cette terre sans vous soucier de son Créateur, commença-t-il. Vous mangez le pain des champs et vous buvez le vin de la vigne croyant les posséder, mais vous n'accordez pas une pensée à celui qui en est le vrai propriétaire, parce qu'il en est le Créateur. Dans sa bonté, il vous a confié ces terres pour assurer la vie qu'il vous a aussi donnée. Mais vous ne possédez rien, même pas votre corps dont il dispose à chacun de vos pas. Vous ignorez la puissance de votre Seigneur et vous vous émouvez quand elle se manifeste par la main de son serviteur…

— Es-tu l'Envoyé du Seigneur ? demanda un homme.

— Si je suis ici, c'est donc qu'il m'a envoyé.

— Le prophète Jean, qui prêche à Salim, dit qu'un homme nous a été envoyé par le Seigneur et qu'on le reconnaîtra à ses prodiges. Est-ce toi ? Que vas-tu faire, saint homme ?

— Celui que le Seigneur a envoyé, seul le Seigneur sait ce qu'il fera.

— Comment as-tu guéri un Romain ? Ces gens ne connaissent même pas notre Seigneur ! s'écria un autre, sourcils froncés, face courroucée.

— Il le connaît maintenant. Il n'oubliera plus jamais sa puissance.

— Le Seigneur t'a-t-il donc envoyé pour guérir des païens ?

— Les païens sont aussi ses créatures.

— Quel était son mérite ?

— La compassion du Seigneur qui nous a sortis de l'esclavage de Misr est infinie. Cet homme souffrait, il l'a pris en pitié.

— Le Seigneur récompense-t-il les oppresseurs de son peuple ?

— Il est dit dans les Écritures qu'il y a un temps pour la guerre et un temps pour la paix. La haine et la violence sont odieuses au Seigneur. Un jour l'oppresseur se repentira.

Plusieurs personnes s'en prirent au protestataire, de plus en plus véhément.

— Mais qui es-tu, toi, pour contester les prodiges de cet Envoyé ?

— Celui que vous appelez un Envoyé vient nous raconter que nous ignorons notre Dieu, comme si nous n'avions pas le Temple, les synagogues, les prêtres, et que nous n'honorions pas notre Seigneur selon le calendrier de la Loi. Vous appelez cela un Envoyé ?

— Mais qui es-tu, toi, je te le demande ?

— Je suis un pharisien respectueux de notre Loi ! Cet homme est venu la contester !

—Tu te trompes, pharisien, cria Jésus.

Il ne put achever sa phrase : le pharisien avait ses partisans et ils étaient aussi véhéments que lui. Ils donnaient de la voix.

— Il a libéré un possédé à Bethsaïde ! Il a rendu la vue à un aveugle, protesta un auditeur défendant Jésus.

— Il a libéré un possédé ? vociféra le pharisien. Mais c'est la preuve qu'il commande aux démons, ne le voyez-vous pas ?

— Comment pourrais-je les commander, puisque je les chasse ? Cela signifierait que je les divise contre eux-mêmes ! rétorqua Jésus.

— Cet homme a été annoncé par le prophète Jean. De quel droit contestes-tu le prophète ?

— Prophète ? Quel prophète ? Comment osez-vous qualifier de prophète un homme qui enseigne aux femmes, contrairement à notre tradition ? C'est un imposteur qui annonce un autre imposteur ! Ah, la belle annonce !

Personne n'écoutait plus personne ni ne pouvait se faire entendre. La querelle tourna à l'algarade. Le pharisien reçut un coup à l'épaule, puis un autre, et fut expulsé de la foule. Malmenés et houspillés, ses partisans le suivirent en clamant leur colère. Ce n'était plus la peine de parler. Des gens vinrent déposer des dons aux pieds de Jésus, le bénirent, tentèrent de saisir ses mains, mais le hourvari enflait. Jacques et Philippe vinrent tirer Jésus de ces tumultes et demandèrent une escorte pour les accompagner à l'intérieur de la ville.

Une fois le petit groupe parvenu sans autre incident sur le seuil de la maison, l'escorte se dissipa. Un homme demeura cependant sur place. Philippe, tenant les dons de la foule dans ses bras, fut le dernier à rentrer ; il le remarqua.

— Que veux-tu ?

— Voir le maître.

— Que lui veux-tu ?

— Lui dire que je suis des siens.

Philippe réfléchit un moment : c'était exactement ce qu'il avait fait.

— Attends un moment.

Il revint quelques instants plus tard :

— Entre.

À la vue de Jésus, l'inconnu ouvrit les bras :

— Rabbi, je t'ai entendu. Je suis des tiens. Quand tu as parlé de la bonté du Seigneur, mon cœur s'est ouvert.

— Comment t'appelles-tu ?

— Lévi bar Alfi. Mais on m'appelle aussi Matthieu.

Ce n'était pas un paysan : sa mise soigneuse et propre et sa façon de parler témoignaient qu'il avait reçu de l'éducation. Mais sa barbe était si courte qu'on l'aurait crue récente, n'avait été son âge.

— Quel est ton métier ?

L'homme hésita à répondre :

— Publicain, rabbi.

Un raidissement imperceptible durcit les expressions de Jacques, de Philippe, de Marie et même du domestique qui assistait à l'entretien. Publicain, c'est-à-dire collecteur d'impôts, était l'une des professions les plus méprisées dans toutes les provinces ; on l'assimilait à celles de voleur et de prostituée. Telle était donc la raison pour laquelle sa barbe était si courte. Jésus sourit :

— Et l'on t'a contraint à quitter ta communauté ?

— Oui, rabbi. J'étais pharisien.

— Mais tu ne peux plus être publicain si tu veux me suivre, le sais-tu ?

— Je ne le pourrai plus, je ne le veux plus. Je suis las de collecter de l'argent au nom du Seigneur pour la seule prospérité des prêtres de Jérusalem. Peut-être que je mérite après tout la réputation de voleur.

— Mais tu as entendu le pharisien ? Tu ne pourras pas non plus retrouver ta communauté.

— Je le sais, rabbi, et je n'en ai aucun désir.

Après une pause, le publicain renégat reprit :

— Ce n'est pas qu'à Scythopolis que les pharisiens s'alarment de ton enseignement et de tes prodiges. Les annonces du prophète Yohanan à Salim les ont alertés à Jérusalem aussi.

— Comment le sais-tu ?

— Leurs émissaires et leurs collecteurs de fonds parcourent sans cesse le pays de part en part. Ils écoutent. Et ils parlent. Ils savent les prodiges que tu as accomplis à Bethsaïde et à Kefar Nahoum : l'aveugle auquel tu as rendu la vue, la fille et l'homme que tu as délivrés de leurs démons, l'enfant que tu as arraché à la mort, c'est par eux que je les ai appris. Dans trois jours, les prêtres de Jérusalem apprendront aussi la guérison du questeur.

Une déduction s'imposa sur-le-champ à Jésus et ses trois compagnons : le temps des prodiges qui émouvaient la population d'une ville sans autres résonances ni conséquences était révolu : désormais, on en était informé à Jérusalem.

— Le prophète Jean l'a dit, maître, reprit Matthieu. Un Envoyé viendra, un Envoyé de la lignée de David. Il portera la lumière du Seigneur. Il n'en est pas d'autre que toi.

Pas un commentaire ne s'éleva.

Tout le monde demeura sur place, comme figé, même Jésus.

Jean lui avait-il tracé son chemin ? Lui avait-il dicté son action ? Ses paroles résonnèrent dans la mémoire : *C'est donc toi que j'annonce.*

Dehors, une lumière d'hiver crue, comme le serait celle du Jugement dernier, révélait le monde dans sa nudité exacte, le grain de la pierre sur le seuil et les ongles des orteils dans les sandales, les trois cheveux égarés sur le front de Marie et le brin de laine sur la barbe de Jésus. On aurait presque entendu battre les paupières.

Le babil d'un enfant dans le voisinage interrompit la transe.

18.

Quand Jésus retourna le lendemain à la porte du Sud, la foule qui l'attendait était encore plus grande que la veille. Jacques lui indiqua un groupe de cinq ou six gaillards qui semblaient scruter les gens; ils étaient munis de bâtons, comme beaucoup de voyageurs, mais leurs mines indiquaient qu'ils n'hésiteraient pas à s'en servir pour malmener ceux qui les contrarieraient. Jacques, Philippe et Matthieu allèrent donc vers eux pour s'enquérir des raisons de leur présence et de leurs intentions.

— Voilà de solides bâtons pour la route, observa Jacques, d'un ton rieur.

Les gaillards le considérèrent.

— Nous vous connaissons, vous deux, dit l'un, s'adressant à Jacques et Philippe, vous êtes les compagnons de l'Envoyé, vous et la femme là-bas. Ce ne sont pas sur vos dos que tomberont ces bâtons.

— Mais alors?

— Ils sont destinés aux partisans de cet homme qui a osé hier contredire l'Envoyé. Car il n'est pas le seul. Il pourrait revenir aujourd'hui avec eux. Il est protégé par le rabbin de la synagogue. Mais nous, nous avons vu et vérifié la guérison du questeur. Nous savons que votre maître est investi des pouvoirs divins. Nous vous protégerons. Et toi, Matthieu, tu es maintenant avec eux?

Lévi bar Alfi hocha la tête.

— C'est pas trop tard! Ou bien tu t'es assez enrichi.

L'information de l'heure était que le rabbin de Betsheân était donc hostile. Les trois hommes retournèrent la porter à Jésus.

Quand ils arrivèrent à la maison, un attroupement s'était formé autour de Jésus. Ces gens semblaient décidément considérer que Jésus leur appartenait jour et nuit, en tous lieux. Une espérance indéterminée et diffuse, sentiment nouveau, les taraudait, les éperonnait, les aiguillonnait et les poussait vers cet homme, au point de lui dérober l'air qu'il respirait. Jacques, Philippe et Mathieu firent se lever les uns et en repoussèrent d'autres qui venaient dévisager Jésus sous le nez.

— Louez le Seigneur de bonté..., dit Jésus.

Le pharisien de la veille apparut alors, menant un groupe aux faces hargneuses, et lui coupa la parole :

— Écoutez votre rabbin !

Un silence se fit et le rabbin s'avança.

— Vous êtes venus ici parce que vous avez été émerveillés par les exploits d'un faiseur de prodiges. Mais vous devez savoir que les esprits du Mal délèguent au-devant d'eux de faux prophètes et des faiseurs de miracles. Cet homme que voilà, dit-il tendant le doigt vers Jésus, chasse les démons. Cela signifie qu'il est leur maître ! Il guérit les païens, il n'est donc pas des nôtres...

Les gaillards qui montaient la garde se dirigèrent vers le rabbin et l'entourèrent, l'un d'eux lui faisant directement face, nez à nez, le torse pratiquement plaqué contre lui.

— Tais-toi, incrédule !

Le rabbin protesta et le pharisien essaya de le dégager de l'emprise des gaillards. Un bâton se leva. Le pharisien cria à l'aide.

— Silence ! lui intima l'autre.

Plusieurs personnes se dirigèrent alors vers le rabbin :

— Écoute, toi, lui dit un homme dans la foule, tes lectures des rouleaux n'ont jamais guéri aucun d'entre nous. Alors, quand la puissance du Seigneur se manifeste par son Envoyé, sache te taire ! Béni soit l'Envoyé du Seigneur !

La foule répéta la bénédiction.

— Nous verrons cela plus tard, marmonna le rabbin, inti-
midé.

Il fit signe aux siens de rebrousser chemin.

— Rabbi, je crois qu'il serait sage de rentrer, dit Marie,
intervenant pour la première fois.

Jésus titubait presque. Il rabattit sa capuche et prit la direction du retour, escorté de près par Jacques, Philippe et Matthieu.

Jésus ne parut remis qu'après les ablutions du soir.

— N'ai-je été désigné que pour guérir des corps ? Ces guérisons sont une épreuve, dit-il quand ils se furent assis à table,
après la bénédiction du repas. Il semble que ce soient mes
forces mêmes qui soient mises à contribution. Mais je ne
peux les refuser. Elles sont pour ce peuple privé de Lumière
la manifestation évidente de cette puissance divine qu'il ne
parvient même pas à concevoir.

— La réaction des pharisiens les rend encore plus nécessaires, observa Matthieu.

— Quelle est la cause de leur hostilité ? demanda Marie.

— Ils ont peur de notre maître, expliqua Jacques, parce
qu'ils n'ont aucune autorité sur lui puisqu'il les a quittés
pour rallier les hassidim. De plus, il dispose de ce pouvoir
divin, qu'ils ne peuvent contester. C'est leur autorité qui est
en jeu.

C'était la première fois que Jacques disait « notre maître ».

— Et surtout, conclut Matthieu, la prédication du prophète
Jean confirme l'autorité de notre maître. Il a maintes fois
annoncé l'Envoyé, et chacun sait désormais que c'est notre
maître.

Jésus avait écouté ces explications sans mot dire. Une fois
de plus, les paroles de Jean résonnèrent dans sa mémoire :
C'est donc toi que j'annonce. Les regards se tournèrent vers
lui.

— L'homme ne peut connaître la volonté du Seigneur
que s'il l'entend de sa bouche. Mais il peut la pressentir par
les signes qu'il dispense. Ma mission est de faire entendre

la parole du Seigneur, le seul Dieu qui existe, le Dieu de bonté.

La nuit fut tourmentée pour tous les occupants de la maison que Marie avait louée à Betsheân. Le sentiment qu'un combat s'était engagé entre Jésus et des puissances obscures n'incitait guère au sommeil. Tous en effet en ignoraient l'enjeu. Pourquoi les pharisiens étaient-ils si hostiles? Que serait un triomphe des pharisiens? Ou de Jésus?

Chacun se tourna et se retourna sur sa paillasse, but de l'eau à maintes reprises, se leva pour uriner... Ce fut ainsi qu'au milieu de la nuit deux ombres tâtonnantes se frôlèrent dans les ténèbres.

— Jésus!

Ils s'immobilisèrent. Elle mit une main sur son épaule et, à travers la tunique, il éprouva de nouveau cette sensation, non, ce sentiment qu'il avait connu quand elle avait caressé ses pieds, là-bas, à Béthanie. Il l'étreignit. Une sensation inconnue : les seins qui se pressaient sur sa poitrine; ils ne s'y écrasaient pas, non, ils étaient fermes. Puis un poids sur l'épaule, où elle avait posé son front. N'eussent été les tuniques, l'acte de chair aurait été irrésistible. Il écarta imperceptiblement ce corps désiré, le premier de sa vie d'homme.

— Marie, je ne sais où je vais et je ne peux t'y emmener.

— Mais tu sais bien que j'y serai.

Il caressa enfin ce visage qui semblait à jamais tourné vers lui. Les mots qu'elle avait proférés jadis lui revinrent aussi en mémoire : *Ma vie sans toi n'a pas de sens*. Il l'embrassa. Autant plonger dans un mascaret. Pourtant ce contact l'apaisait. Marie exerçait sur lui l'effet qu'il déclenchait chez les miraculés. Il n'était ni fou, ni possédé, ni mourant, mais elle le ranimait. Elle pénétrait en lui et l'emplissait de sa douceur. Elle était comme la panthère. Et c'était lui, le miraculé. Il ne parvenait plus à retirer la main qu'il avait glissée sous son aisselle, glissant près du sein. Ils s'étaient mépris, là-bas, à Sokoka, la chair n'était pas l'empire de Satan, mais celui de la bonté. Pourtant il se ressaisit et, cette fois, l'écarta fermement.

— Nous ne pouvons nous unir ici, maintenant.

Sans mot dire, elle caressa à son tour le visage qui s'éloignait. Puis l'obscurité les reprit l'un à l'autre.

Mais ces noces symboliques ne faisaient que prouver que les autres étaient inéluctables.

— Irai-je ?

Il avait prévu de rester six jours à Betsheân, et trois seulement étaient passés.

— Ils t'attendent, maître, dit Matthieu, qu'on s'était décidé à appeler de son nom familier.

Ce n'était pas loin d'un rappel au devoir. L'ancien publicain avait saisi la mission de son maître.

Surprise : en arrivant sur les lieux, toujours à la porte du Sud, ils trouvèrent deux légionnaires qui battaient la semelle. Matthieu alla s'informer : prévenu des risques d'algarade, le questeur Nari avait fait déléguer des représentants de l'ordre romain ; il n'entendait pas, en effet, que son bienfaiteur soit mis en danger, fût-il juif. Voilà qui ne manquerait pas d'indisposer les pharisiens et ce n'était pas s'aventurer beaucoup que de prévoir qu'ils se serviraient de la protection des Romains comme d'une autre preuve que l'Envoyé du Seigneur n'en était pas un.

Avant de se retirer, Jésus leva les bras :

— Peuple du Seigneur, l'existence sur cette terre n'est qu'un voyage dans les ténèbres si elle n'est éclairée par l'amour du Dieu de bonté et de miséricorde. Ceux qui souffrent dans leur chair aspirent à sa fin et se croient oubliés du Seigneur. Mais ceux qui semblent bien portants et prospères souffrent également, sans le savoir, si la lumière de leur Père céleste ne brûle pas dans leurs cœurs. Quand vient l'âge et que frappe l'infortune, ils sont plus démunis que le mendiant à leur porte. Vous n'avez qu'une force en ce monde et c'est la plus grande : la foi dans votre Créateur.

Il reprenait son souffle quand une femme l'interpella :

— Saint homme, es-tu celui qu'annonce le prophète Jean, là-bas, à Salim ?

— Que dit-il ?

— Que tu es l'Envoyé du Seigneur et que tu as le pouvoir de faire de nous des enfants du Seigneur ?

— Vous êtes tous les enfants du Seigneur dès lors que vous le reconnaissez et le célébrez dans vos cœurs.

— D'où te vient ton pouvoir si tu n'es pas l'Envoyé du Seigneur?

— J'use de ce pouvoir en son nom, mais à lui seul appartient de dire que je suis son envoyé.

Le soir, Matthieu l'interrogea :

— Que ne dis-tu, maître, que tu es bien l'Envoyé du Seigneur? C'est l'évidence pour tous.

— Il est des saisons pour toutes choses, Matthieu. La jeune pousse qui pointe sa tête hors du sol ne dit pas : « Je suis un épi de blé. » Elle attend son heure. Peut-être l'Envoyé est-il Jean lui-même.

Le lendemain, il décida qu'il ne se rendrait pas à la porte du Sud. Il passa la journée à méditer, bien que la maison fût pratiquement cernée par la foule.

— Nous partirons demain à l'aube, annonça-t-il au souper.

— Où veux-tu aller, rabbi? demanda Marie, comme d'habitude.

— À Megiddo.

La décision ne fut pas commentée : elle semblait claire. Jésus poursuivait sa conquête de la Galilée jusqu'à la Samarie, en contournant Salim, qui était la base de Jean. On eût pu se demander s'il n'existait pas une rivalité entre eux, mais outre que la réponse était incertaine, la question aurait contrarié Jésus.

Philippe, qui était sorti en ville, rapporta qu'on parlait beaucoup de Jean. Même le questeur était allé l'écouter.

— Depuis que tu l'as guéri, observa Matthieu en souriant, il s'intéresse plus à notre religion qu'à la sienne.

— La religion de ces gens est enfantine, dit Jésus. Ils ont inversé le premier Livre de notre Torah et inventé des dieux à leur image!

Demeurait un fait : Jean était le maître du jeu.

19.

Megiddo, Sichem, Dotan, Cana et bien d'autres, ils allaient de ville en ville et de bourg en bourg et c'était presque devenu un rituel. Les égrotants, les infirmes, les lépreux, les cachectiques accouraient, et les parents amenaient des enfants, des enfantelets, parfois presque des avortons, disgraciés, mourants, diphtériques, dysentériques, à moins que ce ne fussent des possédés échevelés criant des horreurs. Comment, se demanda Marie, Jacques, Matthieu et Philippe supportaient-ils ce défilé ininterrompu des misères du monde ?

Et pourtant la compassion de Jésus semblait infinie. C'était même elle qui constituait le véritable miracle. Il pouvait être épuisé, son regard ne l'était jamais.

Les jours passèrent sur les chemins venteux, dans des maisons provisoires, sur des terrains offerts à l'afflux des foules que déplaçaient les vents de l'espoir, les miséreux, les malades, les angoissés, tous les perdus qui se croyaient indignes du regard divin. Les semaines se succédèrent, l'hiver se lassa de ses propres rigueurs et se résigna à céder la place au printemps, dont on célébrerait la fête dans quelques jours, en même temps que la Pessah, en souvenir de la délivrance du Pharaon. Les champs se piquèrent de fleurettes blanches des balsamines et de fleurs roses de coriandre et d'asphodèles. Pour l'occasion, Jésus décida de s'arrêter à Cana. Arrivés au crépuscule, transis, les voyageurs s'y attablèrent dans une auberge pour s'y réchauffer et s'enquérir d'une maison à louer. L'aubergiste n'en connaissait pas : beaucoup de gens, expliqua-t-il, étaient venus des campagnes pour célébrer la

Pessah à Cana, en dépit ou peut-être à cause de l'obligation sacrée pour les hommes de se rendre à Jérusalem pour la circonstance et, pour les propriétaires, d'y dépenser un dixième de leurs revenus. Au cours des échanges entre ses clients, qui se demandaient où ils pourraient passer la nuit, l'aubergiste entendit Jacques s'adresser à Jésus par son nom ; il se présenta à la table et demanda :

— J'ai entendu le nom de Jésus. Serait-ce Jésus bar Yousef, l'Envoyé du Seigneur dont on parle partout ? Lequel d'entre vous est cet homme ?

— C'est moi.

L'aubergiste devint extatique :

— Ô jour bienheureux ! Maître, ta présence honorera ma maison !

Il la céda donc aux voyageurs et, de surcroît, offrit le souper. Nul doute : dès le lendemain, la nouvelle serait ébruitée et les gens viendraient implorer la miséricorde du guérisseur divin.

Ce fut évidemment ce qui advint : le lendemain matin, une créature pathétique soutenue par une femme et un homme demanda à voir l'Envoyé du Seigneur ; sans la malice du sort, ç'aurait été un homme d'une vingtaine d'années, au visage doux, c'était un corps qui pivotait sur lui-même à chaque pas, tandis que les bras esquissaient des moulinets avortés, comme s'ils tentaient de lancer les mains au loin, à toute volée. La faute en était à des jambes torses et des pieds mal ajustés, qui faisaient pivoter le corps sur un axe erratique. L'expression du malheureux eût fendu le cœur. Il s'appelait Élie. Jésus le fit allonger sur le sol et passa les mains le long de ses jambes, des cuisses aux pieds. Leur seul contact fit sursauter l'infirme, comme s'il était piqué par des frelons. Après quoi il demeura allongé sur le sol et ce ne fut qu'un long moment plus tard, sous les regards inquiets des assistants, qu'il remua enfin un pied, puis l'autre. Il écarquilla les yeux, tenta de replier une jambe et y parvint ; quand il replia l'autre, un son pareil à un chevrotement ininterrompu fila de sa gorge. Il s'accroupit, se releva et, dans une cabriole prodigieuse, se jeta aux pieds de Jésus et les couvrit de baisers passionnés. Il ne voulait apparemment plus se relever et ce furent l'aubergiste et Matthieu qui l'y contraignirent et le maintinrent debout, car il voulait s'agenouiller de nouveau.

— Marche, lui ordonna Jésus.

Élie obtempéra, mais les bras écartés, comme un équilibriste. Point n'en était besoin, il s'en avisa et revint sur ses pas, encore incertains. Derechef, l'aubergiste et Matthieu l'empêchèrent de se jeter à genoux.

— Baise dans ton cœur les mains et les pieds de ton Seigneur de bonté.

— C'est toi, le Seigneur de bonté ! s'écria Élie.

C'était donc un exalté. L'homme et la femme qui l'avaient amené le saisirent par les bras pendant qu'il clamait fiévreusement des mots à peine compréhensibles.

Médusés par le spectacle, Marie, les trois disciples et l'assistance semblaient figés, incapables d'articuler un mot. Faudrait-il les guérir eux aussi ? Philippe mit fin au saisissement en s'inclinant pour baiser une main de Jésus.

— Ce que tu fais, je le sais dans mon cœur, c'est par bonté. Tu es vraiment le fils du Dieu de bonté. Tu es bon !

— Pourquoi dis-tu que je suis bon ? Dieu seul est bon.

Fit-on attention à ces paroles ? Un déluge de mots et de gestes emplit soudain l'air. Une heure plus tard, la maison était assiégée.

— Dois-je donner ma vie pour les soulager ? murmura Jésus. Et qui viendra après moi ?

Vers le soir, il se fit un remue-ménage dans l'attroupement à l'extérieur de la maison, et l'aubergiste vint prévenir Jésus qu'un fonctionnaire de la maison d'Hérode Antipas était arrivé et suppliait l'envoyé du Seigneur de guérir son fils.

— Si tu le rejettes, nous aurons en plus les gens d'Hérode sur le dos, dit Marie.

Jésus sortit donc à la rencontre de ce fonctionnaire. Celui-ci n'avait pas l'air d'un mauvais homme ; il joignit les mains dans un geste d'imploration.

— Je m'appelle Nestor bar Andros. Je viens de Kefar Nahoum, rabbi... C'est le plus jeune de mes trois fils...

— Où est-il ?

Des serviteurs descendirent alors une civière attachée au dos d'un cheval et sur laquelle gisait un garçonnet au visage écarlate et suant, tremblant et respirant à peine, la bouche entrouverte. Jésus posa la main sur le front du petit malade : il était brûlant ; la fièvre, d'ailleurs, semblait l'avoir rendu inconscient. La main apaisa déjà la fièvre et le malade cligna des yeux. Jésus descendit ensuite la main sur sa poitrine. Le garçonnet poussa un râle de soulagement.

— J'ai soif…

Un serviteur s'empressa, la gourde à la main et, soutenant la tête du malade, l'aida à boire.

Le petit malade semblait l'être beaucoup moins, son teint avait pâli.

— Qui est-ce ? dit-il, se redressant et désignant Jésus.

Celui-ci sourit.

— Seigneur, il parle ! s'écria le père.

Jésus caressa le front de l'enfant : la fièvre s'en allait.

— Qui est-ce ? insista l'enfant. Qui es-tu ?

Il prit la main de Jésus :

— Reste, je me sens bien près de toi.

Les exclamations montaient de la foule. Le père éploré se passait les mains sur le visage.

— Il est guéri, maintenant, lui annonça Jésus.

Le fonctionnaire se mit à pleurer.

— Qui es-tu, homme ? répétait l'enfant.

— C'est l'Envoyé du Seigneur, lui dit son père.

L'enfant se leva alors de la civière et enlaça la taille de Jésus. Des femmes sanglotaient dans la foule. La scène risquait de s'éterniser.

— Souviens-toi du Seigneur auquel tu dois la vie pour une deuxième fois, dit Jésus à l'enfant, et il s'apprêta à se retirer.

— Non ! cria le père suivant Jésus et lui tendant une bourse. Je t'en prie…

Jésus se retourna, les mains le long du corps. Il était évident qu'il ne toucherait pas à la bourse : pas de l'argent d'Hérode en tout cas. Ce fut Marie qui la prit.

— Songe désormais, Nestor, qu'aucune fortune ne peut acheter la grâce du Seigneur. Je n'accepte ce don que parce que, toi, tu as cru en la puissance du Seigneur.

Et il rentra dans la maison.

Une clameur s'élevait dans l'air.

Dans le tumulte qui suivit, un jeune homme se détacha de la foule et se dirigea vers Philippe.

— Tu es un compagnon de l'Envoyé, je le vois, je te prie... Je veux...

— Il ne te guérira pas ce soir, il est épuisé et, d'ailleurs, je ne vois pas quel est ton mal.

— Mon mal sera éternel si je ne vois l'Envoyé...

— Que veux-tu?

— Lui donner... ma vie.

Philippe demeura interdit, comme figé devant ce personnage exalté et haletant; une impression peu commune s'imposa à lui : il n'y avait pas en ce jeune homme-là d'écart entre la parole et la pensée; même ses mains parlaient.

— Lui donner ta vie?

— Je veux être son serviteur... Je veux le suivre... Qu'il fasse de moi ce qu'il lui plaît...

— Viens.

Troublé par cet emportement passionné, il conduisit l'inconnu à son maître. Marie, Jacques et Matthieu étaient assis par terre et Marie resserrait une bourse; elle venait de compter la somme offerte par le fonctionnaire d'Hérode Antipas : le don était généreux et contribuerait aux frais du voyage, comme celui qu'avait fait le questeur de Betsheân.

— Cet homme dit qu'il veut te donner sa vie, déclara Philippe, désignant l'arrivant.

Jésus considéra celui-ci, qui se tenait droit, le regard fixé sur lui, sans signe excessif de soumission ni de révérence affectée.

— Pourquoi? demanda-t-il enfin.

— Parce que j'ai vu la puissance divine quand je t'ai vu ranimer ce petit mourant.

— Est-ce le prodige qui t'a frappé?

L'inconnu secoua la tête :

— Non, c'était ta tendresse. On aurait cru que tu étais le père de ce garçon. Quel homme ne te suivrait?

— Comment t'appelles-tu?

— Nathanaël bar Tolmaï.

— Que fais-tu ?

— Je travaille avec mon père, qui est marchand de céréales dans cette ville.

— Quel âge as-tu ?

— Vingt ans.

— Et tu quitterais ton père ? Ta famille ?

— Tu m'es plus nécessaire qu'eux. Et toi, tu as besoin d'hommes autour de toi, je le sais.

— Qu'est-ce qui te le fait penser ?

— J'écoute, mon maître. Des êtres secs, jaloux, butés, te craignent et souffrent de ta renommée. Ils disent que tes prodiges sont des artifices du Démon. Ces gens-là, si le Créateur en personne leur apparaissait, ils craindraient d'abord pour leur pouvoir et leur fortune.

— Comment sais-tu ces choses ?

— Nous parlons aux autres marchands, qui fournissent comme nous le palais d'Hérode Antipas. Et nous entendons que ce roi craint l'influence du prophète Jean. Il a peur, il craint que le prophète ne finisse par provoquer une sédition dans son royaume. Il a envoyé des espions partout pour savoir quelle est vraiment sa renommée. Et il a peur de toi aussi. Les récits de tes prodiges l'empêchent de dormir.

Tout le monde avait entendu les réponses. C'était donc une recrue de choix que Nathanaël ; il connaissait la Galilée et les pouvoirs qui s'y exerçaient et il venait de leur offrir une information de poids : si Hérode s'inquiétait de Jean, cela signifiait que la situation était instable, voire précaire.

— Joins-toi à nous, Nathanaël, dit enfin Jésus. Nous allons souper.

Flattés de servir un homme auquel les puissants comme les miséreux rendaient tant d'hommages et qui possédait le pouvoir suprême de rétablir la vie des malades, l'aubergiste, ses fils et les domestiques déposaient sur la table nombre de plats, ragoûts et salades ; le repas serait décidément copieux et le vin, sans doute le meilleur qu'on pût trouver dans les parages. Prévenu qu'un nouveau convive partagerait le souper, l'aubergiste s'empressa d'apporter un plat et un gobelet de plus.

Pour Marie, Jacques, Philippe et Matthieu, l'invitation de Jésus signifiait que les disciples étaient désormais quatre; ils s'en félicitaient parce que, d'emblée, le nouveau venu les avait conquis.

Quand il eut béni le repas et que les convives se furent assis, Jésus demanda à Nathanaël s'il savait quels étaient les rapports entre Hérode Antipas et les pharisiens.

— Ils s'entendent comme larrons en foire. Hérode feint la plus grande piété et le respect scrupuleux des gens du Temple, et il les laisse donc agir à leur guise. Presque tout le personnel de ses palais est pharisien. Eux, en retour, feignent la totale loyauté à son égard.

— Et que disent les tiens de ces mensonges?

— Maître, mes parents ne sont pas plus dupes que le peuple du Seigneur. Ils savent la part de l'hypocrisie et de l'appât du lucre dans ce pays. Ils voudraient un peu de lumière. Tu en es porteur.

Cela évoquait les enseignements et les conversations d'antan à Sokoka sur les conflits éternels entre la Lumière et les Ténèbres. Mais maintenant, les nouvelles frémissaient des signes avant-coureurs du combat.

Nathanaël rentra dormir chez lui.

Il revint à l'aube et dut être initié au rite des ablutions, moins commode à observer à Cana, la ville n'ayant pas de source et l'eau étant transportée dans des outres et des jarres depuis la rivière voisine; mais enfin, l'aubergiste et ses fils pourvoyaient de leur mieux aux désirs de leur hôte prestigieux.

Au repas qui suivit, Nathanaël annonça que son frère se marierait deux jours après la Pessah prochaine, et qu'un banquet célébrerait les noces; il était, au nom de sa famille, chargé d'inviter Jésus et ses compagnons. Jésus accepta.

S'étant répandue presque aussitôt que proclamée, la présence de l'Envoyé dans la maison de Tolmaï attira bien plus de monde qu'il n'en avait été prévu : l'on s'en avisa dès les abords et les acclamations jaillirent à l'arrivée de l'Envoyé. Tolmaï, son épouse, sa famille et celle de la future mariée attendaient sur le seuil leurs invités extraordinaires et les accueillirent avec des effusions de respect renouvelées à l'envi, puis ils les conduisirent dans la salle du banquet, décorée de guirlandes des premières fleurs du printemps. On présenta les époux à Jésus, il les bénit et leur offrit les souhaits de circonstance : bonheur, sérénité dans la foi du Seigneur, descendance nombreuse et longues vies.

Une bonne heure fut consacrée à la rédaction du contrat entre les deux familles, ou *kettoubbah*, et à la cérémonie même.

Marie rejoignit les autres femmes présentes et découvrit avec surprise que Tolmaï avait adopté, du moins pour la circonstance, les habitudes des Grecs : ce n'étaient pas des bancs sur lesquels on s'assoirait, mais des couches sur lesquelles les invités s'allongeraient, en face des tables ; ce que voyant, le rabbin de la synagogue de Cana et ses adjoints, passablement scandalisés, préférèrent prendre congé. Nonobstant l'incident, les domestiques disposèrent les plats sur les tables et, luxe inattendu, des gobelets en argent pour les époux et les hôtes d'honneur. Cet étalage de richesses valut à Nathanaël, confus, un coup d'œil ironique de Jésus.

Six tables de douze avaient été installées, celles des femmes en face de celles des hommes, mais les convives aussi étaient plus nombreux : près de cinquante, et l'on se serrait sur les couches. Marie ne fut pas la seule à trouver cet arrangement malcommode ; en dépit des coussins abondamment répartis, il fallait, en effet, replier une jambe sous l'autre, s'accouder sur un bras ou l'autre et manger avec une seule main, à bonne distance des plats. De surcroît, elle s'offusqua de ce que les pieds, eux, fussent si proches des plats : dès qu'on tentait de déplier une jambe menacée de crampe, on risquait d'envoyer en l'air un cruchon de vin ou un plat de salade. Tentant de prendre sa place, la mariée se retrouva d'ailleurs les quatre fers en l'air, à l'hilarité générale. Mais enfin, comme Marie, elle fit contre mauvaise fortune bon cœur et finit par trouver la position la moins inconfortable.

Jésus avait accepté de présider les tables des hommes, avec Tolmaï à sa droite, le jeune marié, Ezer, à sa gauche, puis le père et les frères de la mariée, Nathanaël, Jacques, Matthieu, Philippe et le reste des invités. Chacun attendit que Jésus eut pris place : il bénit debout cette nourriture que le Seigneur offrait aux siens, prononça l'action de grâces qu'il serait revenu au rabbin de réciter et, cela fait, s'allongea tant bien que mal. Marie s'amusa de l'évidente difficulté avec laquelle il s'efforça de s'accommoder de la mode grecque. L'évidence montrait qu'il avait dû glisser ses pieds sous les reins de Tolmaï et qu'il avait ceux d'Ezer sous les côtes. Ah, misère de l'élégance hellénique !

Cependant, le vin aidant, la chaleur de la fête gagna vite les esprits. Marie rayonnait : elle regardait Jésus sourire et même rire aux propos de Tolmaï et du marié et ce spectacle était rare. Le visage qu'ils connaissaient à leur maître était le plus souvent grave, sinon soucieux. À le voir plaisanter à droite et à gauche, ils en retrouvèrent leur plaisir de vivre : ils n'étaient plus des cancres ignares en présence d'un maître omniscient, perpétuellement affligé par la misère du monde.

Vers le milieu du repas, le domestique en chef vint chuchoter à l'oreille du maître de maison. Un remue-ménage s'ensuivit et les domestiques puis Tolmaï parurent affligés.

— Qu'as-tu ? lui demanda Jésus.

— Rabbi, la honte s'abat sur moi…

— Pourquoi ?

— J'ose à peine le dire… Il n'y a plus de vin.

— Allons voir, dit Jésus.

— Toi, maître ? balbutia Tolmaï, effaré par l'idée que l'Envoyé du Seigneur allât se commettre aux cuisines.

— Mieux vaut ça que de boire de l'eau, répliqua Jésus en se levant.

Il avait trouvé le vin servi fort autant que râpeux, il avait son idée. Lui et Tolmaï s'esquivèrent donc et allèrent voir ce qu'il en était. Les domestiques consternés leur indiquèrent une douzaine d'amphores vides sur leurs trépieds, chacune d'une douzaine de litres de contenance. Jésus se pencha sur l'une d'elles : il aperçut au fond un dépôt noirâtre, y plongea le doigt et le tâta ; c'était du moût sirupeux mélangé à de la lie.

— D'où vient ce vin ?

— C'est du vin grec, gémit Tolmaï.

Jésus hocha la tête : c'était bien ce qu'il avait pensé. Ce vin-là devait avoir deux ou trois ans d'âge et une grande quantité de moût s'était déposée au fond ; avec un peu d'eau, on obtiendrait un vin à peu près buvable.

— Verse de l'eau dans celle-ci jusqu'à mi-hauteur, ordonnat-il à un domestique, et remue fort, puis laisse un peu reposer avant de servir.

Le domestique s'exécuta et battit vigoureusement le mélange avec un bâton. Cela fait, Jésus demanda à goûter du breuvage. Le domestique remplit un gobelet et le lui tendit : c'était un vin plus léger, mais de goût agréable. Il tendit le gobelet à Tolmaï et, après la première gorgée, celui-ci écarquilla les yeux.

— C'est un miracle, bégaya-t-il.

— Non, tu ne sais pas ce qu'il en est du vin grec.

Il le savait, lui, des tavernes de Jéricho. Les autres amphores furent soumises au traitement de la première et quand Jésus et Tolmaï, bouleversé, reprirent leurs places et que les domestiques vinrent servir le vin nouveau, des commentaires innocents le jugèrent meilleur que le précédent.

— Il faut toujours servir le meilleur vin vers la fin du repas, commenta Jésus, quelque peu ironique.

Personne ne sut rien de l'affaire, mais les fils de Tolmaï s'étonnèrent du changement d'attitude de leur père : même les chanteurs et danseurs qui vinrent clore le banquet ne parvinrent pas à le dérider. Ils s'étonnèrent plus encore de sa dévotion larmoyante quand Jésus prit congé à la fin du banquet : il s'était agenouillé pour baiser les mains de l'Envoyé.

Le lendemain, Nathanaël faisait une drôle de tête quand il se présenta devant Jésus.

— Maître, finit-il par avouer, figure-toi que mon père pense que tu as changé l'eau en vin hier soir.

Jacques, Matthieu et Philippe parurent abasourdis. Jésus, lui, se mit à rire.

— Il l'a affirmé à toute la maisonnée, reprit Nathanaël, et, dans quelques heures, tout Cana croira que c'est vrai... Il va également le raconter aux commerçants...

— Comme je voudrais purifier les âmes par un tel prodige, dit Jésus. Mais je ne vois pas en quoi le fait d'approvisionner en vin la table de ton père servirait le triomphe de la Lumière. Cela étant, ce repas de noces a été le spectacle le plus affligeant qu'il m'ait été donné de voir de longtemps. Il était ridicule.

Là, Nathanaël fut consterné.

— Il a fallu manger couchés comme des paralytiques, parce que ton père a cru que le fin du fin avait été inventé par les Grecs. De surcroît, il a fait servir un vin qu'il ne connaissait pas. Et voilà qu'il a imaginé un prodige que je n'aurais jamais fait, car la bonté du Seigneur ne s'étend pas à satisfaire la vanité des hommes[45].

Le récit fabuleux de Tolmaï avait sans doute été déjà répandu, car il y eut encore plus de gens que la veille pour attendre à la porte que l'Envoyé du Seigneur se montrât. On y voyait le lot habituel d'enfants entre la vie et la mort et d'adultes au visage terni par la souffrance, tous immobiles, accablés par leur sort, à l'exception des quelques possédés que la parentèle tentait de maintenir et qui s'agitaient bruyamment.

Jésus soupira et sortit enfin.

— L'homme sait toujours quand son corps souffre, dit-il, mais bien rare est celui qui sait que son âme est malade.

Nathanaël repéra dans la foule deux personnes qui, bizarrement, tentaient de passer inaperçues : c'étaient, confia-t-il à Jésus, le rabbin et son fils aîné. Ils étaient venus dans l'espoir de voir cet homme qui défrayait la chronique, mais dont ils n'osaient propager à leur tour les mérites, car pour leur part ils n'avaient pu que constater les guérisons qu'on leur avait indiquées. Oui, il y avait un sourd qui entendait et un infirme qui marchait. Mais ils savaient que les pharisiens en avaient après cet homme miraculeux pour des raisons qu'ils ne saisissaient pas très bien, et ils savaient aussi que des émissaires du roi étaient venus mettre la population en garde contre les vaticinations d'un prophète de Salim qui annonçait la venue d'un Envoyé du Seigneur. Et l'on rapportait justement que cet Envoyé serait l'homme qui séjournait chez l'aubergiste.

Et pourquoi, grand ciel, le Seigneur avait-il décidé d'envoyer un messager?

Aussi le rabbin et son fils se tenaient-ils prudemment en arrière, pour ne pas être repérés. Ils ne voulaient pas prendre parti. Ils se résignèrent donc à regarder Jésus transformer de petits corps souffreteux en enfants rayonnants, des agités échevelés et délirants en individus paisibles, des sourds-muets faire entendre leur voix...

Leur perplexité enfla ; elle devint pareille à un phlegmon qui oppressait leurs cervelles et leurs cœurs.

— Serions-nous aveugles ? murmura le fils du rabbin.

— Et sourds par-dessus le marché ?

Mais pourquoi donc le Seigneur avait-il envoyé cet homme en Galilée ? Le rabbin de Cana avait lu bien des rouleaux, mais pas tous. Dans lequel trouverait-il une réponse à l'énigme de ces prodiges ?

Note du chapitre 19

45. Le récit de l'eau changée en vin aux noces de Cana ne figure que dans l'Évangile de Jean (Jn. II, 1-11), qui présente ce présumé prodige comme le «premier signe» de Jésus au début de son ministère; l'interprétation du «signe» reste ouverte à la spéculation, mais il convient de rappeler que la symbolique de l'eau occupe une place importante dans les textes de cet auteur. Cependant, l'épisode de Cana ne correspond pas au caractère des autres miracles de Jésus. Changer de l'eau en vin lors d'une fête de mariage ferait de Jésus une sorte de magicien accomplissant des prodiges sans portée religieuse, dans le seul but d'ébaubir les foules. Aussi comprend-on que les synoptiques n'en fassent aucune mention.

Le récit lui-même résiste mal à l'analyse. «Le troisième jour, écrit Jean, désignant sans doute un mercredi, il y eut un mariage à Cana en Galilée. La mère de Jésus était présente et Jésus et ses disciples étaient également invités. Le vin manqua, alors la mère de Jésus lui dit : "Il ne leur reste plus de vin." Il répondit : "Qu'en est-il pour moi et pour toi, femme? Mon temps n'est pas encore venu."» (Selon la traduction d'André Chouraqui.) Réponse pour le moins cavalière, sinon discourtoise, mais ce n'est pas la seule fois que Jésus traite mal sa mère (v. note 39); pourquoi Jean rapporte-t-il cet échange déplaisant? Plusieurs versions remplacent d'ailleurs le mot «femme» par «mère», plus respectueux. De surcroît, l'on ne voit guère ce que faisait Marie à cette noce, car elle ne suivit pas Jésus pendant son ministère, ni pourquoi le manque de vin serait le problème d'une invitée; et l'on discerne encore moins dans ce contexte le sens de la phrase : «Mon temps n'est pas encore venu.» Quel serait le rapport entre son temps et la transformation de l'eau en vin? Enfin, il est surprenant qu'après avoir rejeté la prière de sa mère, Jésus se soit quand même résolu à remédier au manque de vin : son temps était-il advenu entre-temps? Ce début de récit est incohérent.

La suite n'est guère plus convaincante. Marie aurait dit aux domestiques : «Faites tout ce qu'il vous dira.» Ordre surprenant et déplacé de la part d'une invitée. Jean écrit ensuite : «Or, il y avait six jarres de pierre, destinées aux purifications des Juifs, et contenant chacune deux à trois mesures», c'est-à-dire quatre-vingts à cent vingt litres. «Jésus leur dit [on ne sait à qui] : "Remplissez-les d'eau." Ils les remplirent jusqu'au bord.» Invraisemblance majeure : les rites de purification avaient lieu à la synagogue ou au Temple, mais certainement pas dans des maisons privées; ces jarres n'auraient pu se trouver là. L'auteur trahit son ignorance des rites juifs. De surcroît, la quantité d'eau nécessaire pour remplir les jarres rend le récit encore plus invraisemblable : de 480 à 720 litres, et cela à Cana, qui ne disposait pas de source, ce que semble également ignorer l'auteur. Le remplissage dut prendre un temps considérable. Et l'on ne voit pas non plus comment on aurait pu servir les invités avec des jarres pesant, pleines, une centaine de kilos pièce.

L'histoire fleure donc la fabrication *a posteriori*. Et là s'insère une dernière raison d'en douter.

Les Juifs et les autres habitants de la Palestine buvaient couramment du vin, souvent excellent, sans doute, comme le vin de Judée et le *consule blanco* cité par Horace, mais ils en importaient aussi de Grèce et d'Asie Mineure, et les «jarres» citées par Jean évoquent les amphores retrouvées dans des épaves; dans ce cas, c'était fort probablement du vin d'outre-mer. Il serait difficile de savoir ce qu'il en restait au bout de trois ou quatre ans, à une époque où la vinification telle que nous la connaissons depuis le xvie siècle n'existait pas : le vin était conservé dans des tonneaux, des outres et ces amphores en terre cuite, et il poursuivait activement sa fermentation, puisqu'il était au contact de l'air; il s'évaporait donc, car le bouchon de liège n'existait pas et le vin n'était protégé que par une couche d'huile; au bout de quelques mois, il devenait épais et titrait sans doute entre 15 et 20°; telle est la raison pour laquelle les consommateurs, soiffards mis à part, le coupaient d'eau pour moitié ou les deux tiers. Surtout, il était riche en moût et en lie, dont on a retrouvé des traces deux mille ans plus tard, dans les amphores repêchées en mer. Quand le vin reposait dans des amphores sur trépied, un fond plus sirupeux, mélangé à la lie, pouvait représenter, selon le cru, les conditions d'entreposage et l'âge, 15 à 20 % du total. Si l'on ajoutait de l'eau à ce fonds, on obtenait sans doute un breuvage au bouquet diminué, mais dont la consommation était beaucoup moins risquée.

Cana, ville provinciale, ne pratiquait pas le raffinement de centres hellénisés tels que Tibériade ou Jéricho, et il paraît plausible qu'ayant

voulu montrer sa munificence, l'hôte des noces ait acheté un vin coûteux qu'il ne connaissait pas et qui était riche en moût.

La propension évangélique à l'affabulation enrichit donc l'histoire
de Jésus d'un épisode pittoresque, mais dont la portée eschatologique
est pour le moins douteuse. Peut-être la symbolique de l'eau a-t-elle
inspiré cette histoire, destinée à démontrer le pouvoir de l'eau de trans-
figurer le monde, et, pour commencer, de purifier les âmes. Mais un
fait demeure : tel quel, ce prodige ne peut revêtir la portée des autres
miracles de Jésus et notamment ses guérisons, qui expriment bien plus
clairement sa compassion.

Enfin, l'épisode se prêtait à tourner en dérision une tradition ico-
nographique tenace : celle qui consiste à représenter les convives des
Noces de Cana mangeant allongés sur des couches, à la mode hellé-
nistique ; quiconque aura tenté de consommer un repas de la sorte en
aura expérimenté l'extrême inconfort et les risques de faire voisiner les
orteils avec les olives ; nul amateur de luxe de nos jours ne songerait à
en rétablir la mode. Il semble cependant qu'à l'époque de Jésus cette
affectation ait gagné les classes aisées, car Jésus lui-même vitupère les
pharisiens, « qui aiment à occuper le premier divan dans les festins »
(Mt., XXIII, 6).

20.

— La Galilée sera bientôt conquise, dit Jacques.

Réfugiés sous des chênes, les voyageurs attendaient que s'arrêtât la pluie impétueuse qui arrosait les vignes devant eux.

Car Jésus avait décidé de regagner Kefar Nahoum. Il s'était lassé de jouer les médecins itinérants et l'avait confié à ses compagnons :

— Ces gens croient que parce que j'ai guéri leurs corps, le royaume du Seigneur s'est instauré. Peut-être seront-ils plus sincères dans leurs actions de grâces, mais cela ne change rien à l'emprise des esprits desséchés sur le monde. Même les païens sont plus ouverts à la reconnaissance du Seigneur. Ils n'avaient pour dieux que des statues, c'était plus facile pour eux, ils ont découvert l'Esprit !

Aussi ne répondit-il pas au constat de Jacques. Oui, la Galilée connaissait son nom, non, elle n'était pas conquise pour autant. Conquise ! Il n'aspirait pas à la conquête, mais à un monde plus pur, en tout cas débarrassé des manigances et de l'emprise du clergé de Jérusalem. Pour peu, il aurait tenu rigueur à Jacques de sa façon d'interpréter les guérisons qu'il avait faites, mais il savait que ce frère, ce demi-frère, ne voyait pas aussi loin que lui. Depuis ces nuits ailées à Sokoka, où la panthère élevait son esprit, il percevait souvent le monde comme le voit un épervier, de haut, de très haut.

À Adama, où ils firent étape, Nathanaël, qui furetait toujours à droite et à gauche et qui tendait l'oreille, apprit que l'on jasait beaucoup au sujet d'une incartade amoureuse du roi Hérode Antipas : celui-ci avait pris comme épouse Hérodiade, la femme de son frère Philippe. Ah, ce n'était pas une effarouchée que celle-là ! Elle et sa fille Salomé avaient quitté le morne Philippe de leur plein gré, sachant qu'Hérode les attendait les bras ouverts.

À l'étape suivante, Magdala, qu'on appelait aussi Tarichée, Marie se fit invisible ; c'était là qu'elle avait vécu avec son défunt mari, et elle ne voulait absolument pas y être reconnue, surtout voyageant avec des hommes ; elle se voila donc jalousement le visage. Jésus et ses compagnons soupèrent dans la seule auberge existante. Ils écoutèrent bien plus qu'ils ne parlèrent. En effet, à une table voisine des voyageurs syriens pris de boisson se gaussaient bruyamment de la frasque d'Hérode.

— Ah ! Dire que les Juifs le prennent pour un roi pieux ! Il fait ses offrandes aux seins d'Hérodiade ! Il a perdu la tête !

— Et sa fille est avec elle, ha !

— Deux putes en quête d'un roi !

— Mais c'est qu'il est riche, Hérode ! Très riche !

Suivirent des commentaires égrillards et même corsés. Jacques, Matthieu, Nathanaël et Philippe, ainsi que Jésus, adressèrent aux soiffards des regards intrigués mais inefficaces. Enfin, à bout de patience et alarmé, le patron de l'auberge pria les Syriens de modérer leurs sarcasmes et de baisser la voix, afin de lui éviter des sévices des agents royaux ; et il parcourut la salle d'un regard inquiet.

Non, il n'y avait pas d'agent dans la salle.

À Yireon, Jésus rendit la vue à une fillette aveugle, rencontrée en chemin. Il en fut remercié par des éclats de rire joyeux de l'enfant, qui lui enlaça le cou et le couvrit de baisers, devant ses parents ébaubis et larmoyants. Les échos de ce miracle le précédèrent à Giscalà : il y fut, en effet, accueilli par des habitants frénétiques, qui ne l'avaient jamais vu mais qui avaient été prévenus de la composition de son équipage et sans doute de son aspect physique : cinq hommes et une femme, avec deux ânes.

La chaleur de la réception fut tempérée par un notable, du moins sa mine hautaine et son escorte de trois hommes en armes le laissait-elle supposer, qui se présenta dans la maison spontanément mise à la disposition des voyageurs.

— Je suis Iddo bar Ela, délégué du roi Hérode Antipas dans cette ville. Et toi, tu serais l'Envoyé céleste annoncé à grands cris par le prophète Yohanan. Tu dois donc être informé que cet homme vitupère du matin au soir notre roi, qu'il accuse d'avoir défié les prescriptions de la Tora. Sache que je ne tolérerai pas d'attaques publiques contre l'illustre Hérode, sans quoi je devrai sévir.

Jésus demeura silencieux un long moment, fixant Bar Ela du regard.

— Tu es pharisien.

— Je le suis.

— En tant que tel, tu prends donc le parti d'Hérode contre la foi des tiens.

Bar Ela encaissa le reproche avec un dépit évident.

— Il ne t'appartient pas de juger de la faute des autres.

— Je ne suis pas venu juger, c'est le privilège du Seigneur. Mais toi, tu viens de te condamner toi-même.

Bar Ela frémit.

— On me dit que tu es *talmid hakam*. Tu es habile avec les mots. Mais te voilà prévenu.

Sur quoi, il tourna les talons et repartit avec son escorte.

L'épisode ne contribua guère à égayer le souper. Chacun, à commencer par Jésus lui-même, savait qu'un conflit, jusqu'alors difficile à cerner, prenait corps.

Jésus décida qu'ils reprendraient la route à l'aube : il était inutile d'affronter les questions des gens qui l'attendraient le lendemain.

Ce ne fut qu'à Kefar Nahoum que l'on se fit une idée à peu près claire de la situation. Là, Jésus et ses compagnons apprirent qu'Hérode, sans doute aiguillonné par sa nouvelle et illégitime épouse, Hérodiade, avait fait appréhender le prophète Jean et l'avait jeté dans un cachot à Tibériade.

Le choc fut rude.

Peu après arriva un visiteur suivi de gens chargés de présents, une amphore de vin, des galettes de miel, de la myrrhe… Surprise : c'était Amos, le possédé de Bethsaïde.

— Me reconnais-tu, maître ?

Jésus hocha la tête : on aurait reconnu le miraculé à son seul nez. Mais là, il était beaucoup moins laid ; ses yeux brillaient d'une flamme joyeuse, seule la voix portait des traces de son infortune passée : elle était brisée. Ses compagnons déposèrent les présents aux pieds de Jésus.

— Tu m'as donné la vie. Je suis devenu cultivateur, je me suis marié, ma femme est enceinte...

Nul doute : sa qualité de miraculé l'avait rendu prospère.

— J'ai appris que tu étais ici, je me suis empressé de venir... Maître, gémit-il, le prophète qui t'annonçait est dans la prison d'Hérode...

Il leva les mains et secoua la tête :

— Aussi, il était trop audacieux, il clamait ses reproches si fort qu'on l'aurait entendu à Jérusalem ! Il criait : « Hérode, tu as enfreint le commandement du Seigneur ! Toi et ta femme, vous êtes des adultères ! Renvoie cette pécheresse à son mari ! » Maintenant, il crie dans son cachot et des gens viennent l'écouter de l'extérieur !

La voix d'Amos avait atteint le pic de l'aigu.

— Maître, prends garde : tout le monde en Galilée sait que tu es l'Envoyé du Seigneur, le Messie qui relèvera le glaive de David...

Jacques, qui ramassait les présents pour les porter à l'office, s'immobilisa. Marie, Matthieu, Nathanaël et Philippe furent saisis. Jésus tendit le cou. Le Messie ? L'Oint ? L'héritier de David ? Lui ? Amos avait-il perdu la raison ?

— Qui dit cela ?

— Des gens innombrables, rabbi, innombrables... Tu as fait descendre l'espoir du ciel... Ils redisent ce que Jean clamait, que tu laveras le péché du monde... Rabbi, prends garde, dis-je : les complices des démons te guettent...

Un silence se répandit, comme une flaque d'huile.

— Bien, dit Jésus, je te remercie. Va en paix et garde en toi la lumière du Seigneur.

Amos baisa les mains de son bienfaiteur et s'en fut avec ses compagnons.

À la porte, des gens attendaient d'être guéris.

— Plus tard, dit Jésus à Matthieu, dis-leur de venir plus tard.

Les informations d'Amos l'avaient troublé.

Peu avant les ablutions et le souper, Jésus et ses compagnons allèrent se promener le long des rives de la mer de Galilée. C'était l'heure où les pêcheurs rentraient. Ils s'arrêtèrent pour observer ces travailleurs de la mer tandis qu'ils halaient leurs barques et déchargeaient leurs prises ; ces hommes semblaient fourbus. Philippe, dont ç'avait été le métier bien des mois auparavant, s'offrit à les aider et ils acceptèrent d'emblée. Deux hommes qui traînaient leurs filets sur le sable s'arrêtèrent un instant, défirent le nœud d'un filet et en tirèrent deux poissons qu'ils jetèrent à un troisième assis sur la rive :

— Pour ton dîner, Judas !

— Que le Seigneur vous bénisse, Simon, toi et ton frère !

Jésus remarqua la scène.

— C'est un mendiant ? demanda-t-il à Philippe.

— Non, Judas bar Yacoub était pêcheur, il s'est cassé la jambe, il ne peut plus travailler, ni comme pêcheur, ni comme paysan.

Jésus se pencha pour dévisager l'homme, qui fourrageait dans un foyer éteint, rejetant les brindilles brûlées pour rebâtir un feu avec du petit bois qu'il tirait de son sac. Il remarqua que Jésus s'intéressait à lui, le dévisagea à son tour et sourit.

— Tu veux faire cuire du poisson, toi aussi ? demanda-t-il sur le mode plaisant.

— Non, je me demandais ce que tu boirais avec tes poissons.

— L'eau du Seigneur, si quelqu'un veut bien aller remplir ma gourde, dit-il en s'adressant aux hommes autour de lui, dont Jacques, Matthieu, Nathanaël et Philippe.

Les deux pêcheurs qui, non loin de là, discutaient avec les marchands venus à cette heure-là, comme chaque soir, pour acheter les prises, remarquèrent que Judas faisait l'objet d'un petit attroupement et se retournèrent pour observer la scène.

— Tu ne peux plus du tout marcher ?

— Avec mon bâton, je peux quitter les lieux, l'hiver. Mais lentement.

Ce Judas pratiquait l'ironie des vaincus, incassable béquille. Il faisait décidément contre mauvaise fortune bon cœur.

— Allonge ta jambe.

— Pour quoi faire ?

— Allonge ta jambe, Judas, ordonna Philippe.

L'homme, surpris, s'exécuta péniblement, en soufflant.

Jésus s'accroupit et examina la jambe : une mauvaise fracture mal soudée, qui faisait une bosse. Il passa la main dessus, puis la repassa et finit par enserrer la jambe dans ses deux mains. Judas poussa un cri, bizarrement modulé, comme un chant interrompu. Puis il resta la bouche ouverte, haletant, regardant Jésus d'un œil terrifié.

Le cri avait attiré l'attention des pêcheurs, non seulement Simon et son frère mais les autres également, ainsi que les marchands.

— Essaie de te lever, maintenant, dit Jésus.

Soutenu par Philippe et Matthieu, Judas prit son souffle et se tint debout, ahuri, puis il fit un pas. Puis un autre. Et se tourna vers Jésus.

Plusieurs pêcheurs étaient accourus.

— Judas, tu marches ?

— Il marche, confirmèrent Philippe et Jacques.

— Mais comment… ?

Judas alla vers Jésus, les bras tendus. Jésus aussi lui tendit les bras. Ils s'étreignirent. Judas s'écarta, le visage ruisselant de larmes. Pêcheurs et marchands entouraient le petit groupe, tout le monde parlant en même temps.

— Es-tu un ange ? demanda Judas à Jésus.

— C'est l'Envoyé du Seigneur, dit Simon, l'aîné des deux pêcheurs qui avaient offert du poisson à Judas. On nous avait dit qu'il était en Galilée, mais nous ne l'avons pas cru.

Il s'approcha de Jésus, lui prit la main et la baisa.

— Seigneur, dit Judas, sois aussi certain que tu me vois que mes pas s'emboîteront toujours dans les tiens. Je serai ton ombre.

— Non, tu ne peux être mon ombre, car je ne suis pas ta mort, Judas, et je ne peux te voiler le soleil. Je dois être ta vie. Mais suis-moi donc, puisque tu le veux.

Un autre pêcheur, l'un des plus jeunes, s'avança et déclara d'une voix tendue par le défi :

— Tu as guéri cet homme par la volonté du Créateur. Nous laisseras-tu maintenant, seuls, dans la nuit, avec nos poissons ? Nous n'aspirerons plus jamais à autre chose qu'à être près de toi, dans ton royaume... Et toi, tu t'en irais comme un seigneur étranger qui était de passage ?

— Je n'ai pas de royaume, et il n'en est pas d'autre que celui du Seigneur. Tu veux me suivre ? Suis-moi donc.

— Mon frère aussi ! s'écria le jeune pêcheur, tirant son aîné par le bras.

— Comment vous appelez-vous ?

— Je suis Jean bar Zebeida, et lui, Jacques. Notre père est là-bas.

— Seigneur, nous aussi ! s'écrièrent les deux frères qui avaient offert le poisson à Judas.

— Comment vous appelez-vous ?

— Je suis Simon bar Yona et lui, André.

Ceux-là étaient des hommes plus âgés, et leur ralliement n'en était que plus surprenant. Mais Jésus savait que le désir d'accomplir sa vie grandit avec les années. Les jeunes aspirent naturellement à un destin lumineux et, quand il ne vient pas, ils ressentent son absence comme une humiliation. Ils pensent alors que le fleuve de la vie les poussera vers la mort comme des objets à la fin inutiles. La guérison de Judas avait réveillé chez les vieux et les jeunes la même aspiration.

Il considéra alors Simon et André avec attention.

— Est-ce le prodige de la guérison de Judas qui vous a ouvert les yeux ?

— Oui, Seigneur, répondit André. Nous ne sommes ni malades ni infirmes et nous n'espérons donc pas de prodige pour notre compte. Celui que tu as opéré sur Judas nous prouve que la bonté du Tout-Puissant se manifeste aux plus humbles et non seulement à ceux qui rayonnent de faste et de gloire. Si nous pouvons nous joindre à toi pour en témoigner, nous serons des élus.

Pour eux, il disait donc la vérité et ils démontraient que les guérisons n'étaient pas seulement accueillies de façon égoïste ; certains en déchiffraient le sens.

— Venez donc, vous aussi.

Jésus envoya Philippe prévenir Marie qu'ils seraient trop nombreux pour souper à la maison et la prier de ne pas les attendre ; ils prendraient leur repas à l'auberge sur la rive. La maison était proche, et, peu après, Philippe revint essoufflé :

— Maître, il y a largement de quoi nous nourrir tous à la maison.

Simon et André bar Yona, ainsi que Jean et Jacques bar Zebeida, avaient conservé pour eux-mêmes une part des prises de la journée ; Matthieu les pria de l'apporter avec eux.

— Va ramasser ton poisson, toi aussi, dit Jésus à Judas. Tu le mangeras ce soir avec du vin, et non pas de l'eau.

Celui-ci se mit à rire et alla récupérer les deux poissons et son ballot.

— Maître, le Seigneur fut bien inspiré de choisir un Envoyé tel que toi. Tu sais rire, et le rire est comme l'huile qui empêche les roues de la charrette de grincer.

Jésus ne se retint donc pas de sourire.

— Oui, dit-il, savoir rire signifie qu'on ne se prend pas pour la majesté de ce monde.

Quand ils arrivèrent à la maison, il aperçut Marie qui les avait vus arriver de loin et disait au chef des domestiques :

— Ils sont neuf.

Mais il ne la revit pas de la soirée.

— Et moi, je suis la dixième.

La lumière de la lampe qu'elle tenait en main dorait ses pieds. Il leva les yeux vers elle.

— C'est toi qui nous as enseigné que les mots et les rites ne sont rien sans le cœur.

Assis sur sa paillasse, il joignit les mains sur ses genoux :

— Parfois, aimer un être exige de le tenir à distance. Les femmes ne sont pas au combat. Ce serait de la dureté de cœur que de les contraindre à s'y engager.

— Ton combat, j'y suis.

Servante et pourtant impérieuse. Et la vérité était qu'il n'imaginait plus le monde sans elle.

— Souffle la lampe.

Il prit connaissance du premier corps de femme qu'il eut jamais tenu dans ses bras. La découverte fut infiniment lente, puisqu'il n'avait aucun autre souvenir que celui des mains, des lèvres et d'une aisselle. Elle présentait l'apparence d'un corps, mais sa vraie nature était celle d'un fruit. Ses doigts glissaient sans fin des seins au ventre, explorant sa surprise. Peut-être éprouvait-elle le même sentiment, car elle parcourait aussi son corps, pareil à un arbre abattu. Et lui se laissait posséder par une idée étrange, qu'un homme n'est enfin lui-même qu'avec une femme. Comme le fil de soie se glisse dans la trame du lin des vêtements somptueux, comme le parfum du jasmin se mêle à l'arôme du vin que l'on déguste à la Pessah, un sentiment nouveau l'effleurait par vagues, celui de retrouver enfin une part de lui-même jadis perdue.

Leurs esprits se retirèrent, tels des témoins importuns, et leurs corps furent seuls l'un avec l'autre. Pareilles à celle que le bâton de Moïse révéla dans le rocher, des sources en jaillirent.

Une autre vie commençait. Les noces étaient donc une seconde naissance[46].

Ils les célébrèrent sous le regard de la seule puissance qui les autorisait. Aussi les rites des humains sont-ils accessoires : ne compte que la présence des cœurs.

Il fallait instruire ces nouveaux disciples ; ils étaient en effet pareils à des *nazara**, puisqu'ils consacraient leur vie au Seigneur.

— Je ne suis que le serviteur du Père, qui m'a délégué pour vous donner la vie, car il n'est de vie que celle de l'Esprit de Lumière, et celui-là n'est dispensé que par le Père. Vos corps sont les demeures de l'Esprit, alors il faut que vous les teniez dignes de leur hôte. Gardez-les purs. La sueur et la poussière dessinent les stigmates de votre condition terrestre.

Deux fois par jour, avant le repas du matin et celui du soir, les neuf disciples s'attachaient à laver la misérable écriture du monde sur leur peau, leurs yeux, leurs cheveux, leurs mains et

---

* Pluriel de *nazir*.

leurs pieds. Ils en devinrent rapidement des adeptes fervents. Les ablutions du matin se faisaient simplement dans la salle d'eau de la maison, celles du soir, quand le temps ne faisait pas défaut, aux bains de vapeur de la ville, car elles étaient alors plus longues.

Et Jésus continuait de guérir les malades ; comme Jean bar Zebeida s'étonnait de sa patience, il lui répondit :

— Ne l'as-tu pas entendu ? Le corps est la demeure de l'Esprit, alors je restaure ceux qui sont abîmés, car l'Esprit peine à entrer dans une maison qui s'effondre : c'est là que se faufile le Démon.

À quelques semaines du retour à Kefar Nahoum, un jeune homme se présenta à la maison où Jésus s'était donc installé et demanda à voir l'Envoyé du Seigneur ; il ignorait que celui-ci se trouvait à trois pas de lui.

— Que me veux-tu ?

L'homme s'inclina cérémonieusement.

— Je suis le fils de l'un des geôliers du prophète Jean, je suis venu exprès de Tibériade. Le prophète a chargé mon père d'un message pour toi, et comme il ne peut pas quitter sa charge, mon père m'a envoyé à toi.

— Quel est le message ?

— « Es-tu celui que nous attendons, ou bien en viendra-t-il un autre que toi[47] ? »

Les disciples se figèrent. La question était inouïe, presque insolente : le prophète doutait-il de la mission de Jésus ? Au bout d'un temps, Jésus répondit :

— Va auprès de ton père et dis-lui que ma réponse au prophète est celle-ci : « Je t'ai entendu. »

Le jeune homme s'inclina de nouveau et repartit.

Quand un chariot prend un virage, on entend les moyeux grincer sur leurs axes. La destinée est-elle dotée de roues, de moyeux et d'axes ? Nul ne le sait, mais les disciples, ainsi que Marie, entendirent ce grincement-là. Aussi, les oreilles du cœur sont-elles plus fines que celles du corps.

Notes du chapitre 20

46. Nombre de ses disciples et la tradition qu'ils ont fondée ont érigé Jésus en adversaire de la sexualité et du mariage, reléguant la femme, selon la tradition patriarcale, dans le rôle secondaire d'«aide» de l'homme, selon le terme même de la seconde version de la création d'Ève, souvent méconnue (Genèse, II, 20). Les avis divergents, car il y en eut sans doute, ne furent pas entendus. Les propos même de Jésus sur la sexualité, du moins ceux que voulurent bien transcrire les premiers évangélistes et ceux qui échappèrent peut-être à la censure, sont réduits. Lors d'un entretien entre lui et ses disciples sur le mariage et le divorce, et quand ces derniers observent qu'il ne serait pas «expédient» de se marier, il leur dit : «Tous ne comprennent pas ce langage, mais ceux-là à qui c'est donné.» (Mt. XIX, 11.) Réponse plutôt abstruse et que, dans la bouche d'un autre, on qualifierait de «réponse de Normand». La suite n'est pas plus claire : «Il y a, en effet, des eunuques qui sont nés ainsi du sein de leur mère, d'autres qui le sont devenus par l'action des hommes, et il y a des eunuques qui se sont rendus eux-mêmes tels à cause du royaume des cieux. Qui peut comprendre, qu'il comprenne!» Comprenne qui pourra, en effet. On relève cependant que cette réponse n'implique pas une condamnation du mariage. Et l'on est porté à s'interroger sur le fait que Jésus, qui possédait le sens de l'humour – «On ne coud pas de jeunes peaux sur de vieilles outres» –, ait pris l'eunuque comme référence de ses idées sur la sexualité.

Jésus ne semble guère hostile aux femmes : elles sont plusieurs à le suivre pendant son ministère, et les Évangiles les représentent même au pied de la croix, contre la vraisemblance historique; c'est à l'une d'elles en tout cas, Marie de Magdala, dont maints indices indiquent qu'elle fut son épouse, qu'il fit l'honneur de se manifester après sa sortie du tombeau. L'émoi causé en 2010 par la découverte d'un fragment d'évangile où Jésus aurait dit «ma femme» confirme que, vingt siècles plus tard, l'interdiction de la sexualité par Jésus n'emporte pas l'adhésion unanime. Celle-ci s'accorde mal, en effet, avec l'affirmation qu'il fut homme à part entière. D'un point de vue historique, on s'étonnerait qu'il ne se fût pas conformé aux coutumes des Juifs de son temps, où seul le fait qu'on fût eunuque justifiait le célibat.

47. La question du Baptiste (Mt. XI, 3 et Lc. VII, 19-20) a, comme on le conçoit, suscité au cours des siècles d'abondantes analyses ; elle signifie en effet que, pour lui, la préexistence de la messianité de Jésus n'était pas assurée, contrairement aux propos que lui prête l'évangéliste Jean et à la conviction qui imprègne les récits évangéliques.

Elle nous paraît s'expliquer par l'influence essénienne sur la formation du Baptiste et confirmerait ainsi la thèse exposée plus haut sur son appartenance à ce courant. Pour les Esséniens, en effet, le Jour du Seigneur ne pouvait advenir qu'après une attaque contre Jérusalem ; et il est possible que les débuts du ministère de Jésus n'aient pas paru au Baptiste assez agressifs : il imaginait un chef de guerre déclenchant une apocalypse, et ce qu'on lui rapportait de Jésus n'était que miracles et discours. Il est également vraisemblable que cette seule question ait porté Jésus à durcir son attaque contre les pharisiens, et même qu'elle ait inspiré sa fatidique attaque contre les marchands du Temple. Il durcit du même coup l'hostilité de ses adversaires.

III.

Le conflit

21.

Il y avait à Kefar Nahoum un homme mal dans sa peau : c'était le rabbin Hattouch bar Mattania. Depuis le retour en ville de ce Jésus bar Yousef, son prestige dépérissait auprès de ses concitoyens, et même des Grecs et des Romains habitant les parages ; ses revenus aussi. Fini les petits cadeaux en nature qu'on lui faisait, fruits de saison, galettes et cruches de vin : il n'y en avait que pour celui qu'on appelait l'Envoyé de Dieu et, parfois, Bar Abbas, car on le désignait aussi sous ce surnom, « Fils du Père », ce Père étant censé être, ô provocation, ô blasphème, le Seigneur tout-puissant.

Outre qu'il lui portait sur les nerfs à cause de son assurance et de ce masque serein en toutes circonstances – car il avait été l'épier en douce –, outre encore qu'il le tenait pour responsable de l'amaigrissement de ses ressources, ce faiseur de prodiges contrariait sourdement le rabbin, car il le mettait dans une situation délicate. Le clergé de Jérusalem, en effet, s'irritait de ses prêches et de sa réputation d'Envoyé du Seigneur. Envoyé du Seigneur, vraiment ! Pourquoi le Seigneur aurait-Il délégué un faiseur de prodiges ? Sans doute un émule de ce Simon le Magicien, qui sévissait en Samarie et dont on prétendait qu'il volait comme un oiseau ! Et l'on racontait qu'il aurait été annoncé de longue date par un prophète nommé Jean, qui avait écumé la région jusqu'à ce que le roi Hérode le fasse emprisonner. Bon débarras ! Le clergé de Jérusalem avait donc chargé des émissaires de mettre les pharisiens en garde contre Jésus bar Yousef et de le contredire chaque fois qu'il prenait la parole en public. Mais ces agents avaient eux-mêmes été mis en échec par les partisans de Jésus. Et ceux-ci étaient de plus en plus nombreux. Il venait même de rallier quatre pêcheurs qui avaient grossi sa garde rapprochée. Pis : le chef même du conseil de la synagogue, Jaïre bar Amrai, se montrait favorable au prétendu Envoyé du Seigneur.

Aussi ce Jésus opérait-il des guérisons spectaculaires. Et les naïfs y croyaient d'emblée et se répandaient en clameurs élogieuses. Ils croyaient même que cet Envoyé changeait l'eau en vin ! Ah, la crédulité des gens ! Il serait cependant risqué de les prendre à partie, car ces gens-là n'hésitaient pas à recourir aux horions et même au bâton, comme à Betsheân et Bethsaïde.

Hattouch bar Mattania décida de guetter une occasion de démystifier ce prétendu Envoyé. Ce ne serait peut-être pas si difficile, car ce Jésus procédait à des séances de miracles le matin devant sa maison.

Peu après l'aube, chaque jour, le rabbin se rendit donc près de la maison de l'Envoyé pour observer les fameuses guérisons. Il assista à quelques-unes d'entre elles, mais ne fut évidemment pas convaincu et soupçonna des complicités de faux malades qui se prétendaient guéris par le mage. Il se crut un matin servi par la chance.

Jésus se tenait déjà sur la terrasse de la maison, entouré de ses disciples et s'adressait à la foule :

— ... Si vous ne vous refaites pas des âmes neuves, vous serez pareils à de vieilles outres ou des vêtements en guenilles, bons pour le rebut. Car on ne met pas du vin nouveau dans de vieilles outres, il les ferait éclater, et l'on ne coud pas une pièce de drap non foulé à un vieux vêtement, car elle tirerait sur le vieux tissu et le déchirerait...

À ce moment-là, il se fit un mouvement dans la foule et l'on fraya un passage à quatre hommes qui portaient une civière ; sur celle-ci gisait un paralytique, presque un squelette habillé de peau, pouvant tout juste bouger la tête et un bras. La civière fut déposée sans un mot aux pieds de Jésus. Nul commentaire à faire : ou bien il guérissait l'homme, ou bien son pouvoir était aléatoire. Cette créature était un défi vivant, à peine vivant d'ailleurs.

Il se pencha et ses mains parurent caresser cette sorte de momie, presque nue sous une couverture. Des frémissements, puis des soubresauts parcoururent le paralytique, il étira les jambes, remua les orteils, émit un gémissement douloureux et rejeta la tête en arrière. Il leva ensuite les bras, les yeux fermés.

Chacun retenait son souffle. Les premiers gestes d'Adam au sortir de son immémorial sommeil n'auraient pas autant fasciné la foule, s'il y en avait eu alors.

Le paralytique replia une jambe et poussa un nouveau gémissement. Jésus retira ses mains :

— Tes péchés te sont remis, accueille en toi l'Esprit saint, celui qui donne la vie.

L'homme redressa la tête, puis, s'appuyant sur un bras, releva tout seul son torse. Ses omoplates saillaient tellement qu'on eût dit des ébauches d'ailes :

— On me l'avait dit... Je n'avais pas cru...

— Crois maintenant, et réjouis-toi dans l'Esprit saint.

Ce fut le moment que Hattouch bar Mattania choisit pour intervenir. Il leva les bras au ciel :

— Qu'ai-je entendu ? Ai-je rêvé ? Mais vous l'avez entendu, vous tous ! Il a dit à cet homme que ses péchés étaient remis. Mais nous savons tous que le Seigneur seul peut remettre les péchés ! Cet homme délire !

— Je ne délire pas, Hattouch. Crois-tu que seul le rite que tu célèbres dans la synagogue puisse purifier une créature de ses péchés ? Le Seigneur qui donne au fils de l'homme le pouvoir de restaurer le corps lui a donné aussi celui de purifier l'âme.

— Es-tu venu, toi, un simple nazir, nous apprendre à honorer le Seigneur ? rétorqua l'autre.

Avant que Jésus eût pu riposter, le paralytique se leva tout à fait et tendit le bras vers Hattouch bar Mattania :

— Qu'as-tu fait, toi, homme du Seigneur, pour me venir en aide quand je gisais sur mon grabat ? Tu ne pouvais pas me guérir parce que tu n'avais pas le don du Seigneur, mais m'as-tu jamais apporté une grappe de raisin ou une galette ? Je n'aurais même pas pu payer pour ma purification ! Je n'ai pas un shekel et j'ai subsisté grâce à la charité de mes voisins. Va-t'en, Hattouch, quitte cette assemblée si ton esprit ne comprend pas la bonté du Seigneur.

Les quatre hommes qui avaient apporté la civière ne disaient mot mais fixaient le rabbin d'un œil froid.

Une huée monta de la foule. Mâchoires serrées, bouche amère et œil d'orage, Hattouch bar Mattania quitta les lieux sur un geste vengeur de la main, signifiant : le sort en est jeté.

Jésus et ses compagnons observaient la scène d'un œil sombre. Le conflit s'accentuait. Mais le conflit avec qui ?

Le miraculé se dressait devant Jésus, presque nu, décharné et triomphal, guère l'attitude de ceux qui avaient été arrachés à la mort. Et il soutenait son regard.

— Tu m'as rendu mon corps et ma gratitude est infinie. Je ne peux ressentir une telle gratitude que pour mon Créateur, celui qui m'a reconnu dans ma misère. Je sais donc que tu ne peux être que son Envoyé. Et toi, tu le sais, je ne vivrai désormais que pour accomplir ta volonté.

La fierté de son allégeance était saisissante. Allait-il rejoindre les disciples ?

— Comment t'appelles-tu ?

— Noadya. Noadya bar Rama, Seigneur.

— Quand l'heure sonnera, Noadya, tu le sauras en toi-même. Va te purifier.

— Me purifier ? Il me rejettera de la synagogue, cet incroyant !

— Alors va te laver dans la mer. La purification se fait aux yeux du Seigneur.

Noadya baisa les mains de Jésus, l'une après l'autre, et s'en fut avec ses compagnons. Au passage, les gens lui tapaient sur l'épaule en signe d'encouragement. Philippe, qui fut le dernier à rentrer, remarqua un homme qui s'était détaché de la foule pour jeter une couverture sur les épaules du miraculé et qui l'avait suivi.

Ils se retrouvèrent dans la grande salle de la maison, debout autour de Jésus, qui s'était assis. Marie était absente de la réunion : en dépit du rang extraordinaire que Jésus lui avait conféré en l'invitant à participer à leurs repas, elle savait que ces hommes étaient habitués depuis trop longtemps à ce que les femmes se tinssent à l'écart et, de préférence, loin du regard des hommes; ils parleraient donc plus librement si elle n'était pas là.

— J'entends vos questions, dit Jésus, car le silence en dit plus long que les mots. Vous vous demandez où nous allons et contre qui nous nous battrons. Le chemin est tracé par le Seigneur et ceux d'entre vous qui veulent toujours me suivre ne s'égareront donc pas. Nos ennemis sont tous ceux qui portent la haine en eux. Je ne peux les haïr, car je ne hais que la haine qui est en eux et pas les porteurs. Je vous enjoins de les aimer, car si vous les haïssiez, vous ne pourriez les secourir.

Clairs et simples, ces propos n'en étaient pas moins énigmatiques pour beaucoup des disciples, on le devinait à leurs expressions.

— Comment pourrions-nous aimer des gens que nous combattons? demanda Simon bar Yona.

— Rappelez-vous le combat de Jacob avec l'ange sur le Yabboq : ni lui ni l'ange ne se haïssaient, l'ange voulait seulement imposer la volonté divine. Pour lui avoir résisté, Jacob a d'ailleurs porté tout le reste de sa vie une cicatrice à la hanche.

— Pourrons-nous un jour guérir comme tu le fais? demanda Jean bar Zebeida.

— Ce n'est pas un apprentissage comme celui du potier, Jean. Quand l'Esprit aura investi ton cœur, tu te découvriras des pouvoirs et des talents que tu ne te connaissais pas.

— Sommes-nous assez nombreux? demanda alors son frère Jacques.

— L'oiseau qui s'éveille le matin pour son premier chant ne se demande pas si ses frères seront assez nombreux pour aller picorer dans les champs. Mais quand le soleil s'est levé, il apprend qu'ils ont comme lui obéi à sa lumière.

Ce fut alors que le domestique annonça qu'un visiteur demandait à voir l'Envoyé du Seigneur.

— A-t-il dit son nom?

— Non, Seigneur.

À l'entrée du visiteur, deux disciples tressaillirent, Matthieu et Philippe. Celui-ci reconnut l'homme qui avait suivi le paralytique guéri et lui avait jeté une couverture sur le dos, et Matthieu dit seulement :

— Thomas!

Chacun nota que le nouveau venu n'avait presque pas de barbe ; il appartenait donc à une profession impure. Sa mise était celle d'un homme aisé. Ce visiteur se tourna vers Jésus et s'agenouilla devant lui.

— Homme de lumière, je suis Thomas bar Tobiyya. Tu rétablis les corps, tu dois lire dans les cœurs. Ouvre le rouleau du mien et dis-moi que je suis autorisé à te suivre jusqu'au dernier jour où je pourrai marcher.

Jésus se redressa légèrement et dévisagea l'homme :

— D'où es-tu ?

— De Bethsaïde.

Il tourna la tête en direction de Matthieu. Jésus lui posa la main sous le coude pour l'inviter à se relever.

— Tu es venu de si loin ?

— Quand Matthieu a quitté sa charge pour te suivre, après la guérison du questeur, j'ai pensé qu'il avait cédé à un élan déraisonnable. Mais j'en ai été moi-même troublé. Cette guérison était extraordinaire. J'ai voulu savoir ce qu'il en était. J'ai vu les autres guérisons et j'ai commencé à me dire que Matthieu n'était peut-être pas un impétueux comme je l'avais cru. Quel homme verrait passer un ange près de lui et continuerait à vaquer à ses affaires comme si de rien n'était ?

— Et tu as vu le paralytique se redresser et tu l'as suivi pour savoir si son histoire était véridique, intervint Philippe.

— Comment le sais-tu, toi ?

— Je t'ai vu de loin.

Matthieu souriait d'un air entendu.

— Que faisais-tu à Bethsaïde ? demanda Jésus.

— Le même métier que Matthieu[48].

Un publicain. Donc instruit et lettré, mais méprisé.

— Voilà un homme qui a l'esprit lent et le cœur têtu, dit Jésus en souriant.

— Seigneur ! s'écria Thomas, indigné. Voici plutôt un ver qui rampe dans la terre et ne sait même pas ce qu'est la lumière. Il ne connaît que la boue et les ténèbres. Il rencontre un autre ver qui lui parle de congénères qui se transforment en papillons et volent dans l'air, parés de mille couleurs. Il le croit fou. Comprends-tu, toi, Fils de Lumière ? Je suis ce ver !

Jésus posa sa main sur l'épaule de Thomas.

— Ne te méprise pas, tu insulterais ton Créateur.

Mais Thomas ne s'apaisa pas :

— Qu'ai-je besoin qu'on me lise un passage des Écritures quand mon père se meurt ou que ma femme se tord de douleur ? À quoi sert l'écot que je prélève sur le fruit de mon travail ? À fabriquer une autre grappe d'or qu'on ira pendre au Temple pour la gloire des prêtres ?

— Tu n'as pas besoin de blasphémer les Écritures pour défendre ta cause, Thomas. Je t'ai bien compris. Les intercesseurs ont failli à leur tâche.

Il se tourna vers les neuf disciples :

— Nous sommes désormais dix. Connais tes frères : Simon et André, Matthieu, Jean et Jacques, qui sont frères, Judas, Nathanaël, Philippe et Jacques, mon frère.

Thomas alla les saluer l'un après l'autre, et comme les journées s'allongeaient et que des heures les séparaient des ablutions et du souper, ils allèrent à la grande auberge sur la mer pour bavarder et faire connaissance du dernier arrivant. Jésus les y avait parfois accompagnés, il avait bu avec eux du *sechar*, une bière légère, et croqué avec eux de petites galettes aux olives. Ces pauses occasionnelles, qui permettaient d'échanger des confidences et des souvenirs, petite monnaie de la pensée, affermissaient les liens entre des hommes qui se préparaient à un combat dont ils ne savaient rien ; elles étaient devenues plus fréquentes à l'arrivée de disciples aisés comme Nathanaël et Matthieu, qui payaient les tournées. Jésus ne jugeait pas toujours utile d'être présent. Ce jour-là, il préféra aller se promener avec Marie dans les vignes proches de la ville.

Il ne rejoignit les dix qu'aux bains. Il fut surpris de les trouver mornes et silencieux, certains détournant même le regard.

— Que se passe-t-il ? demanda-t-il à son frère.

— Nous avons appris une mauvaise nouvelle. Hérode a fait décapiter le prophète Jean.

Maintenant qu'il était informé, ils osèrent tourner le visage vers lui. Ils se trouvaient alors dans la salle de vapeur ; ils ne purent donc savoir si c'étaient des gouttes de sueur ou des larmes qui coulaient sur ses joues.

— Sait-on ce qui a poussé Hérode à cela ?

— La vindicte d'Hérodiade. C'était l'anniversaire de celui qui est maintenant son mari. Une fête a été donnée à Tibériade. Hérodiade a fait danser sa fille, Salomé, après lui avoir dicté sa volonté. À la fin de cette exhibition, Hérode a demandé à sa belle-fille quelle récompense elle souhaitait. Elle a dit qu'elle n'en voulait qu'une, la tête de Jean. C'est certainement sa mère qui le lui avait soufflé.

— Une histoire de prostituées! grommela Jésus. C'est la vengeance des Ténèbres!

Aucun échange n'eut lieu ni dans la piscine ni quand les dix se furent rhabillés. Mais sur le trajet de retour, Jacques dit à son frère :

— Tu es maintenant le seul maître.

Le souper avait été funèbre.

Marie était consternée.

— Le prophète Jean était le soldat de la Lumière, dit Jésus. Il est tombé sous le fer des démons de Ténèbres. Il n'est pas mort, car son esprit nous accompagne. Mais tel ne sera pas le privilège de ses assassins, car leurs âmes sombreront à jamais dans l'abîme. Vous avez été jusqu'ici pareils aux sentinelles qui font le tour des remparts guettant l'ennemi. Il se tapissait dans les fourrés. Vous ai-je assez initiés à l'Esprit de Lumière ? Les temps sont venus où vous le montrerez, car nous devons prendre la succession de Jean.

Avant de se retirer, Jacques prit Jésus à part.

— Je ne t'ai pas tout dit. Les commerçants qui nous ont informés de l'exécution de Jean nous en ont appris bien plus. Les pharisiens de la cour d'Hérode répandent des insinuations selon lesquelles l'Envoyé du Seigneur désigné par Jean serait son complice et qu'il organiserait une sédition contre Hérode et contre le Temple. Tu es en danger.

— Nous le savions déjà.

Jacques semblait en avoir plus sur la langue ; Jésus l'interrogea du regard, il finit par dire :

— Leur malveillance s'étend à nous. Ils racontent que Matthieu et Thomas sont des renégats et que...

— Et que ?

— Marie serait une femme de mauvaise vie[49].

Un pli amer, puis furieux déforma la bouche de Jésus.

— Ils l'appellent «la femme de Magdala», parce que c'est là qu'habitait son mari, poursuivit Jacques avec lassitude.

— L'assaut se prépare donc.

— Que veux-tu faire?

— Frapper au cœur des Ténèbres.

Où se trouvait donc ce cœur-là? Jacques n'osa le demander. Cependant, la réponse s'imposa à lui sur-le-champ, comme le spectre de Samuel se dressant chez la magicienne d'Endor : le Temple.

Le soir, Jésus prit Marie à part :

— Je t'en avais prévenue : cette vie de voyageuse éternelle n'est pas le lot d'une femme. Va m'attendre à Béthanie.

S'y était-elle préparée? Elle demeura sereine, sinon impassible.

— Je sais, dit-elle, tu l'as décidé pour me protéger.

— Mieux vaut partir avant que nos ennemis s'enhardissent. J'aurais aimé que Lazare fût avec nous.

— Les mauvaises paroles sont comme des pierres.

Elle s'était donc doutée que les ragots l'avaient atteinte; il ne servirait à rien d'élaborer là-dessus. Elle s'approcha de lui et lui posa les mains sur les épaules. Ils demeurèrent ainsi un temps indéfini. Un soupir les sépara. Elle s'absenta et revint une bourse à la main.

— Il ne faut pas que toi ou tes disciples soyez à la merci des inconnus, dit-elle.

— Que tes songes soient heureux.

Elle partit à l'aube, escortée par son domestique sur l'autre âne. Six jours de voyage la séparaient de Béthanie.

Notes du chapitre 21

48. Ainsi qu'il a été observé plus haut, les évangélistes se montrent étonnamment évasifs en ce qui touche aux personnalités des apôtres. Les indications fournies dans ces pages reposent sur les caractères qui leur sont prêtés succinctement ; il m'a ainsi paru que Thomas, méfiant obstiné, pouvait avoir été un publicain, de même que Judas – v. ch. 22 – pouvait avoir été comptable d'un homme riche.

49. La réputation de Marie de Magdala en souffrit auprès des évangélistes eux-mêmes ; elle est en effet souvent associée à une « pécheresse », autant dire une femme de mauvaise vie, et Luc (Lc. VIII, 2) et Marc (Mc. VII, 9), guère influencés apparemment par l'intérêt que lui témoigna Jésus, avancent qu'il la délivra de « sept démons », autant dire beaucoup, sept étant un chiffre symbolique. Bref, ç'aurait été une hystérique.

Les Églises semblent avoir repris les efforts des évangélistes pour discréditer cette femme, qu'ils citent néanmoins quinze fois, pour évacuer l'évidence de l'intérêt que lui porta Jésus. L'une des thèses en ce sens est qu'il faudrait distinguer entre Marie de Magdala et Marie de Béthanie, sœur de Marthe et Lazare, alors que les indications abondent dans les Évangiles que Lazare et ses sœurs avaient une maison à Béthanie ; Jean précise même que Marie est bien la sœur de Lazare. Une autre thèse est qu'il faudrait distinguer entre Marie de Magdala et la femme qui versa du parfum sur Jésus, alors que Jean désigne Marie comme étant cette femme (Jn. XI, 1-6 et XII, 1-8).

Ces arguties, d'ailleurs vaines, tendent à tenir une femme qualifiée de « pécheresse » à distance de Jésus. Ce fut pourtant à elle et elle seule qu'il se manifesta d'abord après sa sortie du tombeau, lui enjoignant, selon les Évangiles, de ne pas le toucher, ce qui révèle que, dans l'esprit des auteurs, elle l'avait déjà fait auparavant et qu'ils le soupçonnaient.

22.

Kefar Nahoum était donc hanté par un esprit hostile. Chacun des disciples en était désormais conscient. Aussi la malveillance est-elle comme un miasme : le nez la détecte avant que les yeux en aient trouvé la source. Après avoir été flairée et reconnue par tous, la hargne de Hattouch avait achevé de dessiller les yeux.

Jésus avait décidé de ne pas sortir le lendemain, afin de ne pas gaspiller la bonté du Seigneur : «On ne jette pas aux chiens les meilleurs morceaux de l'agneau.»

Dans la matinée cependant, des gens se présentèrent à la porte. Jacques alla y voir. Il prévint son frère : le chef du conseil de la synagogue, Jaïre bar Amrai, voulait prier Jésus de pardonner l'emportement de Hattouch; ce notable présidait les réunions de la communauté; son influence le disputait donc à celle du rabbin.

— Il n'a pas l'air d'un mauvais homme, dit Jacques.

Jésus les fit entrer avec ses compagnons.

— Seigneur, déclara Jaïre, il y a à Kefar Nahoum, comme partout, des sourds et des malvoyants de l'âme. Leur infirmité leur fait parfois dire des sottises ou des impiétés. Pardonne-leur, nous t'en supplions.

— Que ne viennent-ils eux-mêmes reconnaître leurs erreurs?

— Ils les reconnaîtront, sois-en sûr, et nous leur sortirons s'il le faut les mots de la bouche. Pourquoi, nous qui entendons tes paroles et voyons tes prodiges, devrions-nous en souffrir?

C'était un discours sensé. Un jeune homme qui semblait agité déboula alors dans la salle et courut vers Jaïre :

— Ta fille se meurt en ce moment !

Il lui prit le bras pour l'entraîner. Mais Jaïre, dévasté, tendait les mains vers Jésus :

— Seigneur ! Prends pitié...

— Ta fille se meurt ! répéta le messager.

— Seigneur, prie pour moi le Très-Haut...

— Allons chez toi, dit Jésus en se levant.

Le trajet vers la maison de Jaïre fut précipité, presque délirant, mais moins que le spectacle qui s'y déroulait : des femmes se lamentaient bruyamment, d'autres se battaient le visage et l'arrivée de Jésus ne les apaisa pas.

La mourante, une fille de quatorze ou quinze ans, gisait sur sa couche. Peut-être était-elle déjà morte : elle était inerte et livide. Jaïre fondit en larmes. Jésus se pencha sur la fille et lui posa la main sur le front. Un frémissement ténu sembla ranimer les lèvres décolorées. Jésus posa l'autre main sur le bras de la fille et l'enserra. Chacun entendit alors un petit cri et le silence tomba brusquement sur l'assistance. Personne ne faisait plus un geste.

— Mère..., susurra la fille.

Bras écartés, yeux écarquillés, bouche ouverte, la mère sembla vaciller sur ses pieds.

Jésus avait retiré ses mains.

– *Talitha, oumi**, dit-il à la fille.

Elle ouvrit les yeux et sourit à l'homme qui lui avait parlé. Elle se redressa et parut terrifiée par le cri strident de sa mère qui s'élançait vers elle.

Jaïre saisit une main de Jésus et la posa sur son cœur, les yeux levés au ciel.

— Au nom du Très-Haut, que j'implore de toute mon âme, sois béni !

Le chaos s'empara alors de la maison de Jaïre et Jésus et ses disciples en profitèrent pour s'esquiver. Le spectacle de l'agitation n'a jamais enrichi personne, tout au plus induit-il à la fuite.

---

* « Petite, lève-toi » en araméen.

— Nous sommes assez demeurés dans cette ville, dit un peu plus tard Jésus. Les prodiges n'émeuvent que les convaincus et ils endurcissent les incroyants.

— Avant que nous quittions Kefar Nahoum, maître, j'ai une grâce à te demander. Il y a dans ma maison aussi une femme qui est malade. Je ne voudrais pas la laisser affronter la mort en mon absence.

C'était Simon bar Yona qui venait de parler. Jésus le dévisagea, étonné : personne n'avait encore parlé de quitter la ville. Mais sans doute les nouvelles et les propos entendus la veille à l'auberge avaient-ils convaincu les disciples que le temps de l'apprentissage et de la réflexion était passé et que l'action était imminente. Ils quitteraient donc bientôt Kefar Nahoum.

— Qui est cette femme ?

— La mère de ma femme, maître.

— Allons-y.

La maison de Simon et André se trouvait près de la ville, sur la berge occidentale de la rivière Korazim. À l'arrivée des hommes, trois femmes en sortirent et, identifiant sans peine Jésus dans le groupe, se confondirent en paroles de supplication et de gratitude mélangées. Émaciée par la fièvre, livide, les yeux mi-clos, la malade gisait sur une paillasse ; elle tremblait et, de temps à autre, marmonnait des mots incompréhensibles.

Elle était peut-être atteinte de la fièvre des marais, dont on ne guérissait pas. Jésus s'accroupit et lui posa la main sur le front. Elle ouvrit les yeux et le regarda, hagarde. Il saisit ensuite un bras de la femme et le pressa. Elle émit alors un son pareil à un miaulement ; elle avait cessé de trembler. Elle demeura immobile un moment, sous les regards qui la criblaient. Enfin, elle dit :

— La paix, enfin la paix… Je sais que le Seigneur est venu. Suis-je morte ?

— Non ! cria sa fille en s'élançant vers elle et la prenant dans ses bras. Non, mère, tu es guérie !

— Guérie, répéta la femme, sans paraître savoir ce que le mot signifiait.

Elle s'avisa alors du monde dans la pièce.

— Je vous le dis, vous tous... Le Seigneur est venu. Je le sais dans mon cœur.

Et elle prit la main de Jésus dans ses doigts noueux et la porta à ses lèvres desséchées.

— Elle est affaiblie, dit Jésus à Simon, bouleversé. Qu'elle se repose.

Ils prirent le chemin du retour.

Des groupes d'hommes les attendaient devant la maison. On n'y distinguait pas de malades et il apparut rapidement que ces gens-là n'étaient pas venus dans l'espoir d'une guérison. Quand Jésus et ses compagnons approchèrent du seuil, en effet, le rabbin Hattouch bar Mattania s'avança vers eux :

— Vous avez encore été propager vos bobards dans les campagnes, je suppose. Le sort de votre prétendu prophète Jean ne t'a pas servi de leçon, Jésus bar Yousef. Mais nous voyons trop clair dans tes prodiges et tes discours. Tu es venu semer la sédition en Galilée, la sédition et la subversion. Tu es un ennemi du roi et du Temple !

— Voilà beaucoup de malveillance, Hattouch, rétorqua Jean bar Zebeida, furieux. Va demander à Zaïre si ce sont des bobards qui ont ranimé sa fille ! Pourquoi nous crains-tu tellement ? Qu'est-ce que tu as peur de perdre ? Ton rang de domestique aux ordres d'Hérode ?

— On ne parle pas comme ça au rabbin Bar Mattania, dit un des hommes qui accompagnaient ce dernier, en faisant quelques pas vers Jean.

— Tu ne me fais pas peur, sbire. Et Hattouch n'est pas un intouchable.

— Nous ne voulons plus de toi ni de tes gens à Kefar Nahoum, dit le rabbin, s'adressant à Jésus. Nous ne voulons plus de tes renégats et de tes femmes perdues !

Des gens, hommes et femmes, venaient d'arriver, et ils observaient la scène à distance. L'une des femmes portait un enfant dans les bras ; elle était donc venue demander une guérison.

— Et moi je ne veux plus de toi, Hattouch, comme porteur de la parole du Seigneur, dit Jean. Quand tu parles, j'ai l'impression que des mouches sortent de ta bouche ! Et quand tu lis les Écritures, je suis sûr que tes yeux les souillent !

— Insolent ! Tu n'as aucun pouvoir…

Jésus n'avait encore rien dit.

— Malheur à vous, gronda-t-il, sourds et aveugles, cœurs de pierre et cervelles de boue !

Le rabbin se raidit.

— Vous êtes maudites, Bethsaïde et Betsheân, Chorazeïn, Cana et Giscalà !

Les hommes autour de Bar Mattania froncèrent les sourcils et quelques-uns cherchèrent instinctivement les amulettes protectrices qu'ils portaient au cou et au poignet.

— J'aurais été prêcher à Tyr et à Sidon, chez les païens, que les signes de la puissance divine les auraient convertis. Mais vous, vous verriez l'Ange du Seigneur en personne que vous lui refuseriez votre toit !

— Tu n'as pas le droit…, commença l'un des hommes de Bar Mattania.

— Silence, damné ! lui cria Simon.

— Et toi, Kefar Nahoum, s'écria Jésus, dont la voix avait atteint une intensité alarmante, tu descendras en larmes aux enfers ! Si les prodiges accomplis chez toi par la volonté du Seigneur avaient eu lieu à Sodome, elle serait encore debout. Mais le Jour du Seigneur, je vous le dis, il y aura moins de rigueur pour Sodome que pour Kefar Nahoum !

Bar Mattania et ses hommes demeurèrent un moment figés par la malédiction, puis le rabbin fit signe de s'en aller.

— Vous voilà prévenus ! leur cria Jean.

Il avait ramassé une amulette dont la ficelle s'était cassée, un caillou bleu sans doute pendu au cou d'un des pharisiens. Il la lança en direction des sbires de Bar Mattania.

Les gens qui étaient venus demander une guérison, ou peut-être davantage, s'en allaient. La peur de représailles leur avait peut-être fait sacrifier la vie d'un enfant.

Jésus entra dans la maison, suivi des disciples. La soirée serait sombre. Ce serait la dernière à Kefar Nahoum. Jacques s'enquit de Marie, et quand Jésus l'informa qu'elle était repartie pour Béthanie, il dit seulement :

— C'est mieux ainsi.

Ils partirent à l'aube, vers le sud.

Non, la Galilée n'avait pas été conquise, comme l'avait cru Jacques.

— Tant de bienfaits perdus ! se désola Philippe.

— Un bienfait n'est jamais perdu, rectifia Jésus, il demeure dans la mémoire du Père et il est compté quand vient le jour. Il se trouve que ceux qui l'ont reçu en Galilée ont eu peur des serviteurs des Ténèbres. Mais ils se repentiront d'avoir voulu conserver pour eux seuls la vie que le Seigneur leur avait redonnée.

Ils n'étaient pas partis depuis une heure qu'un voyageur les rejoignit à baudet et, parvenu à leur hauteur, mit pied à terre et se joignit à eux. Ils le dévisagèrent et, au bout d'un bon moment, comme il semblait trouver naturel de se trouver en leur compagnie et que ce ne l'était pas, puisqu'ils ne le connaissaient pas, Matthieu lui demanda :

— Où vas-tu, voyageur ?

— Là où vous allez, voyageurs.

— Nous ne te connaissons pas.

— Je m'appelle Judas bar Shimon.

— D'où viens-tu ?

— De Tibériade. J'y étais employé par un homme riche qui ne savait pas compter. J'ai entendu les imprécations du prophète Jean dans sa prison et sa proclamation d'un Envoyé du Seigneur. Je me suis lassé de compter les deniers, les as et les shekels. Je suis allé m'enquérir de cet Envoyé et je l'ai suivi, à Betsheân, à Bethsaïde, à Kefar Nahoum.

Jésus considéra le nouveau venu : râblé et résolu, un front de taureau, une bouche d'enfant. Judas bar Shimon soutint le regard : on y lisait de l'extase.

— Et tu veux te joindre à nous ?

— Seigneur, je suis comme Jacob devant l'Éternel. Tu te présentes en homme, donc tu mourras. La Lumière qui t'habite, elle, jamais.

— Comment peux-tu la voir ?

— Quand je te regardais guérir le paralytique à Kefar Nahoum, je croyais voir le Créateur tirer Adam de la glèbe. Tu es la vie.

Ils avaient tous écouté cet échange et le doute n'était pas de mise : Judas bar Shimon serait le onzième.

— Les mots, reprit Judas bar Shimon, sont pareils aux pièces de monnaie, ils vont, ils viennent, on ne les garde pas longtemps. Mais les tiens, Seigneur, on ne peut les dépenser.

Un silence suivit.

— Tu es avec nous, Judas. Puisque tu sais compter, tu le feras pour nous.

Et Jésus pria son frère Jacques de confier au onzième la bourse des dons qui lui avaient été faits.

Ils entraient dans la vallée de Yizréel et s'arrêtèrent à Quishon. Personne n'y connaissait Jésus de visage, seulement de nom, et les habitants s'étonnèrent surtout de ce groupe de voyageurs dont on ne pouvait deviner ni le métier ni les buts.

— Vous allez à Jérusalem? leur demanda-t-on à l'auberge.

Le mois de *nisân* était entamé et la Pessah était à cinq jours de là.

— Croyez-vous qu'on ne puisse célébrer la fête qu'à Jérusalem? répliqua Jésus.

— Où d'autre? s'écria le fils de l'aubergiste.

— Tu peux célébrer le Seigneur tout seul dans le désert : il te verra, t'entendra et recevra tes grâces.

— Mais c'est une obligation de faire le pèlerinage!

— Le feras-tu?

— Non... Je n'ai pas d'argent...

— Crois-tu alors que les pauvres soient indignes de l'attention du Seigneur?

L'autre en demeura sans repartie. Peut-être avait-il cru qu'il commettait un péché en n'allant pas à Jérusalem parce qu'il n'avait pas d'argent.

— Pense toujours qu'une seule figue que tu offres au Seigneur avec ton cœur pèse plus lourd que les livres d'encens et de myrrhe que les riches lui offrent avec les mains.

Ces mots augmentèrent la stupeur du garçon et de son père. Qui était donc cet homme pour parler ainsi?

Ce ne fut qu'à Megiddo, où il était déjà passé, qu'on reconnut Jésus. Il y avait guéri un enfant qui menaçait de s'étouffer et une femme qui souffrait d'hémorragies répétées; leurs familles lui firent fête, ainsi qu'à ses compagnons. Mais ils n'échappèrent pas à la sempiternelle question :

— Vous allez à Jérusalem, c'est sûr, leur dit-on, il vous faudra marcher nuit et jour pour arriver à temps.

— Que n'êtes-vous sur le chemin vous-mêmes ? Vous êtes pareils au charpentier dont le toit s'effondre ! Et vous parlez comme celui qui, dans le désert, s'imagine qu'il échappe au regard du Père et peut dévaliser le voyageur solitaire sans que personne lui en fasse reproche. Mais le regard du Père est partout. Il n'est pas une aumône qui se fasse, si furtive soit-elle, sans qu'il la voie, et pas un larcin qu'il ne voie aussi. Que sert d'aller au Temple enrichir les marchands et les hommes parés quand la prière au milieu des champs monte aussi haut que la fumée du plus coûteux sacrifice ?

Ceux qui avaient posé la question sur le pèlerinage admirent qu'ils se trouvaient eux-mêmes en défaut, puisqu'ils n'étaient pas non plus sur le chemin de Jérusalem.

— Cet homme parle droit, dirent-ils.

Le lendemain, ils lui présentèrent des cas désespérés. Il les guérit encore. Et le jour de la Pessah, ils firent griller un agneau aux herbes amères pour lui et ses compagnons et servirent le meilleur vin qu'ils avaient.

— Cela recommence comme en Galilée, dit Jacques, le frère de Jésus, ils te demandent des guérisons, mais quand les pharisiens prendront ombrage de tes propos, ils se disperseront comme des moineaux devant l'épervier.

— Aucun jour n'est semblable au précédent. Les poisons des Ténèbres s'épaississent et le jour vient où ils jaillissent par les pores et tous les orifices de l'hypocrite. Pareillement, l'épreuve fait apparaître la foi de Job et la vertu du sage.

Les pèlerins commençaient à revenir de Jérusalem : la petite ville s'en emplissait. Et quand les douze voyageurs reprirent leur route vers le sud, les chemins s'encombraient parfois de processions de baudets chargés de femmes, les hommes allant à pied, tous remontant vers la Galilée. Mais quand les voyageurs entrèrent en Samarie, plus aucun mouvement : il eût fait beau voir que des Samaritains fussent allés dans la ville honnie, la rivale de Samarie.

— Ah, ce n'est pas dans ce pays qu'on nous offrira le toit, le pain et le vin, observa Matthieu.

Il fallut expliquer à la plupart des disciples pourquoi les Samaritains et les Juifs s'exécraient : les premiers soutenaient que Dieu était apparu à Moïse sur le mont Guerizim, les Juifs, sur le mont Sion, sur quoi les Juifs avaient traité les Samaritains de bâtards, ce qui était la pire injure.

— Mais leurs Livres ? s'étonna Judas bar Yacoub.

— Ce sont les mêmes que les nôtres, répondit Jésus.

Mystère des querelles de frères.

— Qu'en penses-tu, toi, rabbi ? demanda Jean bar Zebeida.

— Que le crime des Samaritains a été de se soustraire au pouvoir des prêtres du Temple de Jérusalem. Le Seigneur est présent en tous lieux pour les cœurs purs. Qu'importe qu'il soit apparu sur une montagne plutôt qu'une autre ? Si l'on entrait dans les querelles des prêtres, on se battrait sur la longueur prescrite des pagnes et des tuniques ! Les prêtres samaritains ne sont pas moins avides de pouvoir que les nôtres.

— Guérirais-tu un Samaritain ?

— S'il me le demandait, oui.

Or, ce fut ce qui advint à En-Gannim.

Aux abords de la ville, Jésus et ses compagnons aperçurent une bande de misérables, affalés au pied du mur d'enceinte et plus pitoyables les uns que les autres. Certains étaient couverts de plaies inguérissables, d'autres portaient des pustules sur ce qu'on voyait de leurs corps, tous étaient défigurés par une maladie infâme. À distance, on voyait bien que c'étaient ce qu'on appelait des lépreux ; et l'on ne tolérait pareils disgraciés dans aucune ville. Ils survivaient donc là, hiver comme été, subsistant des maigres reliefs que des âmes charitables voulaient bien leur jeter, car il n'aurait évidemment pas été question de souiller des pots en laissant les maudits les toucher.

À l'approche de ce groupe d'hommes, l'un d'eux interpella Nathanaël, qui marchait en tête :

— S'il reste en toi, étranger, une étincelle, rien qu'une, de la lumière divine, va m'acheter un pain ou un haillon, lança-t-il d'une voix éraillée, comme un défi.

Étrange apostrophe.

— Pourquoi ? Les Samaritains ont-ils perdu les traces de cette lumière ? rétorqua Nathanaël.

— Tu es un Hébreu, je le vois donc. Non, les Samaritains ne sont pas meilleurs que les Hébreux. Ils ont tous perdu la lumière du Seigneur.

Les autres lépreux écoutaient cet échange d'un air blasé, chassant les mouches et se moquant de leur compagnon de misère. Jésus s'avança vers celui-là.

— Qu'en sais-tu ?

— Vous êtes tous fiers et victorieux, Hébreux et Samaritains, bandes de renégats ! Vous connaissez la compassion comme la vipère connaît le miel ! Mais le Seigneur me vengera.

Jésus s'accroupit devant l'insolent.

— Pourquoi te vengerait-il, toi ?

— Parce que, moi, je n'ai pas participé à vos splendeurs et vos parades, je n'ai pas mangé les agneaux des sacrifices et je ne me suis pas paré de paroles. J'ai attendu dans le froid et la faim la miséricorde du seul maître de ce monde, celui qui vous a créés, sans doute dans un moment de distraction.

Jésus le considéra un instant. Puis il avança une main vers lui.

— Ne me touche pas !

— Si, je te touche.

La main de Jésus serra fortement le poignet du lépreux. Celui-ci poussa un tel hurlement que les autres disgraciés tournèrent tous la tête vers lui, épouvantés. Mais le spectacle qu'ils virent les figea. Les enflures et les ulcérations suintantes disparaissaient progressivement du visage et des bras de leur compagnon, une croûte sur son front tomba et, de la main, celui-ci balaya des peaux mortes sur le nez et le menton. Bouche béante, il regarda ses bras et ses jambes, dont la peau reprenait une couleur naturelle, pour autant qu'on pût en juger sous la couche de crasse.

Deux lépreux quittèrent leurs postes pour se précipiter vers le miraculé.

— Joram, regarde... Regarde sa peau, dit l'un d'eux en saisissant le bras qui se rétablissait sous leurs yeux, regarde son nez...

Mais le dénommé Joram, lui, regardait Jésus.

— C'est toi qui as fait ça... C'est toi qui l'as guéri... Je t'en supplie, guéris-moi aussi! implora-t-il.

Il s'agenouilla et commença à pleurer.

— Pourquoi te guérirais-je, Joram?

— Parce que le Seigneur ne distingue pas entre ses créatures. S'il a péché, il a été pardonné. Alors moi aussi.

Jésus lui prit le bras. Et comme son compagnon, Joram poussa un cri d'animal, un râle jailli du fond des années d'avilissement et de souffrance qui l'avaient réduit à une bête humaine. Des hoquets sanglotants lui succédèrent. Et enfin, un halètement. L'homme regarda le bras que Jésus venait de lâcher. Le même phénomène surnaturel y était visible. Joram regarda ses pieds : les plaies devenaient propres et se cicatriseraient bientôt, les orteils, jusqu'alors des moignons couverts de chancres, semblaient se reformer.

La suite était prévisible. Il fallut les guérir tous, à commencer par une femme, lépreuse elle aussi. Elle était arrivée comme une bête en délire et s'était jetée aux pieds de Jésus; appuyée sur ses mains, elle n'en ressemblait que plus à un animal affolé. Jésus dut se pencher pour saisir le bras qu'il lui avait demandé de tendre, et quand ce fut fait, elle tomba à plat ventre sur le sol, à bout de forces; ses compagnons d'infortune intervinrent pour la soulever, la retourner et la mettre sur le dos. Un instant, yeux clos dans un visage défiguré, elle sembla morte, l'une des mortes les plus hideuses qu'on eût pu imaginer. Puis elle rouvrit les yeux. Les traits se reconstituaient. Elle se passa les mains sur le visage, puis les regarda, incrédule.

— Le Seigneur m'a visitée..., murmura-t-elle.

Elle leva vers Jésus la face la plus pathétique qu'il eût vue de sa vie. Il en fut lui-même ému. Une femme de près de quarante ans, ressurgissant de l'abjection totale et n'osant y croire.

— Gloire au Seigneur! cria-t-elle.

Les miraculés reprirent le cri en chœur.

Quand le dernier lépreux eut été guéri, Jésus leur ordonna :

— Allez vous purifier.

— Où?

— Dans la rivière.

Mais ils insistèrent pour l'escorter dans la ville et crièrent aux gardes médusés :

— Cet homme nous a guéris! Le vois-tu? C'est l'Ange du Seigneur!

La nouvelle se répandit à la vitesse de la parole et, dans l'heure qui suivit, En-Gannim devint pareille à une ruche en folie : les lépreux de la porte de Jacob avaient été guéris! Guéris par un Hébreu! Non, un Ange du Seigneur! Évidemment alerté, le prêtre de la synagogue se mit d'abord en quête des lépreux, pour vérifier les miracles. Ne les trouvant pas, il déclara sentencieusement que tout cela était certainement l'invention des sectateurs de Simon le Magicien, qui racontaient balivernes sur balivernes. Il pérorait d'abondance quand une petite foule arriva, entourant une dizaine de gens quasi nus; c'étaient les miraculés qui revenaient de la rivière, purifiés comme l'avait ordonné l'Ange du Seigneur. Ils avaient entendu ses dernières paroles.

— Nous sommes des balivernes?

Le prêtre en perdit sa langue.

— Ces hommes-là sont des balivernes, Hazal? crièrent des voix indignées dans la foule.

La panique s'empara alors de l'infortuné défenseur de la raison, d'autant plus que l'un de ses contradicteurs les plus véhéments était une femme dévêtue, dont les seins ballottaient quand elle vociférait, le poing tendu.

— Qu'on habille ces gens, finit-il par articuler.

De toutes parts venaient déjà des âmes compatissantes, portant qui une tunique, qui des braies ou des sandales.

— Où est-il donc, cet ange? demanda le prêtre.

Jésus et ses compagnons étaient alors retranchés dans une auberge, épuisés par le voyage et les événements, et Jésus encore plus par l'énergie dépensée à la guérison des lépreux. La disparition du bienfaiteur céleste enflait encore la rumeur sur les prodiges. Le rabbin dut regagner sa maison sans avoir même aperçu l'Ange du Seigneur.

La nuit fut courte et agitée pour En-Gannim. Les lumières brillèrent jusqu'à l'aube dans les maisons. À l'aube, l'émotion avait crû davantage et Jésus décida de quitter l'auberge avant que le siège en commençât.

— Ils avaient vraiment besoin de ta parole, commenta Matthieu.

Mais les voyageurs n'allaient pas plus vite que les porteurs de nouvelles : quand ils atteignirent l'étape suivante, Dotân, la moitié de la Samarie semblait informée de la guérison des lépreux et l'on repéra de loin ce groupe d'Hébreux, comme les Samaritains appelaient les Juifs, qui hantait les grands chemins. On leur fit un accueil royal, mais le prévisible se réalisa : Jésus dut guérir deux possédés, un cachectique, trois enfantelets quasi agonisants, un notable frappé d'apoplexie...

À Tirça, un riche commerçant leur offrit l'hospitalité. Il y avait là un de ses collègues qui revenait de Sychar et qui témoigna à Jésus une révérence appuyée.

— Seigneur, lui dit-il, il faut que tu saches que ta parole et ta renommée emplissent d'effroi les pécheurs. On dit qu'Hérode n'en dort plus. Il pense que tu es le prophète Jean ressuscité.

— L'inquiétude est un bien faible prix à payer pour l'injustice.

— Il n'y a pas que lui, reprit le commerçant. Les pharisiens redoutent ton pouvoir et plus encore ta descente en Judée.

— Il était temps qu'ils craignent la venue de l'Esprit divin, dit Jean bar Zebeida.

— Je ne crois pas que ce soit l'Esprit divin qui les effraie tant.

— Mais alors ?

— On murmure qu'un homme qui possède le pouvoir divin d'arracher les gens à la mort ne peut être que le prochain roi d'Israël. Le descendant de David.

Jésus demeura impassible.

— Faut-il donc gouverner la matière pour faire triompher l'Esprit, dit-il, mais, en dépit de sa tournure, la phrase ne semblait pas être une interrogation.

Pour les disciples, les mots du commerçant semblaient flotter en l'air, comme ceux qui furent inscrits sur les murs de la salle de festin de Balthazar, *mané, thécel, pharès*. Le descendant de David.

Cette fièvre qui enflait des rumeurs finit par l'indisposer.

— Comment le descendant de David pourrait-il être le Messie ? demanda-t-il.

— Rabbi, n'est-ce pas l'évidence ? demanda André.

— Alors pourquoi David appelle-t-il le Seigneur par ce mot, quand il dit : « Le Seigneur a dit à mon Seigneur : siège à ma droite, jusqu'à ce que j'aie mis tes ennemis sous tes pieds » ? Comment peut-il être son fils s'il l'appelle Seigneur[50] ?

Note du chapitre 22

50. Par cette réponse (Mt. XXII, 43-45), Jésus rejette clairement sa messianité. Elle fait écho à celle où il rejette sa divinité : «Un notable l'interrogea : "Bon maître, que dois-je donc faire pour obtenir la vie éternelle en héritage?" Jésus lui dit : "Pourquoi m'appelles-tu bon? Dieu seul est bon."» (Lc. XVIII, 18-19). La même réponse figure dans l'Évangile de Marc (Mc. X, 18) presque dans les mêmes termes. Elle signifie sans ambages que Jésus rejette sa participation à la divinité.

La première réponse n'a apparemment pas retenu l'attention des auteurs des Évangiles de Matthieu et de Luc, qui se sont quand même évertués à reconstituer l'ascendance davidique de Jésus (Mt. I, 2-16 et Lc. III, 24-38). Mais comme les textes canoniques n'ont vraisemblablement pas chacun un auteur unique, il est possible que cette contradiction fondamentale résulte d'ajouts. Détail : Matthieu et Luc ne concordent pas sur la généalogie supposée de Jésus : Matthieu fait descendre Jésus d'Abraham par son père Joseph, cité comme «l'époux de Marie», ce qui comporte une contradiction de plus, puisqu'elle exclut le rôle du Saint-Esprit et suppose que Joseph serait le vrai père de Jésus. Luc, lui, fait descendre Jésus d'Adam par Seth, troisième fils du premier couple, par l'intermédiaire de Noé. C'est une erreur, puisque Noé descend de Caïn par Lamech et non Seth. De surcroît, les deux évangélistes ne s'accordent même pas sur le père de Joseph : Matthieu en fait le fils de Jacob, fils de Matthan, alors que Luc en fait le fils de Matthat, fils de Lévi.

Ces contradictions et discordances reflètent la détermination des évangélistes à présenter Jésus comme «Messie des Juifs», *massiah*, c'est-à-dire «Oint du Seigneur», qui devait être obligatoirement descendant de David.

23.

La renommée de Sychar, qu'ils atteignirent quelques jours plus tard, tenait au fait qu'elle s'élevait sur les terres jadis données par Jacob à son fils Joseph et qu'on y trouvait le puits sans doute le plus ancien d'Israël, qu'on appelait le puits de Jacob. Ce vestige évoqua pour Jésus des souvenirs de lectures à Sokoka, car tout puits était selon les hassidim le symbole de la Loi : «Le puits, c'est la Loi, ceux qui l'ont creusé sont les pénitents d'Israël, exilés au pays de Damas. » Il lui revint aussi en mémoire qu'un ancien frère de Sokoka se serait établi à Sychar, mais l'information était ancienne et vague. Il ne savait même pas le nom de ce frère perdu.

Les échos de la guérison des lépreux avaient atteint la ville, car lorsqu'ils s'installèrent dans une auberge, Jésus et les disciples y furent reconnus d'emblée et accueillis avec déférence, sinon bienveillance. Dans la soirée même, ils eurent aussi des raisons de penser que l'animosité des pharisiens à leur égard disposait favorablement les Samaritains ; en effet, quand l'aubergiste leur versa le vin, il déclara avec un sourire en coin :

— Voilà du vin que je ne servirais pas aux pharisiens.

— Qu'est-ce à dire ? s'étonna Jacques.

— Votre vénéré maître ne peut l'ignorer : ils se répandent sur lui en propos que je ne répéterai pas. Ses bienfaits et ses prodiges sont pour eux pareils aux roulements du tonnerre de l'orage prochain.

— La querelle est donc portée sur la place publique, constata Jésus quand l'aubergiste se fut éloigné.

Le lendemain, un homme se présenta à l'auberge et se dit chargé par la grande prêtresse Hélène d'inviter l'Envoyé du Seigneur à une grande fête qu'elle donnerait le soir en son honneur et à laquelle ses disciples étaient conviés. Ce fut à Judas bar Shimon et Jacques bar Zebeida, ébahis, qu'il transmit l'invitation.

— Grande prêtresse de quelle religion? demanda Jésus, stupéfait. Essayez de vous informer, ajouta-t-il à l'adresse de son frère et de Matthieu.

Ils revinrent au milieu de la journée, l'air d'en avoir long à raconter.

— Nous sommes allés chez le marchand de parfums, dit Matthieu, car dans son métier, on sait toujours tout sur les femmes de sa clientèle. La dénommée Hélène, qui s'appelait alors Sepphira, a été jadis la compagne d'un ancien de Sokoka, qui s'appelait Nathanaël et qui s'était fait renommer en grec Dositheos, ce qui signifie la même chose, « donné par Dieu ». Il s'était établi ici, à Sychar, se disait la réincarnation de Moïse et guérissait, paraît-il, les malades avec un talent remarquable et même prodigieux.

Jésus hocha la tête : les hassidim cultivaient, en effet, l'art de la médecine.

— Notre Hélène a quitté ce Dositheos pour un élève de celui-ci, un certain Simon, mage lui aussi, qui a fondé en son honneur une secte. Ils s'appellent les héléniens, et elle en est la grande prêtresse, servante de la Lune.

Servante de la Lune! Les disciples se gaussèrent.

— Simon? dit Jésus. Ce serait Simon le Magicien?

— C'est bien lui. L'homme qui vole dans les airs.

Jésus fit une grimace. Tout cela n'était décidément pas sérieux et, à la limite, on pouvait comprendre la méfiance des pharisiens à l'égard de tous les faiseurs de prodiges.

— Hélène ou Sepphira, ajouta Jacques, cette femme n'est pas digne de te recevoir, rabbi : elle a été autrefois prostituée dans les bouges de Tyr. Si tu allais à sa fête, les pharisiens ne manqueraient pas de dauber dessus.

— C'est sûr. Que quelqu'un aille donc la prévenir que je n'irai pas.

La « grande prêtresse » était tenace. Sitôt prévenue que l'Envoyé du Seigneur déclinait son invitation, elle se rendit à l'auberge. Mais en grand équipage : enveloppée dans un manteau blanc au tissu mystérieux, souple et brillant, comme ni Jésus ni les disciples n'en avaient jamais vu, parée de bijoux en pierres laiteuses, pareilles à des reflets de lune sur l'eau, escortée de deux femmes et de deux hommes, elle eût, aux yeux de naïfs, passé pour une apparition. Elle avait sans doute été belle, mais ignorait comme tant d'autres que la fortune ne suspend pas le temps et que les fards ne font que trahir ce qu'ils sont justement destinés à masquer.

Après des compliments circonstanciés, volubiles et chantournés, elle demanda le privilège de s'entretenir en privé avec Jésus.

— Ma parole est destinée à tous, femme.

Elle s'y résigna.

— Je sais que tu as été au désert. Divulgues-tu le savoir réservé des maîtres de là-bas ?

Qu'en savait-elle, puisqu'elle n'avait pas été à Sokoka ?

— Ce savoir n'est pas secret, mais comme son nom l'indique, il est réservé à ceux qui ont été préparés à l'entendre.

— Mon époux m'y a initiée.

— J'ignore duquel de tes époux tu parles. Si c'est de Simon, que n'est-il ici ?

— Il voyage. Il m'a dit que tu es l'Élu et que tu tiens le glaive de Lumière. Je te le dis en son nom.

Jésus resta silencieux. Il ne voulait pas offenser cette femme, mais il refusait toute complicité prétendument spirituelle avec elle. Simon le Magicien le reconnaissait-il vraiment comme l'Élu ? Elle devina son doute :

— C'est le glaive de David.

Encore la référence à David ! Une légère crispation de la bouche révéla l'impatience de Jésus. Mais il n'allait pas se lancer dans des discussions avec cette extravagante.

Elle se tourna vers les disciples :

— Le savent-ils ?

— Nous savons que notre Maître est l'Envoyé du Seigneur, mais le Seigneur seul connaît ses desseins, lui répondit Jean bar Zebeida.

Elle demeura immobile un instant, comme pour bien s'imprégner du sens de cette réponse, puis elle s'inclina avec majesté et prit congé de Jésus.

— Qu'est-elle venue dire ou faire ? demanda Jacques.

— Elle est venue faire allégeance, dit Jésus. Mais il est des alliés qui risquent de vous desservir. Je n'enseigne pas la magie, mais l'ardeur et la pureté du cœur[51].

L'été s'avançait, avec ses pesanteurs d'obèse hydropique, et certains jours l'on aspirait dès le midi aux brises du soir. Munis de galettes de raisin, de dattes, de figues et de quelques gourdes de bière ou de vin, Jésus et les disciples s'en allaient alors sur les hauteurs voisines respirer la fraîcheur de la nuit. Les disciples discutaient entre eux, attendant l'arbitrage de Jésus mais, le plus souvent, ils l'interrogeaient. Parfois, il répondait à des questions qu'ils ne s'étaient pas encore posées.

— Vous vous demandez si le juste est récompensé et quand doit venir sa récompense. Et moi je vous dis que le juste n'attend pas de récompense. Il ne se dit pas : je ferai ceci parce que je serai récompensé de cela. Il est juste parce que le Seigneur est dans son cœur et qu'il ne peut pas agir autrement. Job n'a pas renoncé au Seigneur quand Satan l'a mis à l'épreuve. Comme il était droit, il n'a pas chancelé.

— Et il a été récompensé, dit Matthieu.

— Oui, mais votre vie n'est pas un marché. Sur cette terre, vous dites : voilà, les semailles ont eu lieu à la bonne date et la moisson est dans quatre mois, le moissonneur recevra son salaire et le propriétaire engrangera ses récoltes. Mais au royaume de notre Père, il vous faut semer sans cesse et vous ne savez pas quand vous récolterez. Peut-être sera-ce le lendemain ou bien à la fin de votre vie. Le bon moissonneur ne demande pas de salaire et le propriétaire ne s'inquiète pas de ce que ses granges soient vides ou bien qu'il ne sache où mettre ses sacs tant il y en a. Vous ne ferez pas de commerce avec le Père.

Un soir que les disciples discutaient entre eux, Jean bar Zebeida lui demanda en aparté :

— Quand cette femme nommée Hélène ou Sepphira est venue te voir, elle t'a demandé si tu divulguais le savoir réservé des maîtres du désert. Qu'est donc ce savoir ? Nous l'as-tu déjà divulgué ?

Jésus mit un temps à répondre :

— L'esprit est pareil à un cavalier, et le corps, à sa monture. Parfois la monture est paresseuse et lourde, et c'est au cavalier de l'éperonner pour qu'elle s'élance et le porte plus vite là où il va. Il est des moyens pour aider l'esprit à s'affranchir de ses lourdeurs. La méditation associée à la prière en est un.

— Et la panthère ?

Jésus fut stupéfait.

— Comment la connais-tu ?

— Les marchands qui passent par Kefar Nahoum nous en vendaient. Notre métier était pénible. Nous devions parfois rester des journées entières dans un froid glacial ou bien une chaleur d'enfer. Mon frère et moi ne subsistions durant ces journées-là que grâce à la panthère. Moi, je ne sentais plus mon corps, j'étais léger... En as-tu consommé ?

— Oui, répondit Jésus en souriant, je te l'ai dit, la monture est parfois lente. Mais toi, trouvais-tu l'Esprit ?

— Je ne pouvais que deviner son existence, au-delà de la paix lumineuse que j'éprouvais.

— Pourquoi alléger ton corps si tu ne montes vers la Lumière ? Si tu te défais de la chair, qui est matière soumise aux Ténèbres, tu ne peux que t'élever vers l'Esprit.

Jean soupira comme tant de gens, quand les mots leur font défaut. La Lumière, oui... Il savait confusément qu'elle existait, mais comment chercher ce qu'on ne connaît pas ?

— Il faut que je demande où on peut en acheter...

— J'en ai.

Une question de Thomas interrompit l'entretien.

L'assemblée regagna l'auberge.

Le lendemain, la «grande prêtresse» adressa à Jésus un messager porteur d'une amphore de vin et tenant par la main une fillette qui semblait égarée et inquiète.

— Mon auguste maîtresse te prie de considérer la possibilité de rendre la parole à cette enfant, récita le messager.

C'était une façon de reconnaître les pouvoirs de l'Élu. Mais son époux le Magicien s'effacerait-il aussi facilement ? Jésus prit la fillette par la main.

— Tu n'es pas muette, mon enfant, parce que je sais que ton cœur parle et que tu l'entends.

Elle leva sur Jésus un regard étonné, mais déjà moins anxieux.

— Que t'a-t-on dit de moi ?

— Que tu étais l'Élu du Seigneur et que tu tenais un glaive de Lumière, répondit-elle, parlant pour la première fois devant le messager émerveillé. Alors, j'ai pensé que j'allais mourir.

Et tout à coup, elle s'avisa qu'elle avait retrouvé la parole.

— Mais je parle !

— Tu vois, le Seigneur n'envoie que des bienfaits aux cœurs purs. Garde ton cœur pur.

Elle posa alors la main de son bienfaiteur sur sa poitrine et adressa à Jésus un regard cette fois rayonnant de tendresse. Il lui caressa la tête. Le messager, lui, éructait de paroles incompréhensibles et extatiques et il finit par bégayer tout à fait.

La nuit suivante, les deux frères Bar Zebeida et Jésus se retrouvèrent seuls sur la même colline que la veille.

— Nos frères sont-ils exclus du privilège de notre enseignement ?

— Ils ne sont pas exclus, non, ils ne sont pas encore admis. Vous deux connaissez déjà l'effet de la panthère, il ne vous surprend plus et vous êtes à même de l'utiliser pour vous élever vers l'Esprit. Mais ceux qui ne le connaissent pas pourraient se laisser griser et s'égarer dans l'illusion. Quand ils auront maîtrisé l'ascension de l'âme par la méditation, alors ils pourront emprunter cette échelle de Jacob.

Il distribua des morceaux de la galette à la panthère, ils les mâchèrent et attendirent cet allègement de l'être qu'ils connaissaient donc.

— Au-delà de nos misères et de nos joies, dit Jésus, règne la félicité des cœurs purs et ardents, qui s'élèvent vers l'éternité du Seigneur. Alors ils comprennent qu'ils ne peuvent exister que dans la splendeur de la Lumière. Loin des pesanteurs de la matière et des tourments des passions, là règne l'Esprit. Et les cœurs purs montent et se fondent dans la bonté infinie…

Il parla encore. Les deux disciples s'étaient évadés, mais ils l'entendaient encore, car ses paroles résonnaient au-delà des mots terrestres, là où, comme l'avait dit leur maître, les âmes se fondent dans l'harmonie céleste. Ils se rappelèrent plus tard qu'il leur avait dit :

— Vous êtes les piliers du ciel, *puanurges*.

Puanurges, c'était un autre nom oriental de la panthère. Judas bar Shimon, qui connaissait aussi ce mot, car il avait lui aussi tâté du pain du ciel, le prononçait *boanerges*[52].

Le lendemain, quand les onze disciples furent réunis après les ablutions, Jésus examina discrètement les visages des deux frères Bar Zebeida. Il les trouva changés. On eût dit que la pesanteur qui tire irrésistiblement vers le bas les traits des mortels avait relâché son emprise sur les leurs. Les commissures de leurs bouches semblaient s'être relevées, esquissant un sourire naturel. Ils semblaient plus purs. Ainsi Jésus conforta-t-il la conviction qu'il s'était forgée depuis son apprentissage à Jéricho : tout homme est responsable de son visage.

L'harmonie céleste ne régnait certes pas sur tous les esprits de la Judée voisine.

Au Temple de Jérusalem, le grand prêtre Joseph Caïphe écoutait les doléances du grand trésorier Nahoum, prêtre de la prestigieuse cinquième classe – on en dénombrait vingt-sept dans la hiérarchie sacerdotale. Les revenus généraux du Temple avaient diminué depuis l'année dernière et Nahoum l'attribuait à la baisse des pèlerins aux trois fêtes.

— Nous avons quand même accroché deux grappes d'or de plus à la porte du saint des saints, observa Caïphe.

— Ce sont des dons de riches fidèles, mais ils ne compensent pas la baisse des offrandes.

Quand ils sont avisés, les puissants de ce monde s'expriment aussi par des silences. Et ils les modulent : la longueur en est proportionnelle à l'importance des mots qui suivent et à la gravité du sujet. Caïphe ne dit donc mot pendant une minute.

— Je sais à quoi tu en attribues la cause. Mais que pouvons-nous y faire ?

— Nous aurions dû laisser Hérode remédier aux troubles à sa manière.

— Nous ne l'en avons pas dissuadé, c'est lui-même qui a reculé parce qu'il avait peur.

— Peur ?

— Il ne s'est pas remis de la mise à mort de Jean bar Zekaria, à laquelle l'avait contraint son épouse, Hérodiade. Il croit que ce Jésus est Jean ressuscité.

Le trésorier poussa un soupir et ajusta son manteau sur ses épaules.

— Crois-moi, Nahoum, je pense qu'il s'agit d'une intempérie passagère. Ce nazir nommé Jésus, car ce n'est après tout qu'un nazir, même s'il a un diplôme, a des rivaux. Il y avait ce Nathanaël, qui a été formé à Sokoka et on ne sait ce qu'il est devenu, puis il y a ce Simon qu'on appelle le Magicien et dont on prétend qu'il vole dans les airs. Et rappelle-toi ce magicien nommé Apollonios, qui avait séjourné quelque temps à Tyr et dont on assurait qu'il ressuscitait les gens... Il n'est presque plus personne qui se souvienne de lui. Les gens sont friands de ces balivernes, parce qu'ils croient y distinguer les signes de l'intervention du Seigneur dans nos existences.

Comme cette objection frisait le scepticisme des sadducéens à l'égard des miracles, Caïphe s'empressa d'ajouter :

— Quand le Seigneur se manifeste dans nos existences, ce n'est pas pour corriger la démarche d'un boiteux.

— Oui, mais ce Jésus-là fait des prodiges et il en fait constamment. Il parle en public et rallie des adeptes. Même les pharisiens sont divisés à son sujet.

— Si nous réagissions trop fermement à son encontre, nous lui prêterions de l'importance. Est-il confirmé qu'il a obtenu un diplôme de *talmid hakam* ?

— Oui.

— Mieux vaut ne pas y faire allusion et le désigner sous la seule appellation de nazir. Un prêtre égaré, cela fait mauvaise impression, tandis qu'un nazir qui se pique de prophétisme n'engage que sa propre responsabilité.

Le trésorier médita cet argument et se rendit, ou feignit de se rendre à l'opinion éclairée du grand prêtre, puis il prit congé.

La saison des moissons, des récoltes de fruits, puis des vendanges approchait et Jésus et ses disciples poursuivaient leur descente vers la Judée. Shamir, Silo, Béthel furent leurs dernières étapes en Samarie, ponctuées par des guérisons extraordinaires. À Shamir, un aveugle retrouva la vue, à Silo, une infirme de naissance regagna l'usage de ses membres et un homme qui pissait du sang dans des douleurs atroces fut soulagé sur-le-champ ; à Béthel, un jeune possédé fut libéré de ses démons après une séance étrange où sa paillasse s'envola et alla frapper ses frères, avant de se disloquer et de s'éparpiller dans la pièce. Les marchands répandirent comme toujours les récits de ces prodiges dans les bourgs voisins, les assortissant de superlatifs et les amplifiant.

La semaine suivante, les voyageurs arrivèrent à Gibéa, en Judée, où l'on célébrait la fête des Huttes*. Comme beaucoup de gens prévenus de la présence de Jésus s'étaient assemblés autour de lui, les uns par curiosité, les autres dans l'espoir d'un miracle, il les emmena sur une colline.

— Les moissons que vous célébrez représentent pour certains d'entre vous un amas de richesses et, pour d'autres, l'assurance d'avoir du pain pendant les mois à venir. Ne vous laissez pas abuser, car ces richesses tomberont en poussière à la dernière heure de ceux qui les détiennent, et nul n'en emportera fût-ce un grain quand il sera admis au royaume du Père. Le pain que vous ferez avec ces récoltes ne nourrira que votre corps, mais le seul pain qui soutiendra votre esprit est la parole que je vous donne au nom du Père.

— Te présentes-tu à nous comme le fils de l'Éternel ? lança un assistant.

— Vous êtes tous nés par la volonté seule du Seigneur, mais vous vous comportez comme des enfants infidèles, attachés à votre vie terrestre et n'honorant le Père que du bout des lèvres. Le Fils, lui, sait quel est son Père, car il connaît sa Lumière, et telle est la raison pour laquelle le Père l'envoie vous éclairer.

— Mais alors, tu prétendrais être éternel, toi aussi ? lança le même insolent.

---

* Fête des moissons, dite aussi fête des Tabernacles et fête de Yahweh, rémanence des fêtes anciennes qu'on célébrait en Canaan, bien avant l'arrivée des Hébreux.

Des clameurs s'élevèrent :

— Faites taire cet homme !

— Lequel des hommes, persifla l'autre, lui ou moi ? Qui feriez-vous taire, celui qui se sait mortel ou bien celui qui se prétend Fils du Père et veut vous faire croire qu'il serait éternel ?

— Dehors, esprit de négation !

— Entendez donc cet homme, reprit Jésus. Il exprime vos instincts aveugles, car il vient de clamer son ignorance obstinée de ce qu'est la vie éternelle consentie par le Père ! Entends toi-même, infirme aveugle et sourd, la vie éternelle est celle que le Père offre à ceux qui se comportent comme ses vrais enfants, parce qu'ils l'honorent dans leur cœur et répandent sa Lumière.

— La Lumière a été répandue par Moïse, qui nous a donné la Loi du Seigneur. Quelle autre lumière apporterais-tu ?

— La Loi vous a été donnée, mais vous l'avez prise pour des mots. Je ne viens pas la changer, je viens l'accomplir, afin que son Esprit vous éclaire et vous pénètre.

— Tu vitupères les riches et les richesses, clama un autre contradicteur, mais que serions-nous si les propriétaires des champs et des vignes ne faisaient prospérer les dons du Seigneur ?

— Je te le dis, à toi qui ne veux pas entendre, il sera plus difficile à un riche d'entrer dans le royaume des cieux qu'à un chameau de passer par le chas d'une aiguille, s'il ne sait dans son cœur que le vrai trésor est la foi dans le Seigneur. Les richesses de ce monde ne durent que le temps d'une vie, la foi dans le Seigneur, elle, fonde l'éternité de l'âme. Les grappes d'or que le riche fait pendre au-dessus du portique du saint des saints, à Jérusalem, ne lui achèteront pas un seul instant de la félicité éternelle.

— Veux-tu dire que le saint temple est inutile ?

— Mais faites donc taire cet homme ! protestèrent plusieurs assistants.

— Je te rappelle, toi, l'incrédule, les paroles mêmes du Seigneur au prophète Nathan, quand David voulut ériger une maison pour lui : « Ai-je jamais dit : construisez-moi une maison de cèdre ? » Le véritable temple du Seigneur est en chacun de nous, s'il sait rendre sa demeure digne de lui.

Conscients d'être minoritaires, les contestataires finirent par se taire ou quitter les lieux. Mais il n'échappait plus à personne que les humeurs des pharisiens s'aigrissaient. Rares devinrent les occasions où Jésus prenait la parole en public sans que des fâcheux l'interrompissent. Près de Haçor, un jour de sabbat, les disciples aperçurent dans les champs des grenadiers sauvages aux branches desquels pendaient quelques fruits tardifs, qu'ils allèrent cueillir. Aussitôt des gens apparurent sur les seuils des maisons voisines.

— Hé, là-bas! Qu'est-ce que vous faites? C'est le sabbat aujourd'hui! Jetez ces fruits et rentrez chez vous! Vous n'avez pas le droit de faire plus de cent pas!

Puis ils aperçurent Jésus et commencèrent à ricaner :

— Pas étonnant, ce sont les suiveurs de celui qui se dit Bar Abbas!

— Ces Galiléens, tous les mêmes! Ils se comportent comme des *amharez**!

Un petit attroupement se forma. Jésus alla l'affronter :

— Qu'avez-vous à dire, ô âmes sourcilleuses?

— Nous disons que tes disciples enfreignent le sabbat. S'ils ignorent la Loi, nous nous demandons ce que tu leur enseignes.

— Moi, je vous demande : lequel d'entre vous, si son unique brebis tombe dans un trou le jour du sabbat, n'ira l'en sortir? Vous avez la langue prompte, mais la cervelle somnolente. Si vous passez votre sabbat à pratiquer la malveillance, il vaudrait mieux pour vous que vous fassiez comme les païens. Le sabbat est fait pour l'homme et non l'homme pour le sabbat.

— Qu'est-ce à dire, Barabbas? lui lança un homme qui semblait être le notable du quartier. La Loi n'aurait pas d'existence pour toi et tes adeptes? Tu n'es donc pas juif, alors ne viens pas nous tenir des discours séditieux!

— Et moi je te rappelle, ô cervelle d'argile, que lorsqu'ils eurent faim, David et ses compagnons entrèrent dans la

---

* « Hors-la-loi. »

demeure du Seigneur et mangèrent les pains d'oblation qui étaient réservés aux seuls prêtres. Le vrai sabbat est dans le cœur, et non dans les apparences dont vous vous souciez tant.

La querelle avait fait sortir de leurs maisons d'autres habitants et les disciples s'alarmèrent : si l'on en venait aux mains, la partie serait serrée. Ils avaient certes des bâtons, mais les autres aussi.

— Que se passe-t-il ici ? s'écria l'un des arrivants. Vous vous querellez un jour de sabbat ?

Nathanaël lui expliqua l'incident.

— Tant de raffut pour quelques grenades ? s'indigna l'autre. Et, apercevant Jésus : Seigneur, pardonne-leur...

— Qui serait-il pour nous pardonner ? riposta celui qui avait déclenché la querelle. Le pardon est le privilège absolu du Très-Haut !

— C'est l'Envoyé du Seigneur, ses miracles et ses bienfaits en attestent.

— Un Envoyé du Seigneur qui prétendrait que le Temple est inutile et que le sabbat peut être enfreint ?

Des hommes et des femmes accoururent :

— Nous avons vu ses miracles, sa bonté a guéri des gens qui se mouraient...

Jésus restait impassible. L'un de ses adversaires vociférait :

— Nous avons vécu jusqu'ici sous la Loi et nous ne connaissons que la Loi ! Nous n'avons pas besoin de faiseurs de prodiges qui viennent prétendre que l'homme n'est pas fait pour le sabbat ! Et vous prenez sa défense ?

Il empoigna la tunique du partisan de Jésus le plus proche et la tordit ; l'autre le repoussa d'une poigne non moins énergique. Jésus s'avança et les sépara :

— Le sabbat est destiné à la prière !

Les deux hommes reculèrent.

— Toi, dit Jésus à son adversaire, si tu avais prié ton Créateur au lieu d'épier les fautes de ton voisin, tu aurais été fidèle à l'esprit de la Loi. Nul ne t'a fait juge de ton prochain. Et toi, dit-il à son défenseur, songe que le jour du Seigneur approche et que ta fidélité te sera comptée.

La foule avait grossi.

— Rentrez chez vous! leur cria Jacques. Priez le Seigneur qu'il vous accorde la paix de l'esprit!

La foule se dispersa donc, car ces gens ne voulaient pas, eux, se battre le jour du sabbat. Suivi des disciples, Jésus gagna l'auberge où il résolut de demeurer quelques jours.

— Il apparaît désormais que ma présence révèle les partisans des Ténèbres et ceux de la Lumière. Je ne peux abandonner les miens à la merci des autres.

Le lendemain, impavide, il sortit prêcher. Une foule s'assemblait déjà. Il usa d'une parabole, comme il en avait coutume, car l'esprit retient bien mieux les récits que les abstractions.

— Un homme avait semé du bon grain dans son champ. Dans la nuit, son ennemi vint y semer de l'ivraie. Quand le blé monta en herbe, puis en épis, l'ivraie apparut aussi. Ses moissonneurs lui demandèrent: «Veux-tu que nous allions arracher l'ivraie?» Il répondit: «Non, car vous arracheriez le blé ensemble avec elle. Quand le temps de la moisson viendra, arrachez alors l'ivraie, liez-la en bottes et brûlez-la. Il ne vous restera plus qu'à récolter le blé.»

— Que veux-tu dire par cette parabole? lui lança un homme dans la foule.

— L'heure viendra où ceux qui ne vivent que des oboles du Démon ne pourront plus se cacher. Ils sont pareils à l'ivraie et ils seront visibles de tous. Ils seront alors ramassés, liés en bottes et brûlés. Il ne restera que le blé semé par l'Envoyé du Seigneur.

— C'est toi? s'écria une femme.

— Je sème, en effet, le bon grain, celui qui nourrit le cœur et l'âme, car le pain de ce monde ne nourrit que le corps.

— Alors, donne-moi de ton pain, dit un homme.

C'était celui à qui Jésus avait annoncé que sa fidélité lui serait comptée. Jeune, vigoureux et fier.

— Comment t'appelles-tu?

— Simon bar Ornan.

— Que fais-tu?

L'autre hésita et aucun son ne sortit de sa bouche. Quel métier faisait-il donc qu'il ne pût avouer? Les disciples l'observaient.

— Je me loue à ceux qui veulent à l'occasion donner une leçon à des obstinés.

— Qui sont les uns et qui sont les autres ?

— Ne le sais-tu pas ? Il y a ces Juifs qui vont dans les temples des *kittim* et honorent des statues d'hommes nus, qui vont avec des prostituées et des garçons païens... Une bonne raclée les rappelle à l'ordre.

— Et les autres ?

— Les héritiers des Maccabées.

C'était au moins un euphémisme : ces héritiers du glorieux Judas Maccabée étaient constitués de bandes de nervis qui attaquaient les Romains isolés sur les routes, la nuit, aussi bien que les kittim ; à l'occasion, ils faisaient du brigandage pur et simple. On les appelait les *quanajjim*, les zélotes. Quand ils mettaient la main sur eux, les Romains ne s'embarrassaient pas de scrupules : ils les pendaient sans tarder.

Donc, Simon bar Ornan était un mercenaire des *quanajjim*.

— Pourquoi veux-tu manger de mon pain ?

— Mon cœur défaille de faim. Que fais-je dans ce monde ? Je rosse des méchants, des apostats et des Romains. Des gens méprisables. Le plaisir est éphémère et la solde légère. Qui m'aime ? Des femmes sans vertu ? Quand mes muscles auront faibli, je deviendrai une bête de somme pour celui qui me paiera et me nourrira. Puis un jour, dans le meilleur des cas, on coudra mon cadavre dans un linceul et je nourrirai les vers. Toi, je t'ai entendu, tu nourris le cœur.

Il jeta un regard à la ronde ; onze regards attentifs mais perplexes ; ils n'étaient visiblement pas transportés de joie à l'idée d'accueillir un *quanajj* dans leurs rangs. Mais en eux-mêmes, ils tendaient les bras à cet affamé.

— Tu as guéri dix lépreux à En-Gannim. Moi, je meurs au-dedans de moi.

— Cet homme est digne de toi, Seigneur, dit enfin Nathanaël.

— Il l'est, dit Jésus.

Ce fut ainsi que Simon bar Ornan devint le douzième.

Notes du chapitre 23

51. Les détails de ces pages sur l'identité de la Samaritaine que Jésus rencontra au puits de Jacob sont historiques : il n'était pas très difficile d'identifier dans ce personnage devenu mythique une résidente de Sychar, aventurière qui avait tenté de lier son sort à des thaumaturges célèbres afin de partager leur renommée ; peut-être rêva-t-elle de partager celle de Jésus. L'Évangile de Jean est le seul à inclure cet épisode et lui réserve une place importante (Jn. IV, 7-42). Toutefois, les circonstances en semblent douteuses autant que le récit en est arrangé à la manière d'un apologue ; une femme telle que cette « grande prêtresse de la Lune » n'allait certes pas en personne tirer de l'eau au puits, et en tout cas pas au puits de Jacob, lieu de vénération ; il y avait d'autres puits pour cela. D'où la version de la rencontre de ces pages.

La conversation entre cette femme et Jésus est d'autant moins crédible qu'on se demande comment elle put être rapportée puisque, de l'aveu de Jean, aucun disciple n'y assista. L'évangéliste y met dans la bouche de la Samaritaine l'une des phrases les plus absurdes du Nouveau Testament : « Je sais que le Messie doit venir, celui qu'on appelle Christ. » Or, le mot « messie », en hébreu *machia* et en araméen *massih*, c'est-à-dire « oint », est strictement synonyme du grec *christos* ; cette tautologie prouve une fois de plus la méconnaissance des langues orientales des auteurs évangéliques. Et Jésus lui aurait répondu : « Je le suis, moi qui te parle. » Ce qui contredisait formellement son rejet de la messianité (v. note 50).

De surcroît, au temps de Jésus, on n'appelait certainement pas le Messie *christos*, la notion messianique étant spécifiquement hébraïque et le terme grec n'ayant été forgé que pour les Juifs de la diaspora qui ne parlaient plus que le grec.

52. Pour cette appellation *boanerges*, v. note 35.

24.

— Rabbi, mes maîtresses Marthe et Marie m'ont envoyé à ta recherche...

L'homme n'était pas d'une grande jeunesse et paraissait épuisé. Et surtout accablé. Il regardait Jésus d'un air coupable, comme s'il avait quelque chose à se reprocher.

— Je suis le frère d'Ouria et je suis parti de Béthanie il y a deux jours, rabbi...

Sa voix se brisa.

— Parle donc.

— Ton ami Lazare est mort.

Jésus soupira. Les disciples, qui assistaient à l'entrevue, ouvrirent de grands yeux. Aucun d'eux ne savait qui était Lazare.

— Il est mort à Sokoka. Mes maîtresses ont envoyé chercher le corps et l'ont mis au tombeau le jour de mon départ.

— Faites servir un repas à cet homme.

— Qui est Lazare? demanda Jacques.

— Un frère de Sokoka. Il faut que j'aille à Béthanie.

— Tu n'y songes pas!

— Je ne songe qu'à cela.

— Et les gens du Temple n'attendent que toi. Qu'est-ce que ta présence changera à son sort?

Jésus leva sur son frère un regard terne.

— Je pense qu'il n'est pas mort.

— Comment? Mais ses sœurs l'ont mis au tombeau.

— Qu'il soit au tombeau ne change rien. Je dois y aller.

— Est-ce à cause de Marie ? insista Jacques.

Oui, c'était aussi à cause d'elle, mais il ne le dit pas.

— Seigneur, nous sommes là ! s'écria Thomas. Nous irons avec toi.

— C'est dangereux, dit Jacques.

— Je suis là, moi aussi, déclara le nouveau, Simon bar Ornan. S'il le faut, je rallierai d'anciens compagnons. Nous te protégerons.

La nuit fut courte. Ils partirent avant l'aube, accompagnés du frère d'Ouria.

Le trajet fut compliqué, car il n'existait pas de chemin direct et qu'il faudrait rejoindre Jérusalem avant de bifurquer vers Béthanie. Ils contournèrent donc la ville de David, l'œil aux aguets, et arrivèrent à la nuit tombée, fourbus. Le domestique courut au-devant d'eux prévenir son frère. Quelques instants plus tard, celui-ci s'élançait sur le chemin, une torche à la main, accueillir le visiteur qu'il connaissait déjà ; il était en larmes. Quand ils parvinrent à la maison, Marthe et Marie, alertées, les attendaient sur le seuil.

— Entre, dirent-elles.

— Non, où est-il enterré ?

— Quoi ? Il est mort depuis trois jours...

— Marthe, Marie, je vous demande : où est-il enterré ?

Les deux femmes parurent égarées. Mais le temps ne se prêtait pas à la discussion. Les treize, les deux femmes et les deux domestiques prirent donc le chemin du tombeau. Ouria, brandissant sa torche, précédait le cortège. Le tombeau était une grotte creusée dans la colline.

— Roulez le *dopheq*.

Simon bar Ornan et Jean s'exécutèrent. La pierre était scellée, mais le mortier encore tendre finit par céder.

— Approche-toi, ordonna Jésus à Ouria.

La torche éclaira l'intérieur du tombeau. Jésus s'y faufila, baissant la tête, alla au corps allongé sur le banc de pierre et, en quelques gestes presque furieux, déchira le linceul, arracha le voile de sueur et regarda Lazare un instant, puis hocha la tête ; il s'agenouilla près de lui, car la grotte était encore plus basse au fond. Il posa les mains sur les deux joues pendant un temps indéfini.

À leur épouvante, les témoins virent ou crurent voir un pied du cadavre bouger. Peut-être était-ce la lumière de la torche qui créait cette illusion.

Mais un bras aussi bougea. Et là, plus de méprise possible, Lazare avait posé la main sur le visage de Jésus.

Marthe défaillit et tomba dans les bras du disciple le plus proche, André.

Jésus releva Lazare et l'entraîna vers la sortie du caveau, puis il mit pied à terre et aida le jeune homme, visiblement affaibli, à en faire de même ; ce fut laborieux. Le ressuscité était nu, il avait froid ; le frère d'Ouria jeta son manteau sur lui et lui donna ses sandales.

Bar Ornan et Jean remirent le *dopheq* en place. Le cortège reprit le chemin de la maison, Lazare s'appuyant sur les bras de Jésus et de Jacques.

Personne n'avait articulé un seul mot.

— Donnez-lui à manger, dit Jésus, quand ils eurent regagné la maison.

Ouria et Marie s'élancèrent.

Tout le monde regarda Lazare manger et boire. Il était livide, mais il ne présentait aucune trace de décomposition. La cardamome mise à brûler dans un brasero ne masquerait aucune odeur putride.

— Va dormir, lui dit Jésus. Nous parlerons demain.

Ouria et son frère accompagnèrent le ressuscité à sa chambre.

Les treize et les deux femmes s'interrogèrent des yeux un long moment. Personne ne parla. Que dire ? La nuit s'avançait.

— Pouvez-vous nous accommoder quelques paillasses ? demanda Jésus. S'il le faut, nous dormirons à deux sur la même, ça n'a pas d'importance.

Aidées par les domestiques, les deux femmes s'affairèrent. Jésus partagea sa couche avec son frère. La maison glissa enfin dans le silence de la nuit.

Le réveil fut tardif et la première heure fort active, à cause des ablutions. Le soleil de fin d'automne éclairait la grande table du premier repas. Chacun observait Lazare, tentant en vain de déchiffrer l'expression d'un ressuscité. Aucun des miracles du maître n'avait autant troublé ses disciples.

Ce fut Lazare qui rompit le silence.

— C'est la seconde fois que tu me rends la vie, dit-il, s'adressant à Jésus.

Les regards des disciples abasourdis convergèrent vers Jésus. La seconde fois? Il demeura impassible.

— Cette fois-ci, j'avais commis une faute, ils m'ont mis au tombeau, reprit Lazare.

À part Jésus, personne ne comprit ce qu'il avait dit. Jésus le leur expliqua : la règle était, à Sokoka, de punir un frère qui avait commis une faute en l'enfermant dans une prison pareille à un tombeau pour le temps prescrit du repentir.

— Quelle était ta faute ?

— Ils m'ont vu pleurant dans les bras d'un frère. Ils ont jugé notre intimité suspecte et répréhensible. La contrariété que m'avait causée la sentence a été très violente. J'ai voulu mourir. Le soir, dans ma prison, j'ai perdu conscience. J'ignore la suite.

— Ils m'ont dit, intervint Marie, que lorsqu'ils étaient allés lui porter du pain et de l'eau, ils l'avaient trouvé mort. Ils nous ont priées, Marthe et moi, de faire récupérer le corps.

— La mort m'a affranchi de Sokoka, n'est-ce pas vrai, rabbi ?

— Il est vrai. Leur dureté les aura rendus fragiles.

Et, se tournant vers Marthe et Marie :

— N'ébruitez pas ce qui vient de se passer. Vous agiteriez nos ennemis.

— Mais ils me verront ! s'écria Lazare.

— Non, suis-nous. Nul ne saura qui tu es. Nous allons nous remettre en route pour Haçor. Nous sommes trop près de Jérusalem[53].

Les disciples étaient rassemblés devant la maison, prêts à partir, quand Jésus appela Marie. Depuis son arrivée, la veille, son regard s'était attaché à lui comme un fil sans fin et l'avait suivi jusque dans le sommeil.

— Si un rabbin nous mariait, tu partagerais les persécutions que je vais subir, parce qu'il ne saurait pas tenir sa langue et proclamerait le lien qui nous unit. Je suis rabbin, je nous prononce donc mari et femme devant le Seigneur.

Elle ferma les yeux, leva la tête et, joignant les mains, les posa sur la poitrine de son époux. Il l'attira vers elle et déposa un long baiser sur sa bouche.

— Jésus, laisse-moi te suivre de nouveau.

Il parut hésiter. Puis il acquiesça. Elle alla prévenir Marthe, qui vint saluer Jésus. Marthe semblait avoir saisi le rapport entre lui et sa sœur. Ses seuls mots furent :

— Que le Seigneur vous protège.

Ils quittaient la maison quand un petit équipage arriva, trois domestiques à pied entourant une femme à dos de baudet. Ils l'aidèrent à mettre pied à terre; d'âge certain, mine impérieuse, comme une femme habituée à se faire obéir, elle parcourut les visages du regard, cherchant quelqu'un, puis alla vers Marie :

— Ma sœur, je cherche l'Envoyé divin, dit-elle.

— Que lui veux-tu?

— Je suis Suzanne, l'épouse d'Alexandre bar Andros, le frère de Nestor...

Noms inconnus. Cela ne répondait pas à la question.

— Qui est-ce?

— Le fonctionnaire de la maison d'Hérode dont l'Envoyé a ressuscité le fils, à Cana.

— Je te demande : que lui veux-tu?

— Es-tu son épouse?

— Je suis sa suivante.

— Peux-tu me comprendre? Je n'ai plus de place dans ce monde où je vis. Et si je n'ai pas d'espoir, je meurs.

Jacques, près de Jésus, observait la scène à distance; sans doute Jésus s'étonnait-il du retard. Mais aucun d'eux n'intervint.

— J'ai vu ce que l'Envoyé a fait à mon neveu. Il a fait plus que le guérir, il l'a ressuscité, ma sœur, le sais-tu? Et j'ai entendu qu'il répand ses bienfaits partout où il va, ils sont nombreux.

Marie hocha la tête.

— S'il fait cela, dit Suzanne, c'est que le Très-Haut lui en a donné mission. Nous étions des oubliés du Seigneur, et cet homme, cet Envoyé, est venu comme l'aube...

— Je te le demande encore : que veux-tu?

— Vivre dans sa lumière.

— N'as-tu pas peur de la colère d'Hérode ?

— Hérode ! s'écria Suzanne, comme si elle prononçait une obscénité. Hérode ? Il tremble de peur.

— Attends-moi.

Marie alla informer Jésus.

— Elle prend des risques, observa Jacques.

— Ceux qui s'en prendraient à elle en courraient aussi, dit Marie.

— Qu'elle vienne donc, dit Jésus.

— Attends, dit Marie.

Elle alla chercher Suzanne.

Quand celle-ci se trouva en présence de Jésus, elle tomba à genoux, le visage extatique.

— Dis-moi... Dis-moi, Seigneur, que cette vie terrestre ne s'achève pas au tombeau !

— Il n'est de tombeau, femme, que pour les âmes mortes.

— Dis-moi, je t'en conjure, que c'est le Seigneur qui t'envoie, que tu es l'Envoyé...

— Si je suis ici, ce ne peut être que par Sa volonté.

Les disciples faisaient un cercle autour de la scène.

— Tu m'emplis de lumière, Seigneur... Tu ne peux être que Son Fils...

— Relève-toi, Suzanne. Le fils de l'homme est toujours le Fils du Seigneur.

Marie et les domestiques l'aidèrent à se remettre sur pied.

— Et ton mari, qu'en dit-il ?

— Seigneur, as-tu jamais tenté de parler à un âne ?

Jésus se retint de rire.

— Si tu lui parles de la lumière de l'âme, il te demandera où l'on en achète l'huile. Que peut-on espérer d'un fonctionnaire d'Hérode ?

Jésus n'approfondit pas l'interrogatoire. Le petit groupe se mit enfin en marche, non pas en direction de Haçor, mais de Nephtoah, car Jésus avait changé d'avis : il voulait aller à Motzah, et Nephtoah ne serait qu'une étape.

Les deux femmes montaient des ânes, comme il convenait, et, à les voir, Jacques dit à son frère :

— Le Créateur n'a-t-il pas créé Ève après Adam ? C'est pourtant elle qui possède le privilège de la monture.

Jésus sourit. Il était désormais accoutumé aux saillies de son frère.

— Les voies du Seigneur, Jacques, sont parfois subtiles. Les faibles et les offensés ont parfois plus de force que les forts et les offenseurs.

— Comment cela peut-il se faire avant l'avènement du Royaume ?

— Par la crainte. Le fort songe souvent qu'il pourrait être à la place de celui qu'il opprime. Et l'homme, qu'il aurait pu naître femme.

Nephtoah était un bourg, et l'arrivée de tous ces voyageurs au crépuscule l'agita. D'où venaient-ils et où allaient-ils donc en cette saison ? Et qui étaient-ils ? Quand Marie et Suzanne se mirent en quête d'un lieu où passer la nuit et des possibilités de préparer un repas, des notables vinrent à leur rencontre. Les deux femmes, assistées de Judas bar Shimon, qui tenait donc la bourse, convinrent de la maison proposée : une ferme à brève distance. Elles achetèrent également la nourriture nécessaire, ainsi que du vin, et engagèrent deux femmes pour la préparer.

— Mais qui êtes-vous donc ? demanda le bailleur.

— Nous suivons l'Envoyé du Seigneur, répondit Judas.

Le bailleur battit des paupières :

— Cet homme qu'on appelle Fils du Père et qui fait des prodiges ? J'en ai entendu parler...

— Ce ne sont pas des prodiges, mais des bienfaits commandés par le Seigneur.

La nuance donna sans doute du grain à moudre à la cervelle du bonhomme, car il s'abstint de commentaires. Comme la nuit s'avançait et que la faim pressait, Judas et les deux femmes coupèrent court, promettant de reprendre l'entretien le lendemain.

L'installation dans la ferme et la préparation du repas furent laborieuses. La lune présidait haut dans le ciel quand enfin tout ce monde put avaler sa première bouchée et sa première gorgée de la journée. Chacun, s'allongeant sur sa paillasse, se jura que son premier soin, le lendemain, serait d'en trouver une autre et Nathanaël se leva deux fois dans la nuit pour chasser les rats qui rôdaient autour de lui et de Jésus, dont les couches étaient voisines.

— Ce sont probablement des pharisiens, murmura Jésus.

Nathanaël gloussa.

Sans doute l'ardeur de Suzanne avait-elle été mise à l'épreuve par la frugalité de l'installation, car le lendemain elle paraissait défaite. Les disciples, eux, en avaient vu d'autres. Et, sortis puiser de l'eau, les domestiques de Suzanne revinrent prévenir leur maîtresse qu'il y avait des gens dans la cour de la ferme. Marie alla voir : ils étaient bien deux douzaines qui attendaient, les regards sur la porte. À son tour, elle prévint Jésus. Il était en méditation dans une pièce isolée.

— Y a-t-il des malades ?

— Je n'en ai pas vu, mais il y en a certainement.

— Peut-on sortir par l'arrière ?

Se déroberait-il ? Elle alla vérifier et revint confirmer qu'en effet l'on pouvait quitter la ferme sans être vu des gens dans la cour.

— Je ne commencerai ma journée qu'après les ablutions.

Jacques rassembla les disciples, y compris Lazare, et ils sortirent tous en file, suivant Jésus, qui se dirigeait vers la rivière Sorek. Les anciens connaissaient le rituel, mais pas Lazare ni le nouveau venu, Simon bar Ornan, le Zélote ; ceux-ci observèrent donc Jésus ; il était en braies, sur le bord de la rivière, et se lavait les jambes et les pieds, puis les cheveux ; ils suivirent l'exemple. L'eau était très froide et ils frissonnaient. Il ôta ses braies, les posa sur l'épaule et entra nu dans la rivière pour se savonner le bas du tronc et, cela fait, regagna la rive, se sécha et se rhabilla rapidement.

— C'est ainsi tous les jours ? demanda Simon le Zélote.

— Oui, lui répondit l'autre Simon, il faut que le corps soit pur.

À leur retour, le premier repas était servi. Jésus le bénit et ils mangèrent de bon appétit. Marie et Suzanne, déconcertées, prenaient leur repas sur une petite table voisine, car il n'y avait plus de place à celle des hommes.

— La cour est maintenant pleine de monde, annonça un domestique.

Jésus sortit : les deux douzaines en étaient devenues cinq ou six.

— Que la paix du Seigneur soit avec vous, dit-il en se dirigeant vers les prés voisins.

Les gens le suivirent d'emblée, sans qu'il les y eût invités. Il gagna une hauteur et s'y arrêta.

— Certains parmi vous sont venus ici dans l'espoir d'assister à des signes du ciel, d'autres parce qu'ils espèrent un soulagement à leurs misères, mais le fait même qu'ils aient entraîné les leurs est un signe du ciel. Il révèle que l'espoir dans la bonté du Seigneur vous habite. Ainsi les brebis perdues se rassemblent-elles quand elles voient le berger apparaître, et elles le suivent alors. Ainsi doit-il en être pour vous, même quand il n'y aura plus de signes, car je ne fais que passer, tandis que le regard du Seigneur vous suit en chaque lieu et à chaque heure. Gardez ce regard dans vos cœurs et vous n'aurez pas besoin d'autre berger.

— Pourquoi dis-tu que nous sommes des brebis perdues ?

— Si vous suiviez de bons bergers, vous ne seriez pas dans l'attente des signes. Quand le Seigneur nous libéra de l'esclavage de Misr, nous savions que Moïse était le guide qu'il avait choisi. Mais aujourd'hui, les bergers vous ont abandonnés. Ils se sont isolés dans une citadelle, comme des rois et des princes. Repus des viandes des sacrifices et des vins de leurs vignes, enivrés par le parfum de l'encens et de la cardamome offerts au Très-Haut, ils caressent l'illusion de leur puissance comme l'ivrogne caresse une outre vide. Et vous, vous êtes ici, éplorés, attendant la lumière divine.

— Qui es-tu, toi qui prétends nous l'apporter ?

— Le Père a choisi le fils de l'homme selon son dessein et l'a investi de ses dons pour le signaler aux siens.

— Prétends-tu que tu es le fils de notre Seigneur ?

— Les dons que vous êtes venus implorer ne le prouvent-ils pas ?

Tandis que la foule méditait cette réponse, une femme s'avança :

— Tu guériras donc les miséreux qu'on te présentera ?

— Femme, si tu en doutes, pourquoi es-tu donc venue ?

Une autre femme fendit la foule et déposa aux pieds de Jésus une forme enveloppée dans des linges comme dans un linceul. Deux hommes se rangèrent auprès d'elle. Philippe et Nathanaël se penchèrent pour dégager la créature de ces linges de mauvais aloi ; c'était un enfantelet livide, aux yeux clos. Était-il encore vivant ? On en eût douté ; sans doute ses parents s'apprêtaient-ils à le mettre au tombeau. Les disciples consternés le tendirent à Jésus. Il prit la créature dans ses bras, la serra contre lui et lui caressa le visage. L'enfant reprit des couleurs, ouvrit les yeux et poussa un vagissement qui ressemblait à un rire.

Des cris jaillirent de la foule et la mère tendit les bras vers son enfant.

— Seigneur ! Seigneur ! s'écria-t-elle. Mon enfant...

Jésus le lui rendit. Les gens se pressaient autour d'elle pour regarder le petit ressuscité ; il vagissait bruyamment. Plusieurs se mirent à genoux, dont les deux hommes qui accompagnaient la mère.

— Seigneur, Fils du Très-Haut, bénis-nous.

— Tu es vraiment celui que nous attendions, Seigneur ! Sois glorifié !

L'agitation se propageait et l'on ne s'entendait plus. Suzanne, qui assistait pour la première fois à pareille scène, s'agrippait, hagarde, au bras de Marie ; un homme près d'elle cria :

— Cet homme est l'Oint que nous attendions ! Il est là...

Jésus leva les bras :

— Vous louez aujourd'hui le Seigneur, parce que vous avez vu les signes des pouvoirs dont il a investi son fils. Mais quand je ne serai plus là, ne laissez pas votre foi vaciller comme la flamme de la chandelle abandonnée au vent...

— Seigneur, où iras-tu ? Nous te suivrons !

— L'heure approche où le fils de l'homme doit affronter les Ténèbres.

— Ne vous laissez pas égarer par les propos d'un magicien ! s'écria soudain un homme dans la foule.

On le hua et on l'entoura pour lui imposer le silence. Simon bar Ornan s'avança, menaçant. Matthieu le retint du geste. Le trublion s'obstinait.

— Qui es-tu, toi, pour interrompre l'Oint ? cria une femme.

— L'Oint ? Qui donc a jamais donné l'onction à cet homme ? Et quand ? Où ? Vous vous laissez abuser…

Le fâcheux fut expulsé à la force des bras et des poings.

Les humeurs s'étaient échauffées et il en était plus d'un qui eût été content de trouver un adversaire avec qui en découdre. Des mains se tendirent pour saisir une manche ou le manteau de Jésus. L'agitation menaçait de s'éterniser. Il leva un bras et haussa le ton :

— L'homme doit travailler pour vivre, a dit le Seigneur. Allez à vos labeurs. Et aux disciples : Rentrons.

Ils lui frayèrent un passage à travers la foule. À la maison, Lazare lui dit :

— Ces gens te sont désormais voués corps et âme.

— Il est plus facile à l'oiseau de voler avec le vent. Que restera-t-il de tout cela à l'heure de l'épreuve ?

— L'épreuve ? répéta Lazare.

— L'épreuve ? répéta Jean.

— Le cœur des Ténèbres est comme un mur de pierre.

Ils n'osèrent pas l'interroger plus avant. Mais l'évidence avait été proférée : il y aurait une épreuve. Ses mots résonnèrent dans les mémoires : *L'heure approche où le fils de l'homme doit affronter les Ténèbres.*

Note du chapitre 24

53. La présence de Lazare au mont des Oliviers (v. note 36) indiquerait qu'il aurait suivi Jésus pendant les derniers mois de son ministère;
il n'est cependant pas mentionné parmi les disciples, peut-être afin de
respecter le chiffre symbolique des Douze.

25.

— Après votre départ, votre père n'avait plus le cœur à continuer son métier sans vous. Il disait que nous aurions dû vous suivre. Mais nous ne savions pas où vous étiez. La malédiction que le Seigneur a jetée contre Kefar Nahoum l'a en tout cas décidé à partir. Il n'aurait pu continuer à habiter une ville maudite, moi non plus. Il a résolu de prendre possession de cette maison et de ses champs, qui lui avaient été légués par un parent et qu'il n'avait jamais songé à occuper. Mais quelques semaines après notre arrivée, le grand sommeil s'est emparé de lui et il est parti dormir avec ses ancêtres.

Les yeux de Jean et de Jacques bar Zebeida brillèrent et des larmes y perlèrent. Comme eux, Jésus et les disciples avaient écouté la femme à laquelle ils devaient leur installation à Motzah. Arrivant, en effet, dans la ville et s'étant enquis d'un lieu où séjourner, on leur avait indiqué la ferme de la veuve de Zebeida. Le nom n'était certes pas exceptionnel, mais il avait intrigué les deux frères, puisque c'était celui de leur père. Ils ne s'étaient en tout cas pas attendus que cette veuve homonyme fût leur mère. L'émotion des retrouvailles fut longue à apaiser.

Ainsi la malédiction que Jésus avait lancée contre Kefar Nahoum lui valait-elle de trouver ce havre.

— Mon époux, reprit la veuve, aurait été comblé de joie à l'idée de t'accueillir, Seigneur. Et je ne peux que te dire que cette maison est la tienne aussi longtemps que tu le voudras. Ta présence en fait un temple.

— Ton hospitalité l'avait déjà fait ainsi, Judith.

Car tel était son nom. Les deux frères se mirent alors en demeure d'aménager la maison ; comme elle était vaste et que leur mère n'y occupait qu'une pièce et les domestiques une autre, elle était, en effet, presque inhabitée. Leur premier soin fut de la chauffer, car on était au cœur de l'hiver et la bise soufflait sous les portes. Accompagnés de Judas bar Shimon, le trésorier du groupe, mais aussi de Suzanne, de Marie et de Lazare, ils allèrent au village acheter des braseros et du bois, mais aussi des paillasses et des couvertures pour tout ce monde, domestiques inclus, sans compter les vivres et le vin.

Cette fièvre d'achats alerta la ville : qui était donc le noble visiteur qui l'honorait de sa visite ?

— Nous espérons que vous en serez dignes, répondit Jean d'un ton énigmatique.

— Mais qui est-ce ?

Comme les acheteurs se montraient peu loquaces, les domestiques furent interrogés. Motzah apprit ainsi que le futur Messie était en ville. Le Messie ? Le futur roi d'Israël ? L'émotion le disputa à la perplexité et l'agitation entraîna la confusion. Les domestiques racontèrent les miracles auxquels ils avaient assisté à Nephtoah, et, tant qu'ils y étaient, dans d'autres bourgs où ils n'avaient jamais été. La nuit tomba sur ces entrefaites.

Quand les voyageurs furent tant bien que mal installés dans leurs quartiers, ils ne tardèrent pas à s'y endormir. Marie, qui partageait sa chambre avec Suzanne, attendit que celle-ci en eut fait de même pour se lever et sortir. Lampe en main, elle se dirigea vers la pièce réservée à Jésus seul, privilège évidemment incontesté. Sa porte était fermée, pour couper aux courants d'air, mais elle perçut au travers le raclement d'un brasero sur le sol. Elle toqua légèrement sur le bois. La porte s'ouvrit.

Ils se firent face.

— Entre.

Outre la paillasse, le seul meuble dans la pièce était un petit banc ; elle s'y assit.

— Une question m'empêche de dormir, rabbi. Ils disent maintenant, et tu les laisses dire, que tu es le futur Messie, c'est-à-dire que le grand prêtre de Jérusalem oindra ton front d'huile sainte et fera de toi le roi d'Israël. Mais tu sais bien que le grand prêtre ne fera jamais cela.

— Il n'est pas le maître de l'onction, répondit Jésus au bout d'un temps.

— Mais alors?

— C'est cela qui t'empêche de dormir? Nul ne sait les desseins ni les moyens du Seigneur. Ne t'attache pas au rôle d'un prêtre et à une cérémonie.

Il souriait.

— Va dormir en paix.

Quand elle se leva, il l'attira vers lui et baisa son front. Elle posa la main sur la joue de celui qui était son mari et l'y attarda un instant. Puis elle reprit sa lampe et regagna sa chambre.

Roi? L'Envoyé du Seigneur serait donc roi? Il fallait bien le croire, puisqu'il lui disait de ne pas se soucier des circonstances. Mais il devrait d'abord affronter la hargne des Ténèbres... Elle en frémit en s'enveloppant dans sa couverture.

La maison fut donc assiégée le lendemain.

— Combien je voudrais que nous soyons à Jérusalem et que les croyants soient aussi nombreux! s'écria Nathanaël après un coup d'œil à l'extérieur.

— Oui, convint Thomas, qui partageait sa chambre avec lui, mais que se passera-t-il alors?

— Le maître règnera sur la ville...

— Crois-tu que Caïphe et les Romains laisseront faire?

Nathanaël fit un geste d'impatience.

— Le Seigneur se manifestera, j'en suis sûr.

Mais Thomas en paraissait moins convaincu. L'heure des ablutions interrompit l'échange. Une salle d'eau avait été improvisée dans la ferme, cela évitait d'aller se glacer les entrailles dans les eaux du Sorek. Jésus y avait précédé les disciples.

Après le premier repas, Jésus sortit de la maison et fit face aux habitants de Motzah. Une rumeur le salua, sortie spontanément du tréfonds des entrailles, éjectant au passage des sons arrachés aux gosiers. Jean eut la vision d'un homme seul face à monstre à cent têtes qui se demandaient s'il était un héros ou un ennemi. Car il concentrait en lui des espoirs obscurs, mais aussi la menace de l'inconnu, puisqu'il promettait de changer leur vie. Parviendrait-il à dompter ce Léviathan et en faire sa monture, pour foncer à l'assaut de la citadelle des Ténèbres ?

Ils étaient bien deux ou trois centaines, et il en arrivait encore. Sans mot dire, Jésus traversa la foule, suivi des disciples et, à travers champs, se dirigea vers la montagne voisine. Là, il gravit un monticule et s'arrêta au sommet. La foule comprit qu'il s'apprêtait à s'adresser à elle et s'assembla autour de lui.

— L'espoir qui vous mène jusqu'à moi est celui des affligés. Car les puissants de ce monde n'aspirent qu'à plus de puissance. Réjouissez-vous, je vous le dis, car l'heure du Seigneur approche. Heureux ceux qui n'aspirent ni à la puissance ni à la richesse, car le royaume des cieux leur appartient. Heureux ceux qui sont doux, car ils posséderont la terre. Heureux les affligés, car ils seront consolés. Heureux les affamés, car ils seront rassasiés…

Sa voix résonnait sur les rocs.

— … Heureux les miséricordieux, car ils obtiendront miséricorde. Heureux les cœurs purs, car ils verront la lumière du Seigneur. Heureux les persécutés, car ils obtiendront justice.

Il observa une pause.

— Si l'on vous insulte à cause de ce qu'on dira de moi, réjouissez-vous ! Car votre récompense sera grande dans le royaume des cieux. Les cœurs emplis de ténèbres ne supportent pas l'espoir des affligés. Et les yeux pleins de ténèbres ne supportent pas la lumière du Seigneur, celle qui brille dans vos yeux. Faites-la donc resplendir, car on ne cache pas une lampe sous le boisseau, elle doit éclairer le monde. La lumière de votre foi glorifie le Seigneur, votre Père qui est aux cieux et qui m'a envoyé vers vous.

La rumeur parcourut à nouveau la foule.

— Les esprits des Ténèbres racontent que je suis venu abolir la Loi et les prophètes. Mais je suis venu, au nom du Dieu de bonté, accomplir et non pas abolir. Celui qui violera le moindre des préceptes de la Loi, celui-là restera aux portes du Royaume, tandis que celui qui les appliquera et les enseignera sera grand dans le Royaume. Je vous le dis donc : si votre justice ne surpasse pas celle des scribes et des pharisiens, vous n'entrerez pas au Royaume.

— De quel droit insultes-tu les scribes et les pharisiens, eux qui ont étudié la Loi pendant des années et qui appliquent ses préceptes ?

Jésus reconnut l'homme qui l'interpellait : c'était le même qui l'avait interrompu à Nephtoah. Et il était entouré des mêmes acolytes. Ils l'avaient donc suivi jusqu'à Motzah.

— Je n'insulte ni les scribes ni les pharisiens, je condamne l'esprit d'arrogance dans lequel ils s'obstinent et l'illusion qu'ils seraient, eux, les détenteurs de la Loi.

Le petit groupe s'avança au premier rang de la foule ; tournant le dos à Jésus, leur meneur prit la parole sur un ton véhément, les bras levés :

— Cet homme et ses complices parcourent le pays en tenant des discours destinés à vous égarer pour soutenir ses ambitions. Et quelles sont-elles ? Il veut devenir roi ! Il se dit Messie ! Ah ah !

— Et toi, qui es-tu sinon un sbire des pharisiens ? lui lança alors Simon bar Ornan, s'avançant vers le fâcheux. Tu es payé pour réduire au silence ceux qui dénoncent l'aveuglement de tes maîtres !

— Oui, qui es-tu ? reprit un autre dans la foule, s'adressant au pharisien et prenant à son tour une posture menaçante. Les miracles que cet homme a accomplis montrent qu'il est l'Envoyé du Seigneur. Va-t'en !

— C'est cela qui vous inquiète, ses miracles ? lança un autre. Vous, les pharisiens, êtes incapables d'en faire le dixième !

Il donna une bourrade sur la poitrine du meneur, et les acolytes de ce dernier s'interposèrent. Mais ils affrontaient plus d'adversaires qu'ils n'en avaient sans doute escompté. Simon bar Ornan et Nathanaël poussèrent le meneur pour lui faire perdre l'équilibre et un homme de Motzah lui décocha un coup de poing au visage. La foule prenait les autres à partie. Une algarade s'engageait. Un bon moment plus tard, les pharisiens avaient été expulsés et décampaient vers la ville.

— Parle, Seigneur ! s'écria l'un de ceux qui avaient mené la bagarre. Tes ennemis sont partis.

Jésus reprit son souffle : c'était la première fois que ses adversaires engageaient si franchement le combat.

— Ces gens que vous avez chassés se présentent comme les défenseurs de la justice, mais la justice est l'apanage du Seigneur et ils ne savent que réciter des mots. La Loi dit : tu ne tueras pas. Mais moi, je vous dis : celui qui tue a cédé au démon de la colère et c'est là son premier péché. S'il entend le Seigneur, il va d'abord voir l'homme contre lequel il est irrité et se réconcilie avec lui. L'offrande que vous présentez au Seigneur est sans valeur si vous la faites avec la colère dans le cœur. Dominez-la, réconciliez-vous avec votre ennemi tant que vous le pouvez encore, et c'est alors que vous ferez une offrande qui plaira au Très-Haut.

On ne leur avait jamais ainsi parlé de la Loi.

— Ceux qui prétendent enseigner la Loi de nos ancêtres vous ont dit : quiconque rejette sa femme, qu'il lui remette un acte de répudiation. Mais moi, je vous dis qu'un homme qui rejette sa femme, sauf quand elle se comporte de manière honteuse, l'expose à l'adultère et celui qui épouse une femme répudiée commet l'adultère. Votre femme est la moitié de vous et vous ne pouvez pas plus la répudier que vous ne pouvez vous défaire d'une jambe ou d'un bras.

Il parla ensuite du parjure et de la vengeance.

— Notre Seigneur est un Dieu de bonté. Il veut que la paix règne entre vous et non que la vengeance entraîne la vengeance pendant des générations. Priez donc pour vos ennemis, afin de devenir les vrais fils et les vraies filles de votre Père.

— Devons-nous prier pour les pharisiens ? demanda un homme.

— Oui, priez pour que leurs yeux se dessillent et qu'ils voient enfin la lumière du Seigneur. Vous les avez chassés parce qu'ils étaient sourds et furieux et l'on ne peut pas parler avec un homme sourd et furieux. Mais quand vous les reverrez, expliquez-leur pourquoi ils sont dans l'erreur. Ils ne connaissent que les mots qu'on leur a enseignés, et non l'esprit de ces mots. Vous les aurez ainsi arrachés aux ténèbres.

Il prêcha ensuite la modestie dans le culte et condamna l'ostentation, puis le respect du prochain, qui consistait à ne pas juger, car nul juge n'est sans faute.

— Même les juges du sanhédrin ?

— Même ceux-là, car lorsque viendra leur heure, le Seigneur jugera leurs jugements. Nul homme ne participe de la sagesse divine, seule inspiratrice de la justice. Méfiez-vous des faux prophètes, qu'avait déjà dénoncés le prophète Jérémie lui-même, ceux qui agitent la langue pour émettre des oracles et qui prophétisent des songes mensongers et pervertissent les paroles du Dieu vivant.

La journée s'achevait. On devinait la lassitude de gens qui se tenaient debout depuis des heures. Beaucoup d'entre eux, d'ailleurs, s'étaient assis. Quand Jésus se tut, un homme s'avança, soutenant un aîné qui marchait péniblement, voûté et tenant sa main devant sa bouche.

— Seigneur, il souffre de consomption et se meurt lentement... Je sais que tu peux alléger sa souffrance...

— Et toi, que dis-tu ? demanda Jésus en se penchant vers le malade.

— Que seraient mes mots devant la puissance divine ? répondit l'autre en hoquetant. Si je ne guéris pas, je monterai plus vite vers le Seigneur, si tu me guéris, je le célébrerai plus longtemps ici-bas.

Sur quoi il cracha par terre, du sang et du phlegme.

Jésus le saisit par le bras.

— Alors, que le Seigneur qui t'a donné la vie la prolonge, pour que les autres t'entendent.

L'homme haleta et toussa encore. Ses bras battirent l'air, comme s'il allait expirer et s'effondrer, et il s'immobilisa. La foule observait la scène, médusée. L'homme se redressa lentement et, plusieurs fois de suite, inspira profondément. Il leva les bras au ciel et ferma les yeux.

— Béni sois-tu, une fois de plus, Messager !

Des cris retentirent.

— Il est guéri ! Il est guéri ! Gloire au Seigneur !

De sa sandale, le miraculé écrasa vigoureusement son crachat, s'agenouilla et saisit la main de Jésus.

— Bénis-moi, toi aussi.

Ce fut le premier des miracles de Motzah.

Jésus et les siens demeurèrent à Motzah jusqu'à la fin de l'hiver. Il se rendit entre-temps à Rabba et Beth ha-Kérem pour y prêcher et, à cette occasion, guérit des malades. Il s'abstint de prendre la parole à la synagogue, le rabbin ayant, comme maints autres collègues, reçu de Jérusalem une mise en garde contre Jésus bar Yousef, qui se disait Bar Abbas, dont l'enseignement pouvait répandre le trouble parmi les fidèles.

— Le trouble est causé par tes maîtres, lui fit répondre Jésus.

Le résultat de l'interdit fut que la fréquentation de la synagogue baissa sensiblement.

Marie et Lazare retournèrent une fois à Béthanie voir leur sœur. Enfin, une recrue de plus se joignit aux disciples, la propre femme d'un intendant d'Hérode, Chouza. Elle avait pris sa décision quand elle avait appris que Jésus acceptait des femmes dans sa suite. La tête couverte des deux voiles réglementaires, le visage encadré des deux bandeaux d'usage, elle en montrait cependant assez pour qu'on pût reconnaître en elle une matrone respectable. Elle se nommait Jeanne[54] et déclara, dès sa première rencontre avec Jésus :

— Je vivais dans le désert quand j'ai entendu ta voix. Je vivais dans les ténèbres quand j'ai vu ta lumière. On m'a rapporté tes paroles et tes miracles et, dès lors, je n'ai plus eu de maison ni de toit, je n'ai plus eu de nourriture, aucune eau ne pouvait étancher ma soif. Accepte-moi, je t'en conjure, donne-moi un foyer et nourris-moi.

Le discours était réfléchi, et d'ailleurs Jeanne semblait moins impulsive que Suzanne. Mais cela faisait quand même deux femmes en rupture de ban dans la suite de Jésus, et l'on pouvait imaginer ce qu'en penseraient les disciples.

— Et ton mari, qu'en dit-il ?

— S'il faut lui consentir le nom de mari, Seigneur, il n'en dit rien. Peut-être est-il content de mon départ.

— Êtes-vous divorcés ?

— Devant notre Dieu, oui, devant les hommes, non. Je lui ai donné une partie de ma fortune.

Deux ou trois disciples battirent des cils à ce bref portrait d'un homme qui n'était même pas un mari ; sans doute leur amour-propre masculin en était-il froissé ; ils s'abstinrent de commentaires, à celui-ci près, que Jésus perçut en passant à proximité d'André :

— Les fonctionnaires d'Hérode ne semblent pas très vaillants au lit.

Cependant, Jésus demeurait perplexe : la Loi avait bien prévu le cas d'un homme qui répudiait sa femme, mais non l'inverse, sauf rares exceptions : si la femme découvrait que le mari exerçait la profession de tanneur, de ramasseur d'ordures ou de foulon, ou bien s'il devenait lépreux ou souffrait de polypes. Car l'évidence s'imposait : Jeanne et Suzanne avaient répudié leurs maris. Et puis elles avaient décidé de le suivre, lui, l'Envoyé du Seigneur ; il ne pourrait pas les répudier à son tour ; elles seraient perdues à jamais. Et ce fut ainsi que trois femmes figurèrent dans son entourage.

— Suis-nous donc, Jeanne, et dis-toi que tu vas vers la Lumière.

Un incident troubla quelques jours les disciples : Jean guérit un enfant qui dépérissait mystérieusement. Il l'avait reçu un jour que Jésus était absent et l'avait pris à ses côtés, après avoir prié la mère de patienter. Il lui avait caressé la tête et, peu après, l'enfant jusqu'alors taciturne et triste semblait s'être ragaillardi. Quand Jésus était revenu, Jean le lui avait confié et Jésus s'était assis pour examiner le petit malade. Il lui avait pris les mains et l'enfant s'était écrié :

— Oui... Je me sens mieux. Comme tout à l'heure, quand ton ami a posé la main sur ma tête.

Jésus avait alors regardé Jean et souri :

— Te rappelles-tu la question que tu m'avais posée à Kefar Nahoum ?

— Je t'avais demandé...

— ... Si tu pourrais un jour guérir les malades comme je le fais. Et je t'avais répondu que ce n'est pas un art comme celui du potier. Je vois maintenant que tu l'as appris.

Jean était confondu :

— Cela ne peut être...

— Mais cela est. Et, se tournant vers les autres : quand l'esprit du Seigneur descend en vous, il vous permet de répandre ses bienfaits sur ses créatures.

Ils restaient cependant incrédules. Et Jean, désormais, se garda de poser les mains sur les malades qui venaient implorer de Jésus une guérison.

Vers la fin de l'hiver, l'incident fut oublié. Jésus venait de prendre une décision dont chacun mesurait la portée : il irait à Jérusalem.

Un matin, les domestiques chargèrent les ânes des biens acquis pour la maison de Motzah, notamment les couvertures, les linges et les brocs de métal, mais non les paillasses, trop encombrantes.

Les mémoires des voyageurs, elles, étaient bien plus chargées.

Note du chapitre 25

54. Les Évangiles mentionnent bien des femmes dans la suite de Jésus, mais ne fournissent pratiquement pas d'informations sur leur statut dans la société du temps. Luc écrit ainsi que Jésus était suivi de « quelques femmes qui avaient été guéries d'esprits mauvais et de maladies : Marie, appelée la Magdaléenne, de laquelle étaient sortis sept démons, Jeanne, femme de Chouza, intendant d'Hérode, Suzanne et plusieurs autres » (Lc. VIII, 2-3) ; le ton dédaigneux porte aujourd'hui à sourire : il donne à entendre que ces femmes auraient été des possédées ou des malades, bref, du menu fretin ; elles ne sont même pas toutes nommées. On peut déduire que Jésus aurait été suivi d'une dizaine de femmes au total.

Détaillés dans leurs récits des exorcismes et guérisons miraculeuses, les évangélistes ne soufflent pourtant mot des délivrances de ces femmes, même de Marie de Magdala, qui tient pourtant une place appréciable dans leurs textes (v. note 49). Or, il était hautement improbable que les Juifs admettent sans sourciller que des femmes seules suivent par monts et par vaux un groupe d'hommes également seuls sous le prétexte qu'elles avaient été guéries de leurs maux ou délivrées « d'esprits mauvais » ; que faisaient donc leurs maris, leurs frères et leurs enfants ? Elles auraient été traitées de femmes perdues. Et l'on peut s'étonner encore plus que Chouza, intendant d'Hérode, ait laissé sa propre épouse suivre un homme qui inquiétait son maître autant que le clergé du Temple. Le problème pratique que pose cette cohorte féminine ne contribue guère à éclaircir l'énigme : où donc toutes ces femmes auraient-elles dormi aux étapes ?

Ce point demeure obscur. Peut-être étaient-elles moins nombreuses que l'avance Luc, ou peut-être, à l'exception de Marie de Magdala, ne suivirent-elles pas Jésus sur tout son parcours. Aussi ai-je réduit leur nombre à trois ; et tempéré le dédain de Luc. Il est peu douteux que, même formées à l'esprit de sujétion des femmes à l'égard des hommes, elles n'auraient pas longtemps supporté d'être traitées en quantités négligeables.

26.

Sur les indications de Jésus, ce fut dans la ville basse que Marie choisit la maison qui hébergerait tout ce monde. La raison en était que la ville haute était le territoire des notables qui s'aviseraient vite de l'identité de leurs nouveaux voisins et qu'ils les espionneraient sans relâche. Les maisons y étaient certes plus vastes et plus confortables, mais c'étaient des demeures de riches et il ne seyait pas au défenseur des opprimés de se ranger dans leur territoire.

C'était une ancienne bâtisse de deux étages sur la rue des Verriers, qui avait échappé à l'ambitieuse reconstruction de la ville par Hérode le Grand. Les propriétaires, héritiers des anciens occupants, l'avaient cédée d'autant plus volontiers qu'ils aspiraient à s'installer dans la ville haute ; jusqu'alors, on s'en avisa vite, ç'avait été un repaire de souris et de vermine ; le quartier était, en effet, proche de la porte des Esséniens, par laquelle les balayeurs évacuaient chaque jour les ordures de la ville, déblais et charognes, vers la vallée de la Géhenne. Marie, Suzanne, Jeanne et les domestiques s'empressèrent de l'aménager, mais sans tapage, pour ne pas trop intriguer le voisinage. Les souris furent chassées à coups de balai et la vermine ne résista pas aux fumées de bois de camphrier.

— Ne venez pas tous ensemble, avait recommandé Jésus, mais par deux ou trois.

Néanmoins, les achats abondants de paillasses et surtout de vivres dès le premier jour informèrent le quartier que des occupants aisés venaient d'emménager.

Jésus emmena les visiteurs à la découverte de la ville, que la plupart d'entre eux, à l'exception de Matthieu, Thomas et Nathanaël, ne connaissaient pas. Les femmes, elles, demeurèrent à la maison, car il eût fait beau voir qu'on les aperçût dans un groupe d'hommes de par les rues. Il se rendit d'abord à la maison de la rue des Barbiers, où il avait été jadis si généreusement reçu. Simon le Silencieux n'était plus de ce monde, mais son épouse Maya, si. Elle reconnut d'emblée le bienfaiteur du défunt et tomba à genoux devant lui, en larmes. Les enfants accoururent et leur réaction ne fut pas moins émue.

— Seigneur, lui dit l'un d'eux, j'ai appris que ta renommée ne cesse de s'étendre dans le pays et jusqu'en Galilée.

— Comment l'as-tu appris ?

— Par les voyageurs et les pèlerins, lors de la dernière Pessah. Seigneur, ils disent tous que tu apportes la Lumière... Il en est même beaucoup dans cette ville qui évoquent ton nom et tes bienfaits.

L'information frappa les disciples.

— Tu comptes donc des partisans à Jérusalem, lui dit Jacques quand ils repartirent.

Mais Jésus ne lui répondit pas : l'expérience de la Galilée l'avait instruit. Un moment plus tard, il se limita à recommander aux disciples de laisser à la maison leurs bâtons et leurs bourses en raison du lieu où ils allaient. Instructions énigmatiques.

Ils montèrent vers la ville haute. Longeant les murailles de la cité de David, au nord, ils gravirent la colline de Sion et parvinrent au pied de l'enceinte monumentale qui entourait la demeure terrestre du Seigneur. L'escalier aux portes de Houlda les mena sur l'esplanade du Temple. À la vue des policiers du Temple qui patrouillaient les lieux, ou plutôt furetaient dessus, Jésus ordonna :

— Enlevez vos sandales et tenez-les à la main.

Et il leur cita la prescription de la Loi orale, la *mishnah*, selon laquelle nul ne devait entrer sur l'esplanade avec son bâton à la main, sa bourse, ses sandales ou de la poussière aux pieds. Il jugeait inutile de se colleter avec la police ; et, de fait, l'un d'eux s'approcha pour examiner le groupe d'un œil pointu.

Là-bas se dressait le sanctuaire rebâti par Hérode le Grand, le plus magnifique édifice de l'univers comme Jésus l'avait tant de fois entendu clamer. Les visiteurs clignèrent des yeux, car le soleil haut faisait étinceler les portes recouvertes d'or, à l'exception de la porte de Nicanor, dont l'airain resplendissait autant que l'or, par un miracle, assuraient les prêtres.

Les marchands de bétail et d'oiseaux et les changeurs occupaient le terrain près de la porte de Suse, en face de la cour des Femmes. Les fumées des sacrifices s'élevaient déjà dans l'air calme et l'on entendait les beuglements, les bêlements et les pépiements.

— Qu'est-ce que c'est que ces gens et ces animaux ? s'étonna Judas bar Shimon. Et pourquoi tout cet argent sur des tables ?

— Ceux qui vendent les animaux sont les marchands d'offrandes, lui expliqua Matthieu, les tables sont celles des changeurs, qui échangent les pièces des pèlerins venus d'autres pays.

— Mais c'est un marché ! s'indigna-t-il. Et comment peut-on donc acheter des offrandes si l'on n'a pas sa bourse sur soi ?

Car c'était un autre interdit conditionnant l'accès au Temple. Judas interrogea Jésus du regard et ne perçut qu'un soupir assorti d'un regard amusé en guise de réponse.

Ils pénétrèrent dans le Temple, et là, un autre motif de surprise attendait Judas : la profusion de prêtres.

— Tout ce monde au service du Seigneur ?

— Il y a huit mille prêtres à Jérusalem, l'informa de nouveau Matthieu.

L'autre n'en revenait pas, et le faste des bâtiments autour de lui ne tempérait pas son indignation. À la fin, les disciples s'en amusèrent et la visite du monument le plus splendide du monde se changea en une exploration de l'humeur de Judas.

— Qu'est-ce qui te déplaît tant ? lui demanda Jésus.

— Seigneur, regarde comme tu es vêtu : tu es l'Envoyé du Seigneur et tes sandales sont pareilles à celles du premier venu, ta tunique et ton manteau aussi. Et pourtant, tu rends la vie à des mourants. À quoi servent le faste et la pompe qu'entretiennent ces huit mille hommes ? À rendre hommage au Créateur ? Ou bien à témoigner de leur gloire ?

— Écoutez-le, dit Jésus aux autres. Il dit ce qu'il voit et ses yeux sont purs.

— Nous l'avons entendu, acquiesça Simon bar Yona. Il a parlé non seulement pour nous, mais pour bien d'autres encore dont nous ignorons le nombre.

Dès lors, Jésus témoigna à Judas une attention particulière.

À quelques jours de là, une réplique indirecte fut offerte à la réflexion de Simon bar Yona et des autres. En pleine nuit, la maisonnée et sans doute le quartier furent réveillés par les cris stridents d'une femme. Suzanne manda un domestique s'enquérir de l'origine et des causes de ces cris. Quand il revint, il rapporta que la femme, d'une maison voisine, appelait au secours parce qu'un démon s'était emparé de son mari pendant la nuit.

Était-elle folle ?

— Je suis monté voir ce qu'il en était du mari, rapporta le domestique, je l'ai trouvé sur sa couche, agité de soubresauts, bavant et roulant des yeux de fou. Les proches et les voisins s'accordaient sur le fait que l'homme était bien en proie à un démon et ne savaient comment le chasser.

Jésus avait entendu le rapport et les regards convergèrent vers lui. Irait-il au secours du malheureux et de son épouse ? Personne cependant ne l'avait appelé.

— Rabbi, dit son frère Jacques, si tu y vas, tu révéleras ta présence à Jérusalem et le lieu où tu habites.

Cela tombait sous le sens, et Simon bar Yona hocha la tête.

— Rabbi, intervint Marie, cet homme semble pourtant souffrir de son démon.

Et les minutes filaient.

— Bon, dit Jésus, résigné.

De la main, il fit signe à Judas bar Shimon et Philippe de le suivre.

Quand il arriva à la maison, éclairée maintenant de nombreuses lampes, une petite assemblée débattait des moyens de chasser le démon. Appellerait-on le rabbin, ou bien une magicienne du quartier ? L'épouse, car ce devait être elle, sanglotait dans les bras d'une autre femme. Nul ne connaissait

Jésus ni ses compagnons, sinon pour les avoir aperçus dans la rue, et on ne leur prêta donc pas grande attention ; sans doute des curieux. Dans la chambre voisine, on apercevait par la porte deux hommes essayant de maîtriser le malheureux sur sa couche. Jésus y alla et, sans s'embarrasser de préliminaires, appliqua ses deux mains sur le visage convulsé du prétendu possédé. Presque aussitôt, celui-ci s'apaisa et son corps retomba sur la couche. Son regard reprit une apparence normale. Les deux hommes, ahuris, regardaient Jésus, qui avait retiré ses mains.

— Essuyez-lui la bouche, dit-il seulement.

À côté, l'on semblait s'être avisé de quelque chose d'imprévu. Un homme et une femme entrèrent dans la chambre et virent le possédé qui reposait calmement sur le lit, les deux hommes qui avaient tenté de le maîtriser figés, comme stupides, et les trois inconnus de tout à l'heure.

— Que se passe-t-il ? Il est mort ?

— Je ne suis pas mort, répliqua le possédé. Cet homme m'a libéré...

La femme tendit le cou pour dévisager l'inconnu.

— C'est toi ? Tu l'as libéré ? Tu as chassé le démon ?

Les questions étaient allées crescendo dans l'aigu.

— C'est vrai, dit l'un des témoins, il a posé ses mains sur la tête de Joaquim et il s'est apaisé immédiatement[55].

L'épouse accourut auprès de son mari et la pièce fut envahie par ceux qui débattaient encore d'un moyen de chasser le démon.

— Qui es-tu ? Qui est-ce ? Au nom du Seigneur, qui est-ce ?

— C'est l'Envoyé du Seigneur, et il s'appelle Jésus, répondit Philippe.

— Laissez-moi passer, dit Jésus, presque étouffé par la cohue.

Tant de monde, en effet, avait envahi la chambre qu'il craignait un effondrement du plancher. Certains s'empressaient auprès du miraculé, d'autres auprès de Jésus, et ceux-là le suivirent jusque dans la rue. Judas dut jouer des coudes pour le rejoindre.

— Saint homme, attends-nous...

Il leva le bras pour les arrêter.

— Cet homme est libéré, laissez-le reposer. Quant à vous, ayez foi dans la bonté du Seigneur et allez vous coucher. La nuit est faite pour le repos des corps et des cœurs.

Comme il s'en doutait, des hommes suivirent le trio pour savoir où il allait. À la maison, Judas et Philippe racontèrent la scène et tout le monde alla dormir ce qui restait de la nuit.

Le lendemain, l'on apprit que la femme qui avait donné l'alerte était mariée de fraîche date et ignorait donc que son époux était depuis son enfance sujet à ces crises ; mais le fait demeurait : Jésus l'avait guéri. Et ceux qui avaient suivi l'Envoyé du Seigneur avaient vendu la mèche : un attroupement s'était formé devant la maison.

— Nous voulons voir l'Envoyé du Seigneur. Nous savons qu'il est celui dont la renommée s'étend au-delà de la Judée...

— Laissez-les entrer dans la cour, dit Jésus.

C'était un espace modeste ; il fut rapidement comble. On y reconnaissait celui que Jésus avait guéri dans la nuit et ses proches, les voisins et les fils de Simon le Silencieux, mais aussi beaucoup d'autres alertés par le voisinage. Si l'on levait les yeux, on voyait aussi des gens sur le toit.

— La misère des corps est légère comparée à celle des âmes. Les bienfaits des guérisons que j'ai offertes au nom du Père ne sont pas seulement la fin des peines physiques, mais d'abord ceux de la béatitude des âmes baignées de la bonté divine. Je vous dis donc, à vous dont le cœur est lourd, venez à moi, vous qui ployez sous le fardeau, et je vous soulagerai. Car mon joug est léger.

— Nous sommes avec toi, Seigneur ! répondirent plusieurs voix dans l'assistance.

— Qui n'est pas avec moi est contre moi, et qui n'amasse pas avec moi gaspille. Je vous dis : tout péché et blasphème sera remis aux hommes, mais aucun blasphème contre l'Esprit ne sera remis. Et quiconque aura dit une parole contre le fils de l'homme, cela lui sera remis. Mais celui qui aura parlé contre l'Esprit, cela ne lui sera remis ni dans ce monde ni dans l'autre.

— Dis-nous qui tu es, Seigneur.

— Qu'importe celui que je suis : si l'amour du Seigneur est dans votre cœur, c'est ce que je dis qui compte et ce que je dis vient du Père. Mes paroles sont pareilles au bon grain que le Père donne à son fils, et c'est à l'abondance de la moisson qu'on juge le semeur.

Ils parurent perplexes, n'étant à l'évidence pas familiers des paraboles.

En quelques secondes, la rumeur qui bourdonnait déjà se changea en une clameur assourdissante.

— Le Fils du Père est parmi nous !

— Vive l'Envoyé du Seigneur !

Même les témoins sur le toit criaient. Jésus se replia vers l'intérieur de la maison, où les domestiques en larmes lui baisaient les mains.

Quelques instants plus tard, le quartier entier était en effervescence.

Les ténèbres avaient envahi les maisons avant le ciel et les domestiques allumaient les lampes dans la demeure de Ben Goudjeda, chef de la police du Temple, quand un visiteur se présenta à la porte et fut admis ; c'était un familier des lieux.

Ben Goudjeda l'interrogea du regard.

— Ce Jésus bar Yousef est en ville, avec ses hommes et trois femmes.

— Trois femmes ?

— Deux sont des épouses de fonctionnaires d'Hérode.

Ben Goudjeda fit la grimace.

— Et il a recommencé ses prodiges.

Là, le chef de la police fit une moue crispée.

— Écoute, la décision du grand prêtre est de ne pas répondre à ses provocations. Mais je l'informerai quand même.

Le policier hocha la tête sans paraître convaincu, avant de prendre respectueusement congé.

Le lendemain, en effet, Ben Goudjeda informait Caïphe. Après deux ou trois contorsions de la bouche, celui-ci répondit que sa politique demeurait inchangée. Puis il ajouta :

— Mais pourquoi est-il venu à Jérusalem ?

Quelques jours plus tard, aucun habitant de Jérusalem qui détînt quelque place au bas comme au haut de l'échelle sociale n'en ignorait plus rien : Jésus bar Yousef, dit Bar Abbas, grand faiseur de prodiges, était en ville. Certains dans la ville haute connaissaient le nom et le surnom pour les avoir entendu citer par des voyageurs, d'autres dans la ville basse en avaient gardé le souvenir en raison de la guérison d'un muet, Simon le Silencieux, mais depuis les miracles de la rue des Verriers, le personnage lui-même était bien présent dans leurs esprits ; beaucoup, en effet, l'avaient vu. Et cette présence lui prêtait une impression d'urgence : s'il était là, ce n'était pas seulement pour guérir des malades ; c'est qu'il allait se passer quelque chose, mais quoi, nul n'eût su le dire. Ses surnoms, Fils du Père, Envoyé du Seigneur et même Messie, annonçaient ce quelque chose, d'autant plus que ses propos le confirmaient. On le répétait de boutique en boutique : il en avait après les gens du Temple. Pour le résumer, ces gens étaient des phraseurs pompeux pour lesquels le Temple servait plus leurs intérêts que l'amour du Seigneur. Il était grand temps de le dire haut et fort !

Parmi les notables ainsi informés, il en était un qui médita longuement ces données. Riche commerçant pharisien, possédant des terres à Béthanie, banlieue de Jérusalem*, ainsi que les vastes jardins du Golgotha, où les Romains et les Grecs s'approvisionnaient en fleurs pour leurs guirlandes, il entretenait des rapports déférents avec les gens du Temple et leur faisait des dons proportionnés à sa fortune, mais il n'en pensait pas moins ; les prêtres étaient souvent hautains et c'était en vain qu'on cherchait dans les propos de certains la sagesse et la bonté que le service du Seigneur eût dû leur inspirer. Il se rappelait souvent l'un des proverbes de Salomon : « Chacun recherche la faveur du chef, mais c'est de Yahweh seul que vient le droit de chacun. » L'avaient-ils oublié ?

Raison déterminante de méditation, cet homme, prénommé Simon, avait contracté dans son âge mûr une vilaine affection de peau, qu'on appela lèpre, mais il était vrai qu'on appelait de ce nom bien d'autres affections. Son épouse en avait pris prétexte pour le quitter et il y avait pris un surnom fâcheux, Simon le Lépreux. Ses enfants aussi l'avaient abandonné, ses

---

* Elle en est distante d'à peu près 1,5 km.

amis l'avaient oublié. Seul le voisinage de Marthe, sœur de Marie et de Lazare, entretenait en lui le souvenir des relations humaines.

Marthe était intarissable sur Jésus bar Yousef; il n'était pas une conversation où elle ne se référât à celui que sa sœur avait choisi de suivre. Et elle lui confia son secret : par deux fois, cet homme avait arraché son frère Lazare à la mort. Pourquoi Simon n'allait-il pas le prier de le guérir?

Simon y songea plusieurs jours. Un beau matin, rassemblant son courage, il enfila son manteau, rabattit sa capuche sur sa tête, enfourcha son âne et, suivi d'un domestique, se rendit à Jérusalem, rue des Verriers. Il n'eut pas besoin de demander dans quelle maison résidait Jésus : l'attroupement dans la rue le lui indiqua. Il parvint à se faufiler à l'intérieur et écouta une parabole sur un roi qui, à la fin des temps, récompensait ceux qui avaient accueilli les étrangers misérables, les avaient nourris et vêtus, et condamnait aux feux de l'enfer ceux qui avaient repoussé pareils indésirables.

À la fin de la parabole, on présenta à Jésus un adolescent tellement bossu qu'il semblait prochainement voué à marcher sur ses quatre membres. Ce qu'on voyait de son visage était pathétique de détresse. Or, Jésus lui passa les mains sur le dos et soudain, le jeune homme poussa un râle profond et menaça de tomber à plat ventre. Des témoins le soutinrent. Et chacun vit bien que le jeune homme se tenait droit. Plus de bosse. Bouche ouverte, yeux écarquillés, bras écartés, il n'exprimait que l'égarement. Puis il tomba à genoux devant son bienfaiteur et enfouit son visage dans sa tunique.

Profitant de l'émotion générale, Simon s'avança au premier rang et rabattit sa capuche en arrière. Chacun put voir la maladie qui l'affligeait et les assistants les plus proches s'écartèrent de lui, pris de répulsion :

— Seigneur, je suis cet étranger misérable dont tu parlais. Je suis démuni de toute parole de compassion et mon âme est nue. Et toi, tu ne peux être que le bienfaiteur.

Jésus et lui se firent face un moment et Simon soutint le regard qui le transperçait. Une main se posa sur son front et il ferma les yeux. Tout son corps lui parut changer de substance et il pensa défaillir. Un énorme effort de volonté l'en retint.

— Ouvre les yeux, étranger, tu es accueilli, nourri et vêtu.

Il en coûta à Simon un autre effort de volonté. Avec appréhension, il se passa une main sur le visage et, quand il regarda sa paume, elle contenait des croûtes. Puis il retourna sa main : elle se couvrait de débris de peaux mortes. Il regarda longuement Jésus.

— Tu m'as accueilli, cela est vrai. Je n'ose te toucher, mais je t'accueille dans mon cœur. Car tu as aussi rouvert mon cœur.

Il ne se livra à aucune autre manifestation de reconnaissance. Celui qui avait été bossu le considérait d'un œil effaré. La calme solennité du miracle avait pris tout le monde de court. Point de cris d'extase ni de manifestations d'émoi du miraculé : presque une cérémonie religieuse.

— Je m'appelle Simon bar Rimmon, on m'appelait le Lépreux.

— Rentre chez toi, Simon, et lave-toi. Demain, va faire le sacrifice de purification, dit Jésus avec douceur.

Simon reprit le chemin de sa maison. Quand il arriva chez lui, rayonnant, les domestiques furent saisis d'une stupeur proche de l'épouvante.

— Préparez un bain, dit-il seulement.

Il en a sans doute été ainsi de tout temps : le sort d'un notable est considéré, au moins par les notables, comme bien plus digne d'attention que celui d'un manant ; la guérison de Simon dit le Lépreux causa rapidement beaucoup plus d'émotion que celle d'un gamin de la campagne de Judée ou d'un bancroche de Galilée. Plus important encore était le ralliement de Simon bar Rimmon à la prédication de Jésus bar Yousef, dit Bar Abbas. Car nul ne pouvait plus douter que celui-ci eût fait un adepte de choix. Ben Goudjeda n'eut pas besoin de sa police secrète pour être informé de la commotion causée par l'affaire dans les milieux influents de Jérusalem, notamment les pharisiens, et ni Caïphe ni les milieux sacerdotaux exaltés n'eurent davantage besoin des informations de Ben Goudjeda. Selon une expression qui serait consacrée bien des siècles plus tard, l'affaire était dans le domaine public. Pour Caïphe, c'était une épine dans son flanc, Simon possédant en ville une maison qui jouxtait la sienne[56].

La nouvelle de cette guérison miraculeuse parvint même au Palais hasmonéen, résidence du procurateur Ponce Pilate, où elle émut l'épouse du Romain, Procula. Comble de scandale, car à la fin c'en était un pour les pharisiens, Simon bar Rimmon ne dissimulait pas le moins du monde son ralliement à Bar Abbas. Débarrassé de ses plaies, il avait pris une nouvelle épouse et rouvert sa demeure aux festivités ; pis que tout, il se répandait en propos extatiques sur l'Envoyé du Seigneur. Quelques pharisiens se rendirent à Béthanie pour l'inviter à la prudence et lui firent observer que ce Jésus Bar Abbas, comme on l'appelait, accablait les pharisiens de reproches et d'insultes.

— Ah, que voulez-vous, mes amis ! Nous avons, c'est vrai, manqué à certains de nos devoirs ! Il est encore temps de nous corriger.

Les pharisiens n'étaient pas au bout de leurs peines : Simon organisa à Béthanie un banquet en l'honneur de son bienfaiteur et y invita également les disciples. Marthe, Marie et Lazare y furent évidemment en terrain de connaissance. Était-ce par défi ou par naïveté, Simon invita aussi des amis pharisiens, et quels autres aurait-il eus, d'ailleurs, puisqu'il était lui-même pharisien. Tiraillés entre la tentation du refus, qui eût offensé Simon, et la curiosité de cet adversaire qu'ils n'avaient jamais vu en personne, ils prirent le risque d'accepter l'invitation, quitte à se le voir reprocher par des amis intransigeants.

Jésus et les disciples se retinrent de rire quand ils les virent tous, pour vérifier sa guérison, examiner leur hôte comme un marchand de tapis scrute sa marchandise, avant de le complimenter.

Quand les invités furent réunis, Simon prit la parole :

— J'accueille ce soir non pas un homme, mais l'Esprit même de la bonté du Seigneur qui s'est incarné en lui. Vous le savez tous, j'ai été lépreux et rejeté de tous. L'Envoyé du Seigneur m'a guéri. Mais je sais qu'il a guéri mon âme avec mon corps. J'étais vain, il m'a enseigné combien la fortune d'un homme est fragile. Je ne devais les affections des gens qu'à mon apparence et non à mes mérites. J'étais comme un mendiant au bord de la route, il s'est penché sur moi et m'a enseigné qu'il n'est pas de créature sur laquelle le Seigneur ne se penche si elle l'appelle. Il m'a guéri du désespoir après m'avoir dépouillé de la vanité. Gloire à l'Envoyé du Seigneur!

— Que ton exemple, Simon, soit fécond, dit Jésus.

Marie se leva alors et, tenant un petit flacon en main, elle en versa le contenu sur la tête de son époux et l'étala de ses mains. Le parfum du nard emplit la pièce et les convives s'extasièrent. S'ils soupçonnaient bien sa relation privilégiée avec Jésus, les disciples ignoraient le nouveau statut de Marie auprès de lui.

— Quelle extravagance, murmura Thomas.

Chacun savait, en effet, le prix du nard.

— Même quand ce nard sera lavé, dit Jésus qui avait deviné leurs pensées, son parfum demeurera longtemps dans vos mémoires. Il enveloppera mon corps quand je serai au tombeau. Car c'est le parfum d'un cœur pur. Puissiez-vous tous en être imprégnés.

Et le repas commença.

À commencer par Marthe et Lazare, aucun des proches de Jésus ne put plus ignorer que Marie était celle qu'il avait élue. Était-elle son épouse sur la terre ou l'était-elle dans l'Esprit, ils l'ignoraient. Mais elle était en tout cas la femme dans sa vie.

Les pharisiens, eux, étaient à cent lieues de cette question-là. Leur sentiment dominant, quand ils repartirent, fut la perplexité. Ils avaient constaté *de visu* le prodige qui s'était opéré en Simon bar Rimmon, et ce prodige ne pouvait s'expliquer que par l'intervention divine. Par ailleurs, ils avaient observé Jésus d'un œil vigilant pendant tout le repas, certains d'entre eux s'étaient même entretenus avec lui, et ils n'avaient rien trouvé de malséant ni de provocateur dans le personnage.

À quoi tenait donc l'hostilité qu'il clamait pour eux et que bien des gens dans l'entourage de Caïphe lui rendaient largement?

Notes du chapitre 26

55. Ce miracle, non rapporté par les Évangiles, figure dans ces pages pour deux raisons : la première est pour combler la soudaine interruption des miracles à l'entrée de Jésus à Jérusalem, où les occasions d'en accomplir étaient au moins aussi nombreuses que dans les campagnes, surtout à l'époque où l'affluence dans la Ville sainte était considérable, et parce qu'ils participaient étroitement à la renommée de Jésus. La seconde est pour rappeler que de nombreux cas de « possession » attribués par les Évangiles à des « esprits mauvais » étaient en fait des manifestations de troubles nerveux, ignorés de la médecine antique. En l'occurrence, j'ai donc décrit un cas d'épilepsie.

56. Il existe des raisons de penser que le personnage de Simon le Lépreux joua dans les dernières semaines du ministère de Jésus un rôle plus important que celui que lui attribuent les Évangiles. Matthieu et Marc rapportent qu'il habitait à Béthanie : ce fut chez lui que, pendant un souper, aux approches de la Pâque, « une femme » versa sur la tête de Jésus un flacon de nard, parfum coûteux dont le gaspillage aurait scandalisé Judas dit l'Iscariote (Mt. XXVI, 6 et Mc. XIV, 3). Cette femme était Marie de Magdala, dont les évangélistes s'efforçaient de réduire la place qu'elle tenait auprès de Jésus (v. note 49). Or, il est douteux qu'un lépreux ait donné un banquet sans être guéri et que Jésus et les apôtres y aient assisté ; la déduction en est que cet homme avait déjà été guéri par Jésus, et que cela avait été bizarrement ignoré. L'auteur de Luc rapporte le même épisode (Lc. VII, 39-43), mais là, ce Simon est appelé « le Pharisien », désignation à rejeter d'emblée, vu le nombre de pharisiens qui devaient s'appeler Simon. L'invraisemblance du récit et l'extravagance du comportement de la « pécheresse » qui versa le parfum sur Jésus sont telles que l'épisode entier apparaît comme une fabrication maladroite. Luc écrit en effet que cette femme « se plaçant par-derrière, à ses pieds, tout en pleurs, elle se mit à lui arroser les pieds de

ses larmes ; et elle les essuyait avec ses cheveux, les couvrait de baisers et les oignait de parfum » (Lc. VII, 36-38). On peine à se représenter les contorsions au prix desquelles cette femme aurait pu, « de l'arrière », « arroser de larmes » les pieds de Jésus. Et il est difficile d'éluder le symbolisme sexuel des pieds.

Jean, enfin, reprend le même épisode, mais cette fois il se situe dans la maison de Lazare, qui était aussi celle de Marthe et de Marie, et cette fois, c'est Marie elle-même qui est désignée comme la femme qui versa le parfum, mais là, elle n'est évidemment pas qualifiée de « pécheresse » (Jn. XII, 1-3).

Les quatre récits sont donc à l'évidence des reconstitutions différentes d'un même épisode : un repas avant la Pâque, à Béthanie, où Marie de Magdala versa du parfum sur les pieds de Jésus. On relève que deux Évangiles, dont un synoptique, évacuent le personnage de Simon le Lépreux, pour une raison inconnue. Mais on note également que celui-ci possédait une maison à Béthanie, comme Lazare et ses sœurs.

On est donc enclin à supposer que le mystérieux propriétaire de la maison de Jérusalem où eut lieu la dernière Cène fut ce même Simon (v. note 65).

27.

Deux des invités de Simon avaient été Nicodème bar Azaria et Joseph bar Natân, qu'on appelait communément Joseph d'Ephraïm, parce qu'il possédait des terres et des vignobles dans cette région des collines de Béthel. Riches propriétaires et respectés, ils étaient tous deux membres du sanhédrin et, à ce titre, ils étaient donc les mieux informés d'Israël sur les dispositions et les humeurs du grand prêtre Caïphe. Comme les autres pharisiens, ils se trouvèrent partagés entre la fidélité de rigueur à ce dernier et les évidences qu'ils avaient recueillies.

Le premier résolut d'approfondir sa réflexion par le seul moyen possible : aller interroger Jésus. Il envoya un émissaire de confiance demander si l'Envoyé accepterait de le recevoir en tête à tête et, assuré de cet entretien, il se rendit, capuche rabattue, rue des Verriers.

— Tu ne hais donc pas tous les pharisiens, déclara Nicodème, souriant.

— Même dans les terres envahies par l'ivraie, on trouve du froment et de l'orge.

— Pourquoi es-tu donc si sévère avec les pharisiens ?

— Je ne le suis qu'avec ceux qui me rejettent et qui se trahissent ainsi. Ils ne voient pas l'Esprit, mais seulement les mots écrits sur le parchemin. La Loi est pour eux un rouleau.

— Je sais que tu es Envoyé du Seigneur, car tes miracles le prouvent. Mais ne peux-tu adoucir tes blâmes ?

— Je ne peux pas plus adoucir ces blâmes qu'on n'adoucit la foudre. Vous ne voulez pas me croire, car vous restez sourds et aveugles. Nul ne sait les choses du ciel, sinon celui qui est monté au ciel. Le Fils de l'Homme, lui, les sait, car il est envoyé par le Père.

Nicodème, interdit, interrogea Jésus du regard. L'homme assis en face de lui disait donc bien qu'il était monté au ciel.

— Le Seigneur, reprit Jésus, n'a pas envoyé son fils pour juger le monde, mais pour que le monde soit sauvé. Qui croit en Lui n'est pas jugé, mais celui qui ne croit pas est déjà jugé pour n'avoir pas cru. Ceux qui me rejettent sont pareils aux enfants des Ténèbres, qui craignent la Lumière de peur qu'on ne voie que leurs œuvres sont mauvaises.

Nicodème médita ces mots.

— Tes blâmes humilient tes adversaires. Il ne peut en être éternellement ainsi. Que feras-tu ?

— Le Père seul sait ce que fera le Fils, et le Fils n'accomplira que la volonté du Père. La puissance de la Lumière vaincra alors les Ténèbres par la volonté du Père. Songe, Nicodème, que la Lumière toujours vaincra.

C'était une conclusion. Le visiteur prit congé. Le trouble que lui valait l'entretien devint insupportable. Il décida de s'en ouvrir au collègue qui avait participé au banquet de Simon, autrefois dit le Lépreux. Il arriva fort agité chez Joseph d'Ephraïm :

— Mon frère, je lui ai rendu visite et me suis entretenu avec lui. Notre opinion à tous deux est faite, je le sais : cet homme est un Envoyé du Seigneur, ses miracles le prouvent. Nous avons tous deux connu Simon bar Rimmon, nous avons constaté la maladie qui l'a affligé pendant des années. Elle ne guérit jamais seule. Mais ce Jésus y a mis fin par la seule imposition des mains. Et il a accompli d'innombrables autres guérisons de la sorte.

Joseph acquiesça.

— Mais son hostilité aux pharisiens me paraît à la fois trop humaine et irrémédiable.

— Que nous reproche-t-il ?

— D'identifier la Loi aux rouleaux, c'est-à-dire d'en ignorer l'esprit.

— On peut en débattre...

— N'y songe pas, Joseph : autant débattre avec le feu. Cet homme est possédé par sa conviction. Il est certain d'être en rapports avec le Seigneur. Il m'a même dit qu'il était descendu du ciel.

Joseph d'Ephraïm leva les sourcils.

— Descendu du ciel?

— Que je te répète ses paroles : «Nul ne sait les choses du ciel, sinon celui qui est monté au ciel. Le Fils de l'Homme, lui, les sait, car il est envoyé par le Père.»

— La panthère?

Nicodème haussa les épaules.

— Je l'ignore. Mais son pouvoir est certain.

— Que veux-tu que nous fassions?

— Je suis venu t'en parler, Joseph, parce qu'il y aura un conflit tôt ou tard. Cet homme a des partisans. Ils sont nombreux. Ils répandent même la rumeur qu'il serait l'Oint, le Messie. Reste à savoir qui donnerait l'onction royale. S'ils gagnaient dans ce conflit, nous, les pharisiens, en pâtirions. S'ils perdaient, cet Envoyé serait en danger et nous en serions accusés. Dans les deux cas, nous en souffririons.

— As-tu une idée de ses projets?

— Je le lui ai demandé. La réponse ne m'a pas éclairé : «Le Père seul sait ce que fera le Fils. Et le Fils n'accomplira que la volonté du Père.»

— Il serait, as-tu dit, le Messie?

— C'est ce qu'ils disent, pas moi.

— La question demeure, tu l'as dit : qui donc lui donnerait l'onction?

Un autre geste des épaules signifia que Nicodème l'ignorait.

— Il ne nous reste donc qu'à attendre et voir. Il y faudrait un autre grand prêtre…

Comme d'un commun accord, les deux hommes poussèrent un profond soupir.

— Il ne rit plus beaucoup, ces jours-ci, dit Jeanne, qui se retrouvait seule avec ses deux compagnes, comme presque chaque jour quand elles avaient achevé le ménage de la maison.

Jésus et les disciples étaient alors sortis, parcourant la ville et ses environs.

Marie, à qui cette réflexion était adressée, ne pouvait qu'acquiescer.

— Quand je me suis levée, cette nuit, il y avait de la lumière qui filtrait sous sa porte, dit Suzanne. Il ne dormait donc pas.

— Peut-être s'était-il endormi avec la lampe allumée, suggéra Marie.

Ces considérations anodines témoignaient que les femmes avaient toutes les trois perçu le changement d'attitude chez leur maître : quelle en était la cause, et qu'annonçait-il ?

Le même sentiment prévalait chez les disciples. Le lendemain, Jésus étant parti seul avec les frères Bar Yona, Shimon et André, explorer le quartier de la piscine de Siloé, ils se retrouvèrent à dix à grignoter des olives en sirotant du sechar dans les jardins d'un aubergiste proche du stade.

— Il fait moins de miracles, ces temps-ci, semble-t-il, observa Matthieu.

— Il ne faudrait quand même pas le prendre pour un médecin ambulant, objecta Jacques bar Zebeida. Mais il est vrai qu'il a changé d'humeur.

— Il sort moins et rentre plus tôt.

— Tu as vu comme il a rabroué Simon bar Yona, l'autre jour ? Il lui a dit qu'il était habité par Satan ! Et il l'a traité de pierre* !

Un temps passa.

— Nous révérons cet homme et nous l'aimons, nous avons tout abandonné pour le suivre, nous le voyons tous les jours, mais nous ne savons pas qui il est, observa Jacques bar Zebeida. Est-il simplement un Envoyé de Dieu ? Ou bien...

— Il dit qu'il est le Fils, interrompit son frère Jean. C'est d'ailleurs ainsi que ses partisans dans le peuple l'appellent, Bar Abbas.

— Mais, s'obstina Jacques, quand André lui a demandé s'il était l'héritier de David et s'il serait donc oint, il lui a démontré que le Fils ne pouvait pas être un nouveau David, puisque celui-ci n'est que le serviteur du Père[57].

— Est-il utile de se poser des questions quand on sait qu'on ne peut pas y répondre ? intervint Judas bar Shimon. Nous

---

* *Képha*, en araméen.

savons qu'il a été choisi par le ciel comme ses pouvoirs le prouvent. Quel besoin de chercher le nom à lui accoler ?

— Judas a raison, opina Simon le Zélote. Peut-être ne connaît-il pas lui-même le mot qui le définirait.

— Ou peut-être qu'il n'en existe pas, ajouta Jean. À propos, l'un de vous connaît-il le Livre du prophète Énoch ?

— Aucun de nous ne connaît aucun Livre, tu le sais bien, répondit Matthieu, sarcastique. Pourquoi ?

— Parce qu'il en a parlé au moins deux fois ces derniers jours. Il citait un passage où le prophète est emmené au ciel par l'ange Michaël, qui lui révèle tous les secrets du royaume céleste.

Judas demeura impassible ; les secrets, lui, il les avait entrevus avec son maître. Il avait, un soir qu'il était seul avec lui, quitté son enveloppe de chair, et il s'était élevé... Haut, très haut, peut-être jusqu'à l'ineffable... Et Jésus lui avait ensuite enseigné à redescendre en maîtrisant son âme. Car, au terme de ces ascensions, elle se débattait pour ne pas retomber dans sa condition de prisonnière... Mais il n'en souffla mot. Il avait promis le secret.

Sur quoi ils décidèrent de reprendre le chemin de la rue des Verriers. En sortant, ils s'arrêtèrent pour contempler le stade magnifique construit par Hérode le Grand.

— Ça ressemble à un palais. Qu'est-ce qu'ils font là-dedans ? demanda Simon le Zélote.

— Ils exercent leurs corps, répondit Matthieu.

— Pour quoi faire ?

— Pour être beaux et admirés.

L'explication laissa le Zélote pantois.

— On devient beau quand on exerce son corps ?

— C'est ce qu'il semblerait.

— Alors pourquoi les pharisiens n'y courent-ils pas ?

Ils se mirent à rire et reprirent leur chemin.

Le changement d'humeur de Jésus fut confirmé peu de jours plus tard. Ils étaient retournés à la piscine de Siloé, à l'extrémité sud de Jérusalem, dans la ville basse, tout près des remparts. C'était la veille du sabbat et il y avait affluence, bien que l'eau fût froide. Outre son ancienneté légendaire – Élisée n'y avait-il pas envoyé le général syrien Naaman se guérir de la lèpre ? –, la piscine, presque un petit lac en fait, était prisée des gens de Jérusalem parce que l'eau en était constamment renouvelée par la source de la rivière Gihon et qu'on ne risquait pas de tremper dans les impuretés d'un autre.

Les lieux, bordés d'une longue colonnade, étaient vastes, mais l'entrée de Jésus et des siens fut rapidement remarquée, aussi bien par ses ennemis que par ses adeptes, qui s'empressèrent autour de lui.

Il avait dépouillé son manteau et s'apprêtait à en faire autant de sa tunique quand il aperçut un spectacle désolant ; deux hommes aidaient un troisième, plus âgé, à descendre dans l'eau, bien qu'il fût presque impuissant à se mouvoir ; ses jambes étaient raides et le reste de son corps décharné n'était guère plus souple ; son expression alarmée et ses cris mal étouffés témoignaient de l'épreuve qu'étaient pour lui ces ablutions. Et que serait-ce dans l'eau ?

Jésus s'approcha des trois hommes en braies alors qu'ils observaient une pause ; le quasi-paralytique était alors assis sur le bord de la piscine, les pieds déjà dans l'eau :

— Pourquoi cet homme tient-il tant à ces ablutions ?

— Notre père, dit l'un des hommes, a toujours professé qu'une âme pure était plus sereine dans un corps pur. Il s'impose donc bien des efforts pour y satisfaire.

Le père tourna alors péniblement la tête vers Jésus :

— Je constate, étranger, que tu es aussi attaché que moi à la pureté du corps, dit-il avec un sourire en coin.

— Et à celle du cœur.

— Ah, celle-là, elle est encore plus difficile à obtenir.

La simplicité de l'homme était touchante autant que plaisante. Jésus s'accroupit et lui saisit l'épaule. L'autre sursauta et poussa un cri. Ses fils s'alarmèrent.

— Père...

L'homme battit des jambes dans l'eau.

— Père ! Tes jambes...

D'un bras toujours décharné, mais désormais agile, le miraculé se tourna à moitié et saisit le bas de la tunique de Jésus.

— Quand cet homme m'a serré l'épaule... Seigneur! Mais ce doit être... C'est l'Envoyé dont on parle!

Puis, à la stupeur de ses fils, il se redressa et fit face à Jésus.

— C'est toi, Seigneur? Ce ne peut être que toi!

Des baigneurs qui avaient assisté à la scène se rapprochèrent, d'autres, sur l'allée de pierre entourant la piscine, en firent de même et les disciples se rassemblèrent autour du petit groupe.

— Voyez, cria le miraculé, cet homme m'a rendu mon corps!

— C'est ta volonté de pureté qui en est cause, dit Jésus. Achève ce que tu es venu faire.

Les clameurs montaient déjà :

— L'Envoyé du Seigneur a encore guéri un homme!

— L'Ange du Seigneur est parmi nous!

Et surtout, cette proclamation que les disciples connaissaient bien pour la question qu'elle leur posait :

— Le Messie est parmi nous!

On identifiait sans peine les partisans et les adversaires : ces derniers restaient assis, observant la scène à distance, l'œil sourcilleux.

Jésus leva le bras :

— Votre joie en dit bien plus que vos paroles. Vous découvrez la présence du Seigneur parmi vous. Combien je déplore que ceux qui prétendaient être ses serviteurs ne vous l'aient pas déjà dit. Depuis le commencement du monde, votre Père est parmi vous. Vous n'avez écouté que vos sens mais, sourds et aveugles, vous n'avez pas entendu votre cœur. Même quand le Père vous envoie son Fils, vous vous détournez de lui et ne voyez que ce qui vous paraît prodigieux.

Quelques-uns de ceux qui étaient restés éloignés se rapprochèrent.

— Nous sommes tous les fils du Seigneur, lui lança l'un d'eux. Qui es-tu pour te proclamer son Fils, comme si tu étais le seul?

— Si le Seigneur était votre Père, vous m'aimeriez au lieu de me persécuter, car moi je suis sorti de lui, je ne me suis pas enfanté tout seul, mais vous n'êtes pas ses fils.

— Quoi? Nous ne sommes pas des enfants de putes!

— Vous êtes pis que cela. Votre père, c'est le Diable[58] !

Plusieurs des disciples s'inquiétèrent : il n'avait jamais été si loin dans l'insulte.

— Ce sont les désirs de votre père le Diable que vous voulez accomplir, car il était homicide depuis le commencement ! Quand il parle, il ment, car c'est son fonds. Mais parce que je dis la vérité, vous refusez de me croire. Qui est du Seigneur entend la parole du Seigneur et si vous ne m'entendez pas, c'est que vous n'êtes pas du Seigneur !

— Cet homme est fou ! cria l'un des baigneurs en s'élançant vers Jésus.

Il fut maîtrisé par les fils du paralytique.

— Non, c'est un Samaritain ! cria un autre. Il est possédé !

— Si j'étais possédé, ferais-je le bien ? Car c'est au nom du Père que je chasse l'affliction. Et celui qui recevra ma parole ne mourra jamais.

— Il blasphème maintenant ! Il dit que sa parole est celle du Seigneur !

— Tu ne peux être qu'un Samaritain, car tu nous insultes, nous les pharisiens...

Jésus parut alors envahi par la colère :

— Malheur à vous, tonna-t-il, scribes et pharisiens hypocrites ! Vous fermez aux hommes le royaume des cieux ! Ce royaume dont vous serez exclus, parce que vous empêchez d'y entrer ceux qui le voudraient ! Vous courez le monde pour gagner des prosélytes, et quand vous les avez trouvés, vous les entraînez dans l'enfer !

— Tais-toi, possédé !

— Malheur à vous, guides aveugles ! Vous dites : « Si l'on jure par le sanctuaire, ça ne compte pas, mais si l'on jure par l'or du sanctuaire, on est tenu. » Insensés et aveugles ! Quel est donc le plus digne, l'or ou le sanctuaire qui a rendu cet or sacré ?

Un groupe d'hommes s'élança, bien décidé à jeter Jésus à l'eau. Les disciples et plusieurs partisans s'empoignèrent avec eux. Judas bar Shimon et Simon le Zélote parvinrent à en jeter deux dans la piscine. Jésus tonnait toujours :

— Vous dites encore : « Si l'on jure par l'autel, ça ne compte pas, mais si l'on jure par l'offrande qui est dessus, on est tenu. » Esprits bornés ! Si l'on jure par l'autel, on jure par lui et par tout ce qui est dessus. Malheur à vous, scribes et pharisiens hypocrites, vous qui acquittez la dîme de la menthe, du fenouil et du cumin alors que vous négligez les points les plus importants de la Loi, la justice, la miséricorde et la bonne foi. C'était ceci qu'il fallait pratiquer sans négliger cela. Aveugles, vous filtrez le moustique et vous laissez courir le chameau.

Les échos de la querelle s'étaient sans doute propagés à l'extérieur, car on vit arriver de plus en plus de gens.

— Malheur à vous! Vous nettoyez l'extérieur de la coupe et de l'écuelle, alors que l'intérieur est rempli de vice et de rapine. Vous ressemblez à des sépulcres blanchis. Au-dehors, ils ont belle apparence, mais à l'intérieur, ils sont pleins d'ossements et de pourriture...

— Qu'on fasse taire ce fou!

— Serpents, engeance de vipères! Comment pourriez-vous échapper à l'enfer? Je vous enverrais les hommes les plus sages que vous les flagelleriez...

L'enceinte de la piscine s'était alors changée en terrain de pugilats. Ses fils avaient entraîné le paralytique miraculé et avaient décampé. Jean de Zebeida, qui avait eu l'esprit de ramasser le manteau de son maître dès avant le commencement des bagarres, le lui tendit :

— Rabbi, je crois prudent de quitter les lieux.

Il était d'ailleurs devenu impossible de s'y faire entendre. Jésus enfila son manteau et lui et sa garde se dirigèrent vers la sortie. Il en était temps : des frondeurs commencèrent à lancer des pierres.

Le conflit était déclaré.

Dans l'heure qui suivit, toute la ville fut informée de l'incident. Ben Goudjeda l'apprit une fois de plus par le chef des policiers secrets et le rapporta à Caïphe.

— Ou bien il perd la raison, ou bien il augmente la provocation, jugea ce dernier.

— Ou encore les deux à la fois.

Le grand prêtre interrogea Ben Goudjeda du regard.

— Rabbi, il a passé un certain temps à Sokoka. Là-bas, ils consomment de la panthère.

Caïphe hocha la tête.

— De toute façon, notre conduite demeurera la même : ne lui donnons pas d'importance.

— Il m'a été suggéré que les pharisiens pourraient perdre patience et commettre un acte inconsidéré...

— Non. Nous en ferions le martyr de ses partisans. Il commettra tout seul une erreur, et c'est alors qu'il tombera.

Ben Goudjeda s'en alla, songeant sans doute que le grand prêtre témoignait d'une bien grande patience.

Jésus avait regagné en sécurité la maison de la rue des Verriers. Marie, Suzanne et Jeanne étaient éplorées : Judas bar Shimon leur avait raconté les événements.

Un domestique informa sa maîtresse qu'un grand nombre d'hommes était rassemblé dans la rue, devant la maison.

— Seigneur! s'écria Marie. Sait-on ce qu'ils veulent?

— Leur maître a demandé à rencontrer le nôtre.

Marie alla prévenir Jésus. Il décida de recevoir l'inconnu devant témoins et réunit les disciples.

Dès son entrée dans la salle, l'homme s'inclina profondément, alla vers Jésus et s'inclina de nouveau devant lui avec les signes de la plus profonde déférence.

— Rabbi, je me nomme Joram bar Yéhiel et j'ai été envoyé par le grand prêtre de la communauté des frères de Sokoka. Nous sommes informés là-bas de ton combat contre les Ténèbres et, depuis mon arrivée, j'ai appris qu'il avait commencé. Jugeant que tu es sans conteste l'Envoyé céleste venu rappeler aux fils d'Abraham l'esprit de la Loi, notre grand prêtre te considère comme le rameau de la branche de David. C'est la branche dont l'apparition annonce l'heure du Seigneur et la victoire de l'Esprit contre les Ténèbres.

Leurs expressions disaient clairement la surprise des témoins. Bar Yéhiel reprit :

— Notre frère Jean bar Zekaria, mis à mort par l'un des domestiques de Satan, Hérode le Porc, t'avait déjà annoncé. Les signes que tu as multipliés depuis le confirment : tu es bien le Sauveur qui doit affranchir notre peuple du joug des kittim, créatures des Ténèbres, et présager l'avènement du Royaume. Il est donc dit que c'est toi qui relèveras le Tabernacle de David. Sois loué devant le Très-Haut. Le grand prêtre a décidé, pour te seconder dans ton combat, de t'envoyer des soldats et m'en a nommé chef. Nous sommes soixante-douze à tes ordres[59].

— Sois le bienvenu, Joram, dit enfin Jésus. Êtes-vous armés?

— Nous le sommes.

— Ne montrez pas vos armes. Ne vous montrez pas vous-mêmes en groupe. Ne prends aucune décision sans me consulter. Et dis-moi où tu habites.

— Chez Daniel le Ferronnier, rue des Vignerons, non loin d'ici.

Jésus hocha la tête. Joram bar Yéhiel s'inclina derechef.

— Rabbi, bénis-moi.

Et le visiteur s'en fut. Les témoins restèrent muets de stupéfaction. Au moment où Jésus se levait pour quitter la salle, Simon bar Yona lui demanda :

— Que va-t-il se passer maintenant, rabbi?

— Nous allons faire nos ablutions et nous prendrons le repas du soir.

— Rabbi, je veux dire…

— *Képha*, tu es pareil à l'enfant qui voit le chaudron sur le feu et se demande ce qui va se passer.

— Le chaudron est vraiment sur le feu, murmura Marie quand Jésus fut sorti.

Il revint à Jean bar Zebeida d'expliquer aux autres ce qu'était la communauté de Sokoka. Du moins d'après ce qu'il en avait appris. Il expliqua que là-bas, près de la mer de Sel, des hommes pieux avaient fondé un monastère où ils se préparaient à la venue de celui qui relèverait le trône de Sion, celui qu'avait occupé David.

Les désignations de Jésus comme Messie leur revinrent à l'esprit. Celui qui occuperait le trône de David devrait recevoir l'onction.

Marie et les deux autres femmes écoutèrent, de plus en plus songeuses. Et la question s'imposait avec plus d'urgence : qui donc lui donnerait l'onction royale?

Simon le Zélote, celui qui avait jadis vendu ses services pour faire le coup de poing, se caressait sans cesse la barbe. Certains de ses anciens employeurs tenaient des discours qui n'étaient pas très différents. Il y avait donc bien du monde dans le pays qui aspirait à un nouveau David.

D'autres visiteurs, dans l'après-midi, devaient laisser les occupants de la maison de la rue des Verriers encore plus songeurs.

— Deux hommes et une femme, annonça le domestique à Marie.

— Ont-ils dit qui ils sont ?

— Non.

Elle descendit elle-même voir. La femme était âgée, les deux hommes un peu moins. Le regard de la visiteuse intrigua Marie. Il semblait dire : « C'est donc toi. »

— C'est la maison de Jésus bar Yousef ? demanda l'un des hommes.

— Oui...

— Je suis sa mère, dit la femme, et ce sont ses frères, Judas et Joset.

Marie, interdite, ouvrit toute grande la porte et les fit entrer.

— Je vais le prévenir.

Informé, il ne dit mot.

Quand ils furent réunis, dans la salle du haut, ils demeurèrent un instant immobiles. Puis la femme s'élança vers son fils et le serra dans ses bras. Il lui caressa l'épaule.

— Joset et moi avons décidé de faire cette année le pèlerinage, dit l'aîné. Ta mère a demandé à nous accompagner...

S'étant détaché de sa mère, Jésus considéra ses demi-frères d'un œil sans chaleur.

— ... Et ta renommée nous a permis de savoir où tu demeurais.

Jacques, sans doute prévenu, entra dans la salle. Les frères se regardèrent sans émotion manifeste : ils échangèrent des salutations murmurées, mais aucune accolade. Marie maîtrisait sa surprise autant que possible.

— Tu poursuis ta protestation parce que tu peux guérir des gens et que tu te crois désigné par le Seigneur, tu n'as donc pas changé, dit Judas, d'un ton condescendant.

— Judas, le moment ne se prête pas..., intervint Miryam, la mère.

— Il ne se prête jamais, il se prend, repartit Judas. Et toi, Jacques, es-tu heureux dans ta nouvelle situation?

— Cela t'importe peu, Judas, alors je ne te répondrai même pas.

— Puisque tu es encore avec Jésus, c'est que tu es content de mettre en péril l'héritage de nos pères et des pères de nos pères.

— Je n'ai pas mis le tien en péril, Judas, et il te sied mal de parler d'héritage.

— Mes enfants, je vous en prie..., intervint de nouveau la mère.

Jésus parla pour la première fois.

— En vérité, Jacques, ces hommes ne sont ni tes frères, ni les miens. Seuls méritent ce nom ceux qui partagent ton Dieu et tes élans, eux qui sont présents à l'heure des encouragements et celle des consolations. Les autres nous montrent qu'on ne naît pas plus frère qu'on ne naît marchand de cumin, on le devient par le cœur. Toi, tu es devenu mon frère, lui et Joset ne le sont pas.

Et, se tournant vers les deux visiteurs :

— Vos reproches et vos critiques ne nous touchent pas[60].

— Allons-nous-en! s'écria Joset.

Marie, la mère, s'élança vers Jésus. Judas la tira par la manche, mettant fin à une brève étreinte. L'instant d'après, leurs pas firent un fracas dans l'escalier.

L'autre Marie resta muette et consternée. Elle avait appris qu'il valait mieux s'abstenir de parler quand les faits s'en chargeaient pour vous.

Notes du chapitre 27

57. Il est permis de se demander ce que les disciples de Jésus pensaient des contradictions entre ses propos et l'image qu'ils semblent s'être forgée de lui. Témoin ce passage : « Un notable l'interrogea : "Bon maître, que dois-je faire pour obtenir la vie éternelle en héritage ?" Jésus lui dit : "Pourquoi m'appelles-tu bon ? Dieu seul est bon" » (Lc. XVIII, 18-19), ce qui constitue un rejet formel de toute participation à la divinité. Cependant, le même Luc avait écrit le contraire : « Il [Jésus] sera grand et il sera appelé Fils du Très-Haut, et le Seigneur Dieu lui donnera le trône de David son père. » (Lc. I, 32.)

Un autre exemple de contradiction est celui où Jésus explique que le Messie ne peut pas être le fils de David, puisque David appelle Dieu son Seigneur (Lc. XX, 41-44) : il contredit ainsi formellement la déclaration à la Samaritaine, que lui prête Jean, qu'il est bien le Messie (Jn. IV. 24).

58. Bien que les récits évangéliques n'en fassent pas état, on ne peut manquer d'observer que les propos de Jésus deviennent de plus en plus violents, voire provocateurs, à partir de son retour à Jérusalem pour la dernière Pâque de son ministère. Ses invectives contre les pharisiens atteignent une violence qui annule ses propos sur l'amour que chacun doit à son prochain et contrarient radicalement l'appellation d'« Agneau de Dieu » que lui a donnée Jean. L'Évangile de Matthieu leur consacre tout un chapitre (Mt. XXVIII, 1-39), où Jésus traite les scribes et les pharisiens de « serpents, engeance de vipères ! », et appelle même la malédiction sur Jérusalem, après quoi on ne peut guère s'étonner de l'animosité des Juifs à son égard ; c'est à ce texte que sont empruntées les attaques citées dans ces pages.

J'ai situé ce discours à la piscine de Siloé, contrairement à l'Évangile de Jean (Jn. VIII, 20), qui avance que Jésus l'aurait tenu dans le Temple : il était totalement invraisemblable que Jésus ait pu impunément insulter les Juifs au Temple sans être immédiatement arrêté par la police de l'établissement; il s'agit là d'une invention de quelqu'un qui ignorait totalement la réalité du Temple, s'adressant de surcroît à un public qui n'en savait rien non plus.

Si les propos rapportés par Marc et Luc sont moins véhéments, les malheurs promis à Jérusalem dans l'Évangile de Luc, assortis de catastrophes cosmiques (Lc. XXI, 25-26), donnent à frémir.

Aucun autre passage des Évangiles canoniques ne contredit autant l'image traditionnelle du Messie pacifique sacrifié par des ennemis aveuglés.

59. L'une des énigmes des Évangiles réside dans ces soixante-douze disciples désignés par « le Seigneur », allant « deux par deux dans toute ville où lui-même devait aller », qui apparaissent soudain dans le récit de Luc (Lc. X, 1-2 et 37) et dont il n'est plus question. À l'évidence, « le Seigneur » est Jésus lui-même; mais sur quelle base a-t-il choisi ces nouveaux disciples, dont on ne connaît ni les noms ni les origines? Et pourquoi ne devaient-ils aller que deux par deux, comme pour ne pas attirer l'attention?

Cette énigme a inspiré l'hypothèse selon laquelle Jésus aurait été le chef d'une association secrète de zélotes; elle me paraît difficilement soutenable parce que les zélotes se livraient systématiquement à des actes de violence, voire de brigandage, surtout contre les Romains, et que, jusqu'à l'attaque contre les marchands du Temple, le comportement de Jésus a été systématiquement pacifique. Il m'est apparu bien plus plausible que ces soixante-douze aient constitué une délégation d'Esséniens, désormais convaincus que Jésus était bien le Messie et qu'il passait enfin à l'action physique contre l'établissement du Temple. On a vu plus haut, en effet (v. note 32), que les Esséniens étaient partisans d'une telle action et que l'attitude pacifique de Jésus avait inspiré des doutes à Jean le Baptiste (v. note 47) et sa question, « Es-tu celui que nous attendons? ». Et l'on verra plus bas (v. note 62) le rôle que Jésus réservait à ces nouveaux disciples.

60. Ce passage reflète la déconcertante froideur de Jésus à l'égard de ses parents, sa mère comprise, et ses propos sur les parents, qui sont encore plus véhéments, tous deux décrits par les Évangiles. J'ai évoqué plus haut la froideur singulière de Jésus à l'égard de sa mère (v. note 39) et sa phrase : « Qui est donc ma mère? », qui ne reflète certes pas le respect affectueux inauguré par le culte marial et toute l'iconographie chrétienne. On serait tenté de conclure qu'il s'agit là d'une défaillance des auteurs des Évangiles; mais cette froideur est confirmée plus loin, dans le récit fait par Jean des noces de Cana : quand le vin manqua, la mère de Jésus lui dit : « Il ne leur reste plus de vin. » Il répondit : « Qu'en est-il pour moi et pour toi, femme? Mon temps n'est pas encore venu. » (Jn. II, 1-11 – v. note 45.)

Mais il y a plus décisif : « Si quelqu'un vient à moi sans haïr son père, sa mère, sa femme, ses enfants, il ne peut être mon disciple. » (Lc. XIV, 26-27.) Aucune astuce de traduction n'a pu remédier à la cinglante dureté de ces mots, qui condamnent tout sentiment familial et dont on peut se demander pourquoi l'évangéliste les a transcrits.

Que Jésus ait pu tenir rigueur à ses demi-frères d'une faute passée, cela pourrait s'expliquer par un différend familial inconnu survenu à la mort de Joseph. Mais de quoi aurait-il pu tenir rigueur à sa mère?

Aussi l'on conviendra que les pages qui décrivent la dernière rencontre de Jésus avec sa mère et ses demi-frères sont tempérées.

28.

Une nuit, quelqu'un vint donner des coups de poing sur la porte cochère, criant des propos furieux et incompréhensibles. Personne ne lui ouvrit, évidemment. Comme il persistait, André, par la fenêtre à l'étage, lui versa sur la tête un pot d'urine.

Une autre fois, dans la rue, un forcené voulant sans doute se faire passer pour un possédé se précipita sur Jésus, une pierre à la main. Mal lui en prit, car Simon le Zélote le saisit par le bras et le balança comme un sac de déchets à travers la rue. Rendu encore plus furieux par l'échec, le forcené revint à la charge et fut cette fois rossé jusqu'au sang, non seulement par Simon mais également par les deux Judas.

Les jours rallongeaient et les trois femmes étaient désormais recluses dans la maison de la rue des Verriers, car il leur advenait souvent d'être insultées dans la rue par des gens qui savaient qu'elles étaient des disciples.

— Rabbi, pardonne-moi, mais je préfère rentrer à Béthanie, annonça Marie à Jésus.

Il hocha la tête et lui dit qu'il irait l'y voir. Elle emmena Suzanne avec elle. Jeanne, elle, demeura rue des Verriers, pour veiller à l'ordre domestique de la maison. Aussi, elle n'était pas d'humeur à se laisser intimider. Insultée et menacée par un passant, car il en était quelques-uns qui semblaient guetter les occupants de la rue des Verriers, elle lui avait lancé à la figure une charogne de rat qu'elle avait ramassée dans le caniveau. Et désormais, elle ne sortait plus sans un bâton, comme si elle était invalide. Il servirait à tenir en respect les insolents. Et il y en eut.

La rue étant ainsi devenue périlleuse, elle ne s'y aventurait plus que sous la protection de deux domestiques et restait le plus souvent à la maison, trop heureuse de rares entretiens avec Matthieu, le plus urbain des douze avec Thomas. Cependant, la solitude finit par avoir raison de son courage ; il advenait souvent, en effet, qu'après le repas du soir Jésus emmenât les disciples sur le mont des Oliviers, à l'est de la ville, et ils ne rentraient que tard dans la nuit, voire à l'aube. Elle demeurait alors seule dans cette maison, car il ne la conviait évidemment pas à ces sorties.

— De quoi parlez-vous, là-bas, sur le mont ? osa-t-elle demander une fois à Matthieu.

— Nous ne parlons pas, nous l'écoutons. Il nous dit que ses paroles sont l'enseignement du Père. Hier, il a dit ceci : « Quand vous aurez élevé le Fils de l'Homme, vous saurez qui je suis et que je ne fais rien de moi-même, mais je dis ce que le Père m'a enseigné et que celui qui m'a envoyé est avec moi. Il ne m'a pas laissé seul, parce que je fais toujours ce qui lui plaît. »

Pour Jeanne, c'était énigmatique.

— Vous avez compris ?

— Je crois.

— Comment élèverez-vous le Fils de l'Homme ?

Matthieu ne sut que répondre.

Le monde devenait incompréhensible autant que menaçant.

Au bout de deux semaines, Jeanne demanda à son tour à Jésus la permission de prendre congé. Il la lui accorda. Elle donna de l'argent au trésorier, Judas bar Shimon, laissa un domestique pour entretenir et approvisionner la maison et s'en fut. Il devint dès lors évident que ce havre était provisoire. Jésus, d'ailleurs, allait souvent passer la nuit à Béthanie, accompagné de Lazare.

— Cette nuit, j'ai une paillasse, dit Thomas à son voisin, Matthieu, mais demain, où poserai-je ma tête ?

Les brises s'étaient adoucies, les rameaux des figuiers, des oliviers, des pistachiers s'ornaient de jeunes pousses. Et les rues étaient soudain beaucoup plus animées : la Pessah n'était plus qu'à peu de jours et les pèlerins affluaient. Des convois de marchands menaient des animaux de sacrifice au Temple, où de nombreuses femmes venues des campagnes, et parfois de plus loin, allaient se purifier.

Une nuit, Jésus demeura jusqu'à l'aube sur le mont des Oliviers. Quelques disciples s'étaient d'ailleurs endormis sous les arbres. Jésus les réveilla :

— Je veux que vous alliez à Béthanie. Vous trouverez un jeune âne à l'attache, à l'entrée du village. Détachez-le et amenez-le-moi.

— Mais il appartient bien à quelqu'un ? objecta Simon le Zélote.

— Si l'on vous interroge, vous direz que le Seigneur en a besoin.

Ils trouvèrent l'âne, en effet, et un homme les observa sans mot dire pendant qu'ils le détachaient ; il était donc prévenu et complice du projet. Mais pourquoi donc Jésus avait-il besoin d'un âne ? Quand ils le lui ramenèrent, ils constatèrent que des inconnus entouraient Jésus ; ces gens tenaient en main des palmes et des rameaux d'oliviers ; leur chef était Joram bar Yéhiel, celui qui avait rendu visite à Jésus quelque temps auparavant. Ils jetèrent une couverture sur l'âne en guise de selle, et aidèrent Jésus à l'enfourcher. Jésus descendit ainsi le mont des Oliviers et se dirigea vers Jérusalem, escorté d'un peu moins d'une centaine d'hommes, dont les disciples, de plus en plus perplexes : que préparait donc leur maître [61] ?

Il longea l'enceinte de la ville, passant la porte Dorée et la porte des Poissons, et ne la franchit qu'à la porte des Esséniens ; là, il s'engagea dans la voie la plus longue de Jérusalem, la rue du Temple, ainsi nommée car elle y menait au terme de ses sinuosités. Peu après qu'il s'y fut avancé, les soixante-douze poussèrent des clameurs et jetèrent des palmes sur le sol, au-devant de l'âne :

— Béni soit celui qui vient ! Le roi, au nom du Seigneur ! Paix dans le ciel et gloire au plus haut des cieux !

Les passants stupéfaits dévisagèrent l'homme qui avançait sur un âne, comme David autrefois. Israël se donnait donc un roi ? Plusieurs d'entre eux se joignirent au cortège.

Les disciples stupéfaits commençaient à comprendre : Jésus revendiquait ouvertement la royauté ! Mais comment cela se passerait-il ? Quelle serait la réaction des autorités, du clergé, des Romains ? Pour le moment, ils ne pouvaient que suivre.

— Béni soit le roi ! clamaient les soixante-douze.

Des gens dans la rue reprenaient leurs cris. Les disciples les reprirent aussi. À mi-chemin, le cortège comptait bien cinq cents hommes, dont des enfants enthousiastes pensant se joindre à une fête.

— Que se passe-t-il ? demandaient des badauds.

— Le roi d'Israël est venu ! C'est l'Envoyé du Seigneur ! leur répondait-on.

Mais les douze, totalement désemparés, s'interrogeaient du regard.

Ils parvinrent au Temple. Là, Jésus sauta bas de l'âne et Joram bar Yéhiel lui tendit un fouet. D'autres parmi les soixante-douze sortirent chacun le sien des plis de leurs manteaux. Les disciples pris au dépourvu ne savaient que faire ; ils n'étaient pas prêts à abandonner leur maître, mais le fouet témoignait d'intentions agressives et les gens du Temple allaient certainement réagir. La curiosité l'emporta sur la crainte. Ils suivirent donc l'homme qui venait d'être proclamé roi[62].

Ils parvinrent sur l'esplanade, occupée par de nombreux pèlerins. Regroupés devant les treize portes du Temple, les marchands d'offrandes et les changeurs étaient en pleine activité ; ils regardèrent avec inquiétude ces hommes qui fonçaient vers eux, armés de fouets, mais ils furent pris de vitesse. Leur meneur, d'un coup de fouet, jeta à terre la table d'un changeur en criant :

— La maison de mon Père est une maison de prière, vous en avez fait un repaire de brigands !

Ses comparses, eux, fracassaient les cages d'oiseaux, fouettant aussi bien les marchands que la marchandise et répétant la même phrase.

Marchands et pèlerins, affolés par les claquements d'une douzaine de fouets, prenaient la fuite. En quelques instants, le parvis sud, celui des Païens, se changea en un pandémonium survolé par des nuées de colombes et de passereaux. Quelques marchands tentèrent de résister et se colletèrent avec leurs agresseurs, mais ils furent rapidement débordés. En bas, au pied de l'enceinte, d'autres fouettards s'en prenaient aux

marchands de gros bétail. Bœufs et brebis touchés à l'occasion par les lanières en profitèrent pour s'égailler.

Quelques minutes plus tard, une escouade de policiers du
Temple débouchait sur l'esplanade, armée de gourdins.

— Groupons-nous autour de Jésus ! cria Simon le Zélote. Et
quand il fut près de lui : Rabbi, quittons les lieux !

C'était aussi l'avis de Jésus. Ils s'éloignèrent en hâte du
théâtre des combats et redescendirent par où ils étaient venus.
Mais en bas, une surprise les attendait : les soixante-douze
avaient rallié les partisans de Jésus et les combats se poursuivaient devant l'enceinte du Temple, aussi intenses que sur
l'esplanade. Cependant, il était quasi impossible de distinguer
les combattants : l'empoignade était générale. Les disciples
alarmés cherchaient une issue quand un groupe d'hommes se
jeta sur eux. L'un d'eux, bâton en main, s'élança sur Jésus, qui
reconnut le pharisien déjà agressif qui l'avait interpellé à la
piscine de Siloé. Jean bar Zebeida le reconnut aussi et le tira
brutalement vers lui pour lui faire perdre l'équilibre. Le visage
convulsé de fureur, l'agresseur serra ses mains autour du cou
de Jean et il était de carrure à l'étrangler. Les yeux exorbités,
Jean, suffoquant, tentait de se libérer mais n'y parvenait pas.
Jésus saisit alors le bâton que le forcené avait laissé tomber et
lui en asséna un coup violent sur le crâne. L'homme tomba à
terre, inanimé ou mort, peu importait. Jean haleta[63].

— Filons ! cria Simon le Zélote.

De nouveaux cris retentissaient dans la rue. Matraques au
poing et glaives à la ceinture, la troupe romaine venait de
débouler en provenance de la forteresse Antonia. Matthieu
entraîna Jésus au pas de course vers un quartier de maisons
antiques qu'on appelait cité de David et les disciples les suivirent. Ils se retrouvèrent dans un petit jardin entre deux maisons. Personne, de la rue, ne pouvait les voir ; ils reprirent
leur souffle et demeurèrent là aussi longtemps que les cris
leur parvenaient par-dessus les maisons. Au bout d'une heure,
le calme semblait revenu en ville.

— Allons à Béthanie, dit Jésus.

Ils descendirent jusqu'au bas de la cité, sortirent des anciens
remparts près de la piscine de Siloé et prirent le chemin de
Béthanie.

— N'avais-je pas raison quand je me demandais hier où je poserais ma tête ce soir ? murmura Thomas à son voisin Matthieu.

— Il est maintenant en péril, déclara Nicodème.

Après un silence, Joseph d'Ephraïm répondit :

— Espérons qu'il soit parti vers un lieu où il sera en sécurité.

— Ce n'est pas dans son caractère. Il n'accepterait jamais d'être un fuyard.

— Mais alors ? Il ne peut pousser le défi plus loin !

Nicodème haussa les épaules pour exprimer son ignorance. Comme bien d'autres en ville, les deux hommes avaient été informés des événements depuis le matin. Ils étaient déconcertés.

— Qu'espérait-il quand il a fait cette entrée royale à Jérusalem ? demanda Joseph.

— Peut-être un soulèvement populaire.

— Et ensuite il a été attaquer le Temple ! Mais une émeute n'est pas un soulèvement populaire. Les pouvoirs du Temple et de Pilate sont toujours en place.

— Je ne sais que penser, Joseph. Mais je te le répète, il est en danger. J'estime de notre devoir de le protéger.

— Comment ? Nous ne savons même pas où il est.

— Restons vigilants.

À Béthanie, le récit de Lazare et les mines lugubres des disciples répandirent la consternation, mais pour Marie, la joie de revoir Jésus eut raison de la contenance qu'elle s'était efforcée de conserver. Elle fondit en larmes et tomba à ses pieds, comme jadis, quand le dissident de Sokoka s'était arrêté dans la même maison. Il la releva et la prit dans ses bras, lui caressant l'épaule.

Marthe et Suzanne contemplèrent la scène, immobiles, saisies. André et Matthieu, revenant du jardin, se figèrent. Personne ne pouvait plus douter que Marie fût sa femme, peut-être son épouse.

— Ils doivent nous chercher partout, dit enfin Simon bar Yona, pour briser le silence.

— Ils seront allés rue des Verriers et ils auront trouvé la maison vide, dit Lazare. Nous sommes plus en sécurité ici.

— Pour un temps, dit enfin Jésus.

Et, un peu plus tard, s'adressant à Jean :

— Je veux que tu retournes rue des Verriers et que tu me rapportes la besace que j'y ai laissée.

— Puisque tu y vas, dit Suzanne, prie les domestiques de fermer la maison et de rendre les clefs au propriétaire, puis qu'ils viennent ici.

— Mais nous? objecta Jacques bar Zebeida. Nous ne pouvons pas tous rester ici...

— Nous nous débrouillerons, lui dit Judas bar Shimon. Je connais plusieurs maisons qui nous accueilleront.

— Képha, déclara Jésus, consacrant ainsi le surnom de l'aîné des frères Bar Yona, je veux qu'à partir de maintenant tu sois leur chef, pour que tu puisses les réunir quand il le faudra. Vous, écoutez-moi, Képha est désormais la pierre de fondation de l'édifice que vous érigerez en ma mémoire, quand je ne serai plus là.

— Où iras-tu? s'écria Jean.

— Là où j'irai, vous ne pourrez pas me suivre.

Toujours cette mystérieuse autorité. Les événements explosifs qu'il venait de susciter, et dont les conséquences demeuraient imprévisibles, n'avaient donc pas changé son caractère. Il se leva pour signifier que la séance aussi était levée. Les heures qu'il venait de vivre avaient été éprouvantes et les ablutions du soir seraient certainement les plus bénéfiques de longue date.

Jean revint à temps pour le repas du soir, accompagné des deux domestiques jusqu'alors chargés de la maison. Il tendit la besace à Jésus en accompagnant le geste d'un long regard; aussi savait-il ce qu'elle contenait.

— Des gens, des ennemis à l'évidence, raconta-t-il, sont allés plusieurs fois rue des Verriers demander si le Galiléen Jésus bar Yousef et ses complices y habitaient toujours, et ils ont même exigé de fouiller la maison. L'émeute a causé trois morts et un nombre inconnu de blessés, qui ont été recueillis dans le voisinage. L'un des morts est un lévite de la police du

Temple, celui qui a essayé de m'étrangler et aux griffes duquel le maître m'a arraché, sauvant ainsi ma vie.

— Les portes de l'Enfer se sont ouvertes toutes grandes pour lui, dit Jésus.

Les femmes frémirent d'épouvante à l'idée que Jésus eut été mêlé aux bagarres.

— Un autre est l'un des soixante-douze, et l'on ignorait encore qui était le troisième quand j'ai quitté la ville.

— Si un homme de leur police est mort, observa Thomas, les gens du Temple ne vont certainement pas en rester là.

— Ils ne sont déjà plus là où ils pensent, conclut Jésus.

La nuit précédente avait été quasi blanche, la journée avait été rude, et le sommeil, immémorial ancêtre drapé de lin, de laine et de songes, se présenta plus tôt que de coutume aux convives. Sous la prompte direction de Marthe, les domestiques et les esclaves avaient pourvu aux paillasses et aux couvertures.

L'une de celles-ci au moins fut partagée.

Pour ne pas dériver loin de lui dans l'océan nocturne, un bras se tendit vers le dormeur voisin. Une main le saisit et le geste se prolongea en une caresse. Un esprit naïf ou vétilleux eût peut-être demandé qui caressait qui, étant donné que celui qui la donnait était caressé en retour dans son geste même. C'est l'un des mystères du don : qui donne reçoit.

Le lendemain, Jésus convoqua Simon bar Yona :

— Képha, demain nous célébrons la Pessah.

Simon hocha la tête : ce jour était le 10 du mois de Nisân et la fête aurait officiellement lieu pendant huit jours à partir du 15. Mais son maître rejetait la pratique imposée par le Temple, qui variait selon le calendrier, c'est-à-dire la longueur de l'année et les caprices de la lune ; il demeurait fidèle à l'enseignement reçu à Sokoka, qui célébrait la grande fête à date fixe. Depuis qu'ils étaient avec lui, les disciples s'en étaient donc tenus au calendrier des hassidim[64].

— Tu te souviens de Shimon bar Rimmon ?

— Bien sûr, rabbi, celui qu'on appelait le Lépreux.

— Je veux que tu ailles le prier de nous accueillir pour le repas.

Képha savait que Bar Rimmon était un voisin de Marthe, Miryam et Lazare à Béthanie; c'était d'ailleurs là qu'il avait donné le banquet célébrant publiquement sa guérison en même temps que son adhésion à l'Envoyé du Seigneur.

— À Béthanie, donc?

— Non, dans sa maison de Jérusalem.

Képha frémit : la maison de Bar Rimmon jouxtait celle de Caïaphe[65]. Il lança à Jésus un regard incrédule, qui s'opposa au regard impassible de Jésus.

Le défi se poursuivait donc; mais jusqu'où irait-il? Jésus envisageait-il de défier Caïaphe en personne?

Notes du chapitre 28

61. **Même** au temps de Jésus, les propriétaires d'ânesses avec leurs ânons ne les laissaient pas à l'entrée des bourgs à la disposition du premier venu : il faudrait beaucoup de crédulité pour croire que cette ânesse et son ânon n'avaient pas été disposés là par quelqu'un qui participait au plan de Jésus ; et il y avait à Béthanie deux maisons qui eussent pu poster là cette monture : celle de Marthe, Marie et Lazare, et celle du mystérieux Simon le Lépreux (v. note 65). Jésus exécutait donc un plan mûri d'avance : faire une entrée royale à Jérusalem et sans doute déclencher l'enthousiasme populaire, qui eût pris de court les autorités romaines et celles du Temple. Les récits des évangélistes sont donc controuvés, car ils ne pouvaient eux non plus souscrire au conte qu'ils officient (Mt. XXI, 1-10).

De surcroît, il existe des discordances criantes entre les Évangiles : selon Matthieu, « "Qui est-ce ? " disait-on, et les foules disaient : "C'est le prophète Jésus, de Nazareth en Galilée" », alors que selon Marc, « ceux qui marchaient devant et ceux qui suivaient criaient : "Hosanna ! Béni soit celui qui vient au nom du Seigneur ! Béni soit le royaume qui vient, de notre père David !" » (Mc. XI, 10), c'est-à-dire qu'ils acclamaient bien un roi. Tel est également le sens du récit de Luc, qui dit que « dans sa joie, toute la multitude des disciples se mit à louer Dieu d'une voix forte pour tous les miracles qu'ils avaient vus ». Et quand quelques pharisiens dans la foule lui dirent : « Maître, réprimande tes disciples », il répondit : « Je vous le dis, si eux se taisent, les pierres crieront » (Lc. XIX, 39-40), ce qui équivaut à une approbation.

L'Évangile de Jean, cependant, prend ses distances à l'égard des synoptiques ; d'abord, il ne mentionne pas les instructions de Jésus concernant l'ânon que les disciples devaient ramener de Béthanie : il est simplement dit que « Jésus trouva un petit âne et s'assit dessus, selon qu'il est écrit : "Sois sans crainte, fille de Sion. Voici que ton roi vient, monté sur un petit d'ânesse" » (Jn. XII, 14-15), et il ajoute que ses disciples ne comprirent pas tout de suite que la prédiction se réalisait ; ce qui contredit formellement les récits des synoptiques. Ensuite, Jean ne dit rien de ce qu'il advint quand Jésus parvint à destination : il se limite à dire qu'au terme d'un discours à la foule Jésus « se déroba à leur vue » (Jn. XII, 36). Selon lui, l'entrée royale dans la ville de David ne semblait pas avoir eu de répercussions.

L'explication en est que Jean dissocie l'entrée provocatrice à Jérusalem de l'épisode des marchands du Temple ; or, les deux épisodes sont étroitement liés, comme le rapportent clairement Luc (Lc. XIX, 45) et Matthieu : « Puis Jésus entra dans le Temple et chassa tous les vendeurs et acheteurs. » (Mt. XXI, 12.) On ne pouvait l'indiquer plus clairement : l'entrée triomphale était le signal d'une attaque destinée à déclencher une insurrection. L'attaque des marchands consommait la manœuvre.

62. Une opération aussi ambitieuse, sinon téméraire, que celle qu'organisa Jésus ne pouvait être envisagée sans le secours d'hommes de main ; ce fut sans doute celui qu'offrirent les mystérieux soixante-douze disciples recrutés par Jésus après son entrée à Jérusalem (v. note 59). Et sans doute aussi furent-ils ceux qui acclamèrent Jésus lors de son entrée sur l'âne, jetant des branches sur son passage.

63. J'ai exposé plus haut (v. note 1) les raisons historiques pour lesquelles l'attaque contre les marchands ne pouvait s'être déroulée sans une vigoureuse réaction de la police et du personnel du Temple. La déduction en est incontournable : ce fut la cause de l'émeute qui suivit et à laquelle participa « Barabbas ». Matthieu n'en parle pas, se limitant à dire que celui-ci était « un prisonnier fameux » (Mt. XXVII, 16), sans expliquer la raison de sa notoriété. Marc est plus explicite, précisant que Barabbas avait été « arrêté avec les émeutiers qui avaient commis un meurtre dans la sédition » (Mc. XV, 7), sans expliquer de quelle sédition il s'agissait. Luc confirme que Barabbas « avait été jeté en prison pour une sédition survenue dans la ville et pour meurtre » (Lc. XXIII, 19). Jean se limite à dire que « Barabbas était un brigand » (Jn. XVIII, 40). Seuls deux synoptiques sur trois évoquent donc l'émeute, mais cela suffit à en confirmer la réalité.

64. Si l'on s'en tient à la version des Évangiles synoptiques (Mc. XV, 42, et Lc. XXIII, 54), la dernière Cène aurait eu lieu la veille du jour où Jésus fut crucifié, « veille de sabbat », un vendredi ; ce repas se serait donc tenu le jeudi, et c'est la chronologie adoptée par la liturgie chrétienne. J'en ai démontré plus haut (v. note 11) l'impossibilité. Un détail de l'Évangile de Jean (Jn. XIII, 29) confirme d'ailleurs que ce n'était pas la Pâque juive, ou fête des azymes, que célébrait Jésus, puisqu'ils crurent, quand Judas quitta la table, qu'il allait acheter de la nourriture

« pour la fête ». La dernière Cène eut donc lieu un mercredi ou peut-être un mardi, puisque la célébration commençait la veille au soir, à la différence de la Pâque juive, qui commençait trois jours plus tard.

65. Le lieu où Jésus célébra la Pâque et institua l'Eucharistie est désigné dans les textes grecs de Marc et de Luc sous les noms distincts d'*anagaion* et d'*yperôon*, qui signifient tous deux « chambre haute ». On ignore si cette appellation correspond à une particularité architecturale ou si elle dérive de la solennité du lieu ; toujours est-il qu'en français elle a valu à ce lieu le terme noble de « cénacle ».

La maison elle-même se trouvait à Jérusalem. Une tradition d'origine inconnue voudrait qu'elle ait appartenu à la mère de l'évangéliste Marc, mais les textes eux-mêmes n'en disent rien ; ils se montrent même étrangement évasifs et paraissent déterminés à cacher le nom du propriétaire. Selon l'Évangile de Matthieu, Jésus aurait dit aux disciples : « Allez à la ville chez Untel » pour l'informer que le maître veut célébrer la Pâque chez lui (Mt. XXVI, 18) ; cette formule est unique dans les textes évangéliques. Les indications de Jésus sur la maison, dans l'Évangile de Marc, défient l'entendement autant que la vraisemblance : « Allez à la ville ; vous rencontrerez un homme portant une cruche d'eau. Suivez-le et là où il entrera, dites au propriétaire : "Le maître te fait dire : où est ma salle, où je pourrai manger la Pâque avec mes disciples ?" » (Mc. XIV, 13.) Jésus, si ce n'était Marc, croyait-il donc qu'il n'y avait qu'un seul porteur d'eau à Jérusalem ? C'est pourtant la version que reprend Luc, ajoutant que ce serait « une grande pièce garnie de coussins » (Lc. XXII, 10-12). Jean, pour sa part, élude totalement le choix et la disposition de la maison.

Tant de singularités, qui ne peuvent être accidentelles ni dues à des bévues de traducteurs ou de copistes, permettent de formuler une première question : pourquoi le nom du propriétaire de la bâtisse du Cénacle est-il si soigneusement occulté ? Il était à l'évidence un partisan de Jésus et cela aurait conforté le tableau de soutien populaire que les évangélistes s'efforçaient de tracer.

Déduction : s'ils occultent ce nom, ce ne peut être que parce que le lecteur ou l'auditeur le connaît déjà. Or, selon Marc et lui seul, d'ailleurs, Jésus se serait rendu à Béthanie après son entrée royale à Jérusalem : « Il entra à Jérusalem dans le Temple et, après avoir tout regardé autour de lui, comme il était déjà tard, il sortit pour aller à Béthanie avec les Douze. » (Mc. XI, 11.) Ce ne serait que le lendemain qu'il attaquerait les marchands du Temple (Mc. XIV, 3). Ç'aurait déjà été là un summum d'incohérence : après la provocation publique de l'entrée royale dans la Ville sainte, qui n'aurait entraîné aucune conséquence, Jésus serait allé au Temple, aurait « regardé autour de lui » et, s'avisant qu'il était tard, serait parti pour Béthanie… On peine à croire qu'un tel récit ait survécu vingt siècles sans susciter de critiques.

Mais il y a bien plus : Marc rapporte que «la Pâque et les Azymes allaient avoir lieu dans deux jours» quand Jésus se trouvait à Béthanie (Mc. XIV, 1 et 3). Et c'est là qu'eut lieu le repas chez Simon le Lépreux. Donc, la veille de la dernière Cène, Jésus était l'hôte de ce dernier.

Force est alors de lier les épisodes : l'attaque contre les marchands du Temple ayant eu lieu tout de suite après l'entrée triomphale, comme le rapportent Matthieu (Mt. XXI, 12) et Luc (Lc. XIX, 45), et contrairement à ce qu'écrivent Marc et Jean (Jn. XII, 36), il en ressort qu'après avoir déclenché l'émeute Jésus et ses disciples se sont réfugiés à Béthanie chez Simon le Lépreux.

Où donc eut lieu la dernière Cène, à Béthanie ou bien à Jérusalem ? Le détail de la «chambre haute» laisse penser que ce fut à Jérusalem. Et qui était le mystérieux propriétaire de la maison du Cénacle ? Le soin mis à celer son nom incline à déduire que ce fut Simon le Lépreux; il pouvait en effet posséder une maison à Jérusalem aussi bien qu'à Béthanie, et ce fut sans doute lui qui mit l'âne à la disposition de Jésus. Mais il était pharisien et, vu les torrents d'imprécations de leur maître contre les pharisiens, les évangélistes répugnèrent à le désigner comme propriétaire de la maison où fut fondé un rite majeur du christianisme. D'où les manipulations évidentes des récits.

Incidemment, cette maison se trouvait à un jet de pierre du palais du grand prêtre, comme l'a indiqué une reconstitution archéologique de la Jérusalem du temps (cf. Gerhard Konzelmann, *Jérusalem – 40 siècles d'histoire*, v. bibl.).

29.

Alors qu'ils se rendaient à la maison de Simon bar Rimmon, mais en groupes distants les uns des autres, Jésus prit à part Judas bar Shimon, le trésorier du groupe.

— Judas, j'ai une mission à te confier.

— Rabbi, tu le sais, je suis ton serviteur.

— C'est une mission grave.

— Alors tu m'honores encore plus.

— Quand nous aurons terminé notre repas, j'emmènerai tes frères sur le mont des Oliviers. Mais avant la fin du repas, je veux que tu te rendes chez le grand prêtre Caïphe, dont la maison est voisine, pour lui dire où nous nous trouverons.

Judas s'arrêta.

— Rabbi, pardonne-moi, j'ai dû mal entendre.

— Non, tu as bien entendu. Je veux que tu révèles à Caïphe l'endroit où nous serons.

— Mais c'est impossible, rabbi ! Ce serait une trahison !

— Youdas, tu as dit que tu étais mon serviteur.

— Mais, rabbi, ce serait pire qu'une trahison ! Ce serait t'envoyer à la mort !

— Judas, es-tu ou non mon disciple ? Ne t'ai-je pas enseigné les choses cachées ? Toi, tu te sépareras des autres, on te remplacera, mais tu seras initié à l'ascension vers l'Esprit...

Le disciple fondit en larmes.

— Ne pleure pas devant les autres, ils t'en demanderaient la raison et cela doit rester secret.

— Comment peux-tu me demander pareille chose !

— Je te la demande parce qu'il faut que s'accomplisse ce qui est écrit : il a été compté parmi les scélérats.

— Mais c'est moi que tu envoies à la mort ! C'est moi qui serai compté comme scélérat !

— Non, car tu dois vivre pour me glorifier quand je ne serai plus avec vous. Le feras-tu ? dit Jésus en posant sa main sur l'épaule de Judas.

Et celui-ci hocha la tête. Elle était si lourde qu'il aurait souhaité la laisser tomber d'un coup de la nuque.

Judas ne participa donc pas à la scène du mont des Oliviers qui précéda son arrivée avec les policiers du Temple, et dont le souvenir fut confus pour la plupart des disciples.

Jésus partagea en morceaux les galettes de Pain de Lumière qui se trouvaient dans la besace rapportée par Jean.

Peu après, certains commencèrent à avoir des visions : il leur sembla que les oliviers glissaient sur le sol, ou bien que des lumières apparaissaient dans la nuit. La plupart pensèrent qu'ils s'élevaient au-dessus de leurs corps.

D'autres, dont Képha, s'endormirent.

Là-bas, Jésus immobile priait. La mémoire apporta la voix de Jean le Prophète, jadis, à Sokoka : « Je sais qu'une tempête précédera la Lumière. Elle sera terrible, mais elle dissipera les fumées des Ténèbres ! »

Soudain, des torches, des éclats de voix et l'étincellement des cuirasses romaines.

Ils se levèrent, réveillèrent en hâte leurs frères assoupis et coururent au secours de leur maître. En vain.

Quand il fut parti, ils restèrent hébétés, en proie à une peur hallucinée.

Quelques-uns se souvinrent de la voix de Képha :

— Il faut fuir ! C'est nous qu'ils viendront arrêter ensuite !

L'aube se lèverait bientôt et, pour la police du Temple, ils seraient pareils à la vermine qu'il faut exterminer sans merci. Ils dévalèrent le mont des Oliviers, songeant à la demeure qui les accueillerait, s'il en restait une.

Judas, lui, errait dans la campagne, l'âme calcinée sur une terre qui lui semblait elle aussi calcinée. Jamais sa vie ne lui serait rendue, non, jamais[66]. Il ne lui restait qu'une issue, à lui aussi, fuir, mais de cette vie.

Note du chapitre 29

66. Les Évangiles ont forgé l'histoire et le personnage de Judas pour les siècles, le dépeignant comme le traître le plus infâme du monde, jusqu'à ce que, en 2005, la découverte de l'Évangile de Judas, un apocryphe du IVe siècle, vînt remettre les certitudes en cause. Il présentait Judas comme ayant agi sur l'ordre de Jésus ; celui-ci avait donc été une victime des Écritures, puisque cet ordre se fondait sur la nécessité, selon lui, d'accomplir leurs prédictions.

Pour certains, une lecture attentive des textes évangéliques avait déjà tempéré le mépris porté à Judas, et même, lui avait substitué des soupçons.

Une trahison, en effet, ne peut se faire qu'à l'insu de la victime et, dans les Évangiles, Jésus se montre parfaitement informé de celle qu'est censé préparer Judas : il l'annonce longuement aux disciples dans l'Évangile de Matthieu (Mt. XXVI, 20-25), et déclare même à Judas que c'est lui le traître ; à ce dernier détail près, le récit est presque identique chez Marc (Mc. XIV, 17-21) ; Luc est plus évasif et ne cite pas Judas (Lc. XXII, 21-23) et, ce qui est étrange, l'épisode ne semble pas troubler les disciples : ils se lancent alors dans un désolant concours de vanités, destiné à désigner celui d'entre eux qui serait « le plus grand ». Jean introduit dans le récit une variante symbolique : ce serait après que Jésus eut donné à Judas le quignon de pain révélateur que Satan serait entré dans ce dernier ; autant dire que jusque-là Judas n'aurait pas préparé son plan de trahison et que ce serait Jésus qui aurait ouvert la voie à Satan ; Jésus serait responsable de sa propre trahison. Plus déconcertant encore est le fait que, malgré les indications flagrantes de Jésus, les disciples auraient pensé que Judas ne quittait la Cène que pour aller faire des achats, ce qui révélerait ou bien une écoute distraite de ce que disait Jésus, ou bien un manque de perspicacité accablant (Jn. XIII, 21-30).

Dans tous les cas, selon les Évangiles canoniques, Jésus est informé de la prétendue trahison et ne fait rien pour la prévenir ; bien au contraire, il presse Judas : « Ce que tu fais, fais-le vite » (Jn. XIII, 27), c'est-à-dire : pendant que nous sommes sur le mont des Oliviers. Les Apôtres, eux, sont inexplicablement frappés d'inertie ; ils ont pourtant été prévenus par les paroles de Jésus et, au moment fatal où Judas prend le quignon de pain que lui tend Jésus, ils auraient pu mettre la main sur lui et l'empêcher de commettre son forfait. Ces récits défient l'entendement.

Les évangélistes ne tarissent pas d'injures sur Judas. « Mieux eût valu pour cet homme-là de ne pas naître », aurait dit Jésus selon Matthieu (Mt. XXVI, 24). Et Jean laisse entendre que la trahison aurait été prévisible : si Judas s'était indigné quand Marie de Magdala avait versé son coûteux parfum sur les pieds de Jésus, ç'avait été « parce qu'il était voleur et que, tenant la bourse, il dérobait ce qu'on y mettait » (Jn. XII, 6) ; il n'avait visiblement pas lu Matthieu et Marc, qui écrivent, eux, que plusieurs disciples s'étaient aussi indignés de ce « gaspillage » (Mt. XXVI, 8-9 et Mc. XIV, 4) ; ce ne fut donc pas le seul Judas qu'on eût pu taxer de mesquinerie.

Il n'est jusqu'à son nom qui ne porte la marque de l'opprobre. Depuis les débuts de l'exégèse biblique indépendante, au XIXᵉ siècle, on avait communément admis que son nom, Iscariote, dériverait de *sicarius*, mot latin signifiant « sicaire », c'est-à-dire tueur à gages, au service des zélotes. Comme bien d'autres, je me rangeai donc longtemps à l'avis des linguistes et supposai que Judas aurait été un zélote. Cependant, ces avis n'étaient pas formels, car si tel était le cas, le terme araméen ou grec eût dû être *sikarios*, et non pas *sikarioth*, et encore moins *iskarioth*.

Les doutes personnels grandirent : comment un homme se serait-il laissé désigner par une profession aussi réprimée que celle de tueur à gages ? Et pourquoi n'était-il alors pas désigné de la même façon que l'apôtre Simon le Zélote ? De surcroît, les zélotes firent surtout appel aux sicaires après la mort d'Hérode Agrippa Iᵉʳ, en 44, soit plus de dix ans après la Crucifixion. En 2010, le hasard d'une lecture m'offrit une clef : en araméen, *iscaria* signifie « hypocrisie ». La désignation « Iscariote » était donc une injure accolée au nom de l'apôtre et elle aurait signifié « Judas l'Hypocrite », et non « le sicaire ». Colportée par la tradition orale araméenne, elle aurait donc été reprise telle quelle par un traducteur grec qui n'y avait rien compris. Il appartiendra aux linguistes universitaires de prouver cette bévue, du même ordre que celle qui fit surnommer Thomas « Didyme », le nom « Thomas » et le mot « jumeau », *toum'* en araméen, ne se différenciant que par la position d'un accent. *Didymos* est un terme qui n'existe d'ailleurs pas en grec, le mot « jumeau » étant *didumogenos*.

Mais en ce qui touche à Judas, il fallait le frapper à jamais du sceau de l'infamie et jusque dans son nom. Comme dit le dicton, qui veut noyer son chien l'accuse de la rage.

En quoi aurait consisté la trahison de Judas? Selon les Évangiles, à révéler au grand prêtre la cachette de Jésus. Mais les propos de Jésus lui-même, lors de son arrestation, semblent infirmer cette explication : il s'indigne qu'on vienne l'arrêter de nuit, comme un «brigand», alors qu'il se montrait en public pendant le jour.

En fait, les récits sont réorganisés d'une façon qui ne correspond pas aux faits. L'arrestation a eu lieu après l'émeute et Jésus avait alors disparu, puisqu'il était à Béthanie, comme rappelé plus haut (v. note 65). Judas alla donc révéler au grand prêtre le lieu et le moment où ils pouvaient trouver Jésus de nuit, mais les Évangiles n'en disent rien, préférant s'en tenir à une version simplifiée où les bons et les méchants sont bien distincts.

Il faut rappeler incidemment que l'arrestation de nuit convenait bien mieux au grand prêtre; si elle avait été faite publiquement, en plein jour et pendant la Pâque, elle aurait risqué de provoquer une nouvelle émeute, comme l'indiquent les propos que Matthieu prête aux autorités du Temple (Mt. XXVI, 1-2).

Pour les évangélistes, Judas dit l'Iscariote constituait le *deus ex machina* idéal qui permettait de bâtir le mythe de l'Agneau de Dieu sacrifié par l'esprit de lucre démoniaque. Mais pour le lecteur moderne, il pose l'une des plus décisives interrogations sur la Passion : pourquoi Jésus se laissa-t-il «trahir»? Et, au moment de l'arrestation, quand un de ses disciples aurait mis la main à son glaive pour le défendre, pourquoi l'arrêta-t-il en lui disant : «Rengaine ton glaive [...] Penses-tu donc que je ne puisse faire appel à mon Père, qui me fournirait sur-le-champ plus de douze légions d'anges?» (Mt. XXVI, 52-53)?

30.

Nicodème enfreignit l'une des règles éternelles du rapport social : on ne se rend pas chez son prochain avant que le soleil soit levé et après qu'il s'est couché, sauf à y avoir été expressément invité : c'est une offense, et c'est pourquoi les régimes de terreur y ont recouru de tout temps. Il fut à l'aube du 12 de Nisân à la maison de Joseph d'Ephraïm. Celui-ci venait à peine de se réveiller.

— Ils l'ont arrêté !

— Comment le sais-tu ?

— L'un de mes domestiques est le fils de l'un de ceux de Ben Goudjeda. C'est ainsi qu'il l'a appris et me l'a rapporté aussitôt.

— Nous serons donc convoqués aujourd'hui...

Joseph avait à peine achevé ces mots qu'un domestique apparut pour lui annoncer la visite d'un scribe du sanhédrin.

— Je m'esquive ! souffla Nicodème. Il ne faut pas qu'il me voie ici à cette heure, il se douterait de quelque chose.

Son hôte lui indiqua une alcôve masquée par une courtine et l'autre y courut. L'instant d'après, le scribe apparaissait, l'air triomphal.

— Révéré frère, il y aura aujourd'hui une réunion extraordinaire de notre Conseil. Elle commence dans une heure.

— Ce qui est extraordinaire est que nous puissions tous être présents aujourd'hui après avoir été convoqués à si brève échéance.

— La sagesse du Seigneur ne manque jamais de se manifester dans les heures décisives.

— Et quel est l'objet de cette convocation ?

Le scribe hésita à répondre, puis, l'air avantageux, répondit :

— Selon le règlement, c'est à notre maître de vous l'apprendre. Mais entre nous, c'est pour un motif heureux : nous allons juger le dangereux Galiléen Jésus bar Yousef, qui a fomenté les troubles sacrilèges d'il y a deux jours. Que le Seigneur soit loué !

Sur quoi il prit congé, s'inclina et sortit.

— Il va donc passer chez moi aussi, dit Nicodème, sortant de sa cachette. À tout à l'heure.

Ce n'était pas du tout un banc, plutôt un tas de pierres à demi équarries, vestige des grands travaux d'Hérode, qui avait été assemblé de façon qu'on pût s'y asseoir ; il se trouvait dans un bosquet près de la rue à degrés partant de la porte Gennath, à l'ouest de la ville. Deux hommes y prirent place, serrant sur eux les pans de leurs manteaux.

— Es-tu sûr qu'il viendra ? demanda l'un d'eux.

La tête de Nicodème hocha sous la capuche, car ce Nisân-là était frais :

— Connais-tu un homme insensible à l'éclat de l'or ?

— Il pourrait nous faire accuser de corruption, observa l'autre, qui était donc Joseph d'Ephraïm.

— Il n'y gagnerait rien, et d'ailleurs nous ne demandons pas grand-chose en échange de l'or : juste un décalage dans l'heure de la mise en croix. Midi au plus tôt. On ne meurt pas si vite.

— Tu en es déjà convenu avec le Romain ?

— Pas dans le détail.

— Il pourrait prendre l'or et ne rien faire.

— Il n'en aurait alors que la moitié.

— Et après ?

— Après nous irons réclamer le corps.

— Quand ?

— Le plus tôt possible avant le crépuscule. Tiens, le voilà.

Nicodème se leva pour accueillir le Romain.

— Valerianus ? dit-il, levant la main en signe de bienvenue.

Le Romain hocha la tête. L'échange fut rapide.

Quand il fut parti sur la vision d'un profil de Tibère frappé dans l'or et que les deux hommes descendirent les premiers degrés de la rue, Joseph d'Ephraïm dit :

— J'ai fait prévenir son épouse Marie.

— Tu as bien fait. Mais il faudrait quand même laisser croire qu'il a été mis au tombeau...

— J'y ai pensé. La question sera facilement réglée : j'en avais fait creuser un non loin. C'était pour moi. Et ce le sera donc.

Aussi possédait-il les jardins qui s'étendaient au-delà du Golgotha.

— Les gens de Caïphe iront vérifier que le corps est bien dans le tombeau. Et ils le trouveront vide, observa Nicodème.

— On dira alors qu'il est ressuscité. Et crois-moi, aucun homme n'aura jamais eu une vie aussi longue que Jésus Bar Abbas.

Postface

Les évangélistes n'étaient pas des chroniqueurs : ils ont raconté l'histoire d'un homme qu'ils n'avaient pas connu dans un pays dont ils ne savaient pas grand-chose ; en témoignent d'innombrables erreurs telles que celle-ci : Jésus entre dans une synagogue pour y lire un texte sacré et « le volume de l'inspiré Iesha'yahou [le prophète Isaïe] » lui est donné. « Il ouvre le volume et trouve le lieu où il est écrit : le souffle de Yahweh est sur moi. » Puis il ferme le « volume » (Lc. IV, 17-20). L'auteur de ce texte ignore que les Juifs n'écrivent pas les textes sacrés sur des « volumes », mais sur des rouleaux.

Le but des évangélistes était de raconter une histoire qui devait émouvoir les foules et leur prouver que leur maître était le Fils de Dieu. Ils ne disposaient que de versions orales, déjà vieilles de deux générations et dans des langues qu'ils ne maîtrisaient pas. De plus, elles divergeaient. Et, variables par nature, ces versions orales elles-mêmes ne pouvaient témoigner que des événements et des propos des quelque trois années du ministère de Jésus ; conception et naissance mises à part, les Évangiles ne portent que sur ces années-là ; de ce fait, de vastes pans de la vie de Jésus, notamment de sa jeunesse, y sont occultés. Il n'est pas irrespectueux d'avancer que les anecdotes telles que la discussion du jeune prodige avec les docteurs de la Loi, abondamment exaltée par des siècles d'iconographie, ont été inventées : les traditions fixées plus ou moins librement par les évangélistes ne savaient visiblement rien de la vie de Jésus jusqu'à son apparition en Galilée avec ses disciples : cela représente une lacune de près de trente et un ou trente-quatre ans. Ç'avaient pourtant été les années de formation de Jésus, qu'on osera dire cruciales.

De surcroît, les premiers chefs de l'Église prenaient de grandes libertés avec les textes. Les modifications qui s'ensuivaient pouvaient être importantes, comme le prouva entre autres la découverte fortuite en 1958, au monastère de Mar Saba, d'un texte jusqu'alors inconnu de l'Évangile de Marc sur la résurrection de Lazare*. Il avait été retranché de l'original et le demeure jusqu'à ce jour : le coup de ciseau d'un censeur avait donc altéré cet Évangile pour toujours ; il en subit sans doute quelques autres, d'où sa relative brièveté, qui valut à Marc le surnom d'« évangéliste aux doigts courts ».

D'où également les discordances et contradictions indiquées dans les notes de ces pages. On serait mal fondé à leur faire un procès en affabulation : la notion d'histoire comme discipline indépendante et objective n'existait pas à l'époque, et chacun d'eux – et il y en eut plus que quatre – arrangea donc son récit de la façon qui lui semblait la plus convaincante.

La plus apte aussi à détacher Jésus du judaïsme, qui ne lui avait pas été favorable. Les évêchés qui se fondaient en Méditerranée orientale revendiquaient en effet leur totale indépendance à l'égard du judaïsme.

En foi de quoi, ces auteurs ont rejeté sur les Juifs toute la responsabilité de la tragédie divine qu'ils racontaient et déclenché une hostilité qu'on nomma pudiquement « antijudaïsme », jusqu'à ce qu'elle se transformât ouvertement en antisémitisme et que l'Église de Rome dût faire machine arrière et, vers la fin du xxᵉ siècle, renoncer officiellement à l'appellation de « peuple déicide » réservée aux Juifs, avec les conséquences que l'on sait. Près de six siècles s'étaient écoulés depuis les exactions et expulsions ordonnées par Isabelle la Catholique, un peu plus d'un demi-siècle depuis les camps de la mort.

Pour un chrétien, pratiquant ou non, mais de toute façon imprégné par une certaine culture, une zone d'ombre subsistait : pourquoi le Dieu de Jésus, qui était exactement celui

---

* Morton Smith, *Clement of Alexandria and a Secret Gospel of Mark*, v. bibl.

des Juifs, aurait-il déclenché une guerre contre le peuple qu'il avait défendu pendant deux millénaires ? La question, soulevée par quelques audacieux, ne pouvait être débattue en place publique : elle touchait aux arcanes de la théologie et les profanes n'étaient pas admis à en débattre. S'ils insistaient, on les taxait d'ignorance et de subversion, et même, on les excommuniait.

Amère ironie : des esprits sourcilleux autant que mal informés arguèrent que c'était ainsi, et que les Évangiles en témoignaient !

Si le récit que voilà diffère intégralement de ceux des Évangiles, ce n'est pas pour des raisons idéologiques mais historiques et, accessoirement, je l'ai dit dans la préface, linguistiques. Il est possible et même vraisemblable que des découvertes et des travaux à venir introduisent d'autres changements. Si l'on trouvait, par exemple, d'autres fragments du manuscrit indiquant l'existence d'une épouse de Jésus, évoqué dans l'avant-propos, on peut prévoir sans s'aventurer que les Églises seront invitées, sinon pressées à réviser bien des aspects de leur enseignement traditionnel sur la sexualité.

Demeure un point, et il est essentiel : les changements historiques n'affectent guère l'enseignement de Jésus lui-même tel qu'il est dispensé par les Évangiles et qu'ils n'ont pu inventer à l'instar du reste. Ces pages ne constituent donc aucunement une atteinte à leur autorité morale, qui découle de cet enseignement. Ce qu'elles invitent à reconsidérer, c'est leur valeur documentaire, donc leur impact sur les dogmes.

Je redis ici le principe qui m'a guidé : la recherche de la vérité me paraît plus respectueuse de l'enseignement de Jésus que la pratique des mythes, qui sont une forme supérieure du mensonge.

Quelques rappels permettront au lecteur de préciser les circonstances historiques dans lesquelles ce message s'imposa.

Le personnage dont le discours changea le rapport d'une vaste partie du monde avec la divinité fut le héraut d'un immense courant de réforme puis de révolte qui traversa le judaïsme, premier monothéisme de l'histoire.

Le mouvement de réforme s'était déjà exprimé avec le roi Josias (env. 648-608 av. J.-C.) et la découverte en 622 d'un Livre de la Loi dans les fondations du Temple, construit trois siècles et demi plus tôt par Salomon et que Josias faisait restaurer : c'était le Deutéronome, cinquième livre du Pentateuque. Plusieurs prescriptions en étaient inconnues et contredisaient même les quatre livres du Tétrateuque antérieur; ainsi Moïse – auquel ce livre est attribué, bien plus par révérence que sur preuves – y déclare-t-il : « Les pères ne seront pas mis à mort pour le compte de leurs fils et les fils ne seront pas mis à mort pour le compte de leurs pères » (Dt. XXIV, 16), ce qui est en contradiction formelle avec le Livre de l'Exode, où Yahweh déclare : « Je suis un Elohim jaloux, qui punit les crimes des pères sur les fils jusqu'à la troisième ou quatrième génération. » (Ex. XX, 5 et XXIV, 7.) La surprise fut grande à Jérusalem.

Le lieu n'est pas ici d'une étude du Code du Deutéronome, régissant la vie courante des Juifs. Qu'il suffise de dire qu'il introduisit des mesures correspondant de façon étonnante aux notions des juristes modernes : il exige deux témoins au moins pour qu'un fait soit avéré, accorde à tout accusé la présomption d'innocence, rejette la vengeance aveugle, fût-elle jusque-là tenue pour légitime. Le Dieu jaloux et vindicatif, Seigneur des armées du Tétrateuque, est absent du Deutéronome : il est remplacé par un Dieu de bonté et de miséricorde.

Et le ton en est foncièrement différent des quatre livres antérieurs : « Dieu est là, qui te tend les bras. Te détourneras-tu de lui ? » En maints passages, on croirait lire des propos inédits de Jésus. Et il apparaît alors que Jésus prêcha selon la tradition deutéronomique, plus humaine et moins tragique que celle du Tétrateuque.

La connaissance que Jésus démontre du Pentateuque et des Prophètes révèle un fait souvent méconnu : il avait accès aux rouleaux et faisait donc partie du clergé. Même certains historiens modernes semblent avoir été imprégnés par une conviction de notre temps, celle selon laquelle la parole écrite aurait été accessible à tous ou en tout cas à un grand nombre avant l'invention de l'imprimerie. Or, c'est faux : l'accès aux rouleaux était un privilège des prêtres. Jésus fut donc prêtre.

Il s'ensuit que les récits évangéliques d'une descente conquérante, de Galilée en Judée, d'un Jésus imbu d'un savoir immanent sont erronés parce que incomplets et doivent être révisés. Quand il arrive en Galilée, il est alors déjà appelé *rabbi* par les populations ; possessif dérivé de *rab*, « maître », le mot signifie « mon maître », et il est réservé aux prêtres. Jésus n'a pu acquérir son savoir et son titre de prêtre qu'auprès d'un maître agréé, c'est-à-dire qu'il a suivi un enseignement formel, sanctionné par les scribes du Temple ; cet enseignement durait plusieurs années, le premier titre de docteur non consacré, *talmid hakam*, n'étant accordé qu'à l'âge canonique de vingt ans. L'abondant usage qu'il fait des Livres, et notamment des Prophètes, prouve d'ailleurs qu'il en avait eu une longue fréquentation.

Où le titre lui fut-il décerné ? Les Évangiles ne le disent pas et sans doute l'ignoraient-ils.

La plupart des interprétations du personnage, ô combien nombreuses, négligent un élément historique majeur : le formalisme archaïque de l'institution sacerdotale juive au Iᵉʳ siècle et la servitude des Juifs à Rome, entre lesquels plus d'un fidèle établit une relation de cause à effet. La situation n'était pas sans précédents : pour les Juifs, si les aigles romaines dominaient leurs anciens royaumes, c'était parce que les prêtres auraient forfait à leur mission de défendre leur Dieu contre ceux des oppresseurs. Les prophètes surabondent en imprécations contre le peuple qui s'était détourné de sa religion pour honorer des dieux étrangers. Et la Palestine en avait vu beaucoup avant les Romains, Égyptiens, Assyriens, Babyloniens, Perses, Grecs, qui avaient sans relâche menacé le monothéisme hérité de Moïse, puis institutionnalisé par David. La longue histoire d'Israël est celle d'une lutte politique et religieuse sans fin contre l'oppresseur étranger dont les révoltes des Maccabées (IIᵉ siècle avant notre ère) et de Bar Kochba (IIᵉ siècle) furent les derniers sursauts jusqu'au XXᵉ siècle.

Le Fils du Père s'insurgea aussi en son temps. Et Barabbas devint ainsi un « brigand ».

Ce courant de révolte s'exprima à travers deux mouvements principaux, les zélotes et les Esséniens.

Les zélotes constituèrent une secte depuis les dernières années du règne d'Hérode le Grand, alors que l'hellénisation de la Méditerranée et l'hégémonie romaine menaçaient d'adultérer le judaïsme. La pratique de l'hébreu régressait en faveur de l'araméen et du grec. Bien des Juifs de la diaspora ne parlaient plus que le grec et ne pouvaient ni lire ni comprendre les textes de l'Ancien Testament. La Loi mosaïque tombait en déshérence. Bien des Juifs, dont des pharisiens, avec lesquels Jésus se montra pourtant si véhément, en avaient conscience. Quand Hérode le Grand commit l'imprudence de faire surmonter d'un aigle d'or, emblème du pouvoir romain, le Temple qu'il avait reconstruit, des pharisiens outrés montèrent le desceller ; ils furent les premiers zélotes, partisans de la Loi et indignés par le sacrilège. Ils se manifestèrent de nouveau en l'an 6, quand les notables juifs protestèrent auprès de Rome contre le pouvoir tyrannique d'un fils d'Hérode, Archélaüs, qui fut démis. Après la mort d'Hérode Agrippa Ier, en 44, leur influence ne cessa de s'affirmer et ils furent responsables des insurrections qui durèrent de 66 à 73 et menèrent à la prise de Jérusalem et à l'incendie du Temple par les Romains, deux désastres qui semblaient réaliser l'apocalypse des prophètes. D'inspiration religieuse, leur action finit par prendre un tour politique.

Certaines thèses récentes ont tenté de présenter Jésus comme un zélote, omettant ainsi son hostilité maintes fois déclarée aux pharisiens.

D'origine plus ancienne, les Esséniens, parfois appelés Esséens, envisageaient eux aussi une action armée pour la prise du pouvoir, comme en témoigne *La Règle de la guerre* cité dans ces notes (v. note 32). Mais leur action fut strictement religieuse, et s'ils se battirent de 167 à 160 av. J.-C. aux côtés des Maccabées contre le Séleucide Antiochos IV Épiphane, ce fut pour défendre leur foi contre ce monarque tyrannique. Partisans intransigeants de la Loi mosaïque, ils fondèrent une communauté au nord de la mer Morte, où la majorité d'entre eux menait une vie austère et monastique, hors du monde.

Les Esséniens constituaient depuis le IIe siècle av. J.-C. une secte farouchement hostile au clergé de Jérusalem et se proposaient ni plus ni moins que de le renverser et de prendre Jérusalem et le Temple par les armes. Le texte explicite autant qu'abondant de *La Règle de la guerre* en témoigne formellement. À leur époque, où nul n'aurait songé distinguer la loi civile de la loi religieuse (même au XXIe siècle, la séparation de l'État et du pouvoir religieux est loin d'être universelle), leur projet était ouvertement subversif ; à la nôtre, ils auraient été qualifiés de terroristes ; terroristes mystiques peut-être, mais terroristes quand même : ils fabriquaient bien des armes.

D'un point de vue théologique, les textes sont divers : les plus anciens professent un dualisme catégorique entre les forces de la Lumière et celles des Ténèbres et ne visent qu'au strict respect de la loi de Moïse ; mais par la suite, on y distingue une nette attente messianique qui présage pour certains de l'idée que Jésus se faisait de sa mission.

Que Jésus se soit joint à eux est évident : le baptême qu'il se fait administrer par Jean le Baptiste (dont on oublie trop souvent de rappeler que c'était son cousin) est un rite qui n'existait que chez les Esséniens, et dont des interprétations fantaisistes ont tendu à faire croire que, en se le faisant administrer, Jésus quittait sa judaïté pour embrasser un christianisme en gestation. Or, c'était le rite initiatique des Esséniens, et il ne fut certes pas administré de la façon que racontent les évangélistes.

Pourquoi Jésus se joignit-il à eux ? Une partie de la réponse réside dans son expérience de jeune rabbin, *talmid hakam* : la condescendance, sinon l'hostilité du grand clergé de Jérusalem à un prêtre en puissance, sans légitimité certifiée et de surcroît galiléen – « Est-il jamais venu quelque chose de bon de Galilée ? » – le plaçait en situation d'infériorité constante et humiliante. Les études sur l'organisation cléricale juive de l'époque en tracent un tableau qui évoque les anciens régimes des époques ultérieures : il existait une véritable aristocratie sacerdotale, les fonctions supérieures y étaient héréditaires et l'enrichissement personnel allait de pair avec une pratique des affaires commerciales qui ne pouvait que heurter un prêtre pauvre et considéré comme étranger. Je renvoie le lecteur à la magistrale synthèse de Joachim Jeremias, *Jérusalem au temps de Jésus**.

De nombreux exégètes** ont indiqué les similitudes entre l'action de Jésus et les pratiques et enseignements esséniens ; elles ne peuvent résulter de coïncidences et confortent donc l'hypothèse d'un séjour de Jésus à Quoumrân, qui s'appelait alors Sokoka, rappelons-le. Mais il serait abusif d'en déduire que ce serait là qu'il aurait trouvé les éléments de son enseignement et qu'il leur aurait été assujetti. Deux faits incitent à le penser : le premier est qu'il quitta cette communauté pour entreprendre une campagne de conversion indépendante à travers la Palestine, et le second est qu'on ne dispose pas d'indices de leur réaction à l'arrestation de Jésus. Tout au plus peut-on supposer, comme je l'ai fait, que les mystérieux soixante-douze disciples qu'il choisit vers la fin de son ministère, avant son ultime entrée à Jérusalem, étaient en fait des Esséniens venus lui prêter main forte.

On ignore les raisons pour lesquelles Jésus aurait quitté Quoumrân, mais elles n'impliquent pas nécessairement un conflit. Peut-être la vie principalement contemplative de la communauté ne satisfit-elle pas son besoin d'action. Peut-être aussi ne trouvait-il pas sa place dans la hiérarchie sacerdotale de Quoumrân ; certes, elle s'entourait de moins de fastes et de privilèges héréditaires que celle de Jérusalem, mais elle n'en était pas moins fortement structurée et farouchement attachée à la tradition mosaïque.

Enfin, il se peut que sa notion de la messianité n'ait pas correspondu à celle des Esséniens. Comme l'a relevé Jean Daniélou, le Messie sacerdotal devait descendre d'Aaron, frère supposé de Moïse, et ce n'était pas son cas. Jésus avait conféré un tout autre sens à cette notion. D'où la question à la fois troublante et révélatrice du Baptiste alors qu'il était

---

* V. bibl.

** Jean Daniélou, *Les Manuscrits de la mer Morte et les Origines du christianisme*, v. bibl.

prisonnier d'Hérode : « Es-tu celui que nous attendons ou bien en viendra-t-il un autre ? »

Jésus admit bien un zélote parmi ses disciples, Simon, dit le Cananéen par Matthieu et Marc (appellation dénuée de sens car l'immense majorité des Juifs étaient des Cananéens), et que Luc et lui seul désigne clairement comme Zélote (Lc. VI, 15), mais ses affinités avec les Esséniens prédominaient. Il partageait avec eux l'exécration du clergé du Temple et de Jérusalem, dont le formalisme lui apparaissait complice passif de la sclérose menaçant le judaïsme. Il était donc en rupture avec ce qu'on peut appeler la religion officielle. Ses pouvoirs de guérisseur lui conféraient un prestige d'élu de Dieu, donc de chef, et les guérisons étaient un moyen irrésistible de le démontrer. Aussi les multiplia-t-il dans sa conquête de la Judée après celle de la Galilée, jusqu'au moment où l'action lui apparut comme nécessaire.

Dans la perspective de l'histoire, l'entrée royale à Jérusalem et l'attaque contre les marchands du Temple furent une tentative de coup de force ; elle échoua. Jésus espéra-t-il que la Crucifixion fouetterait alors l'esprit de révolte de ses disciples ? Peut-être. Mais le sacrifice ultime, par la main des Romains, paralysa sans doute leur ardeur. Pour eux, la partie était perdue. Courte vue.

Deux hommes sauvèrent sa vie après le supplice. Les détails par trop bizarres de l'inhumation et de la découverte du tombeau vide ne peuvent en ébranler ma conviction. Pour les évangélistes, la notion de la divinité de Jésus exigeait qu'il fût ressuscité. L'Église, pourtant, n'admit cette divinité qu'en 381.

L'essentiel pour les siècles ultérieurs fut que l'enseignement survécût et que, pour les croyants, un Dieu de bonté fût présent dans leurs vies. Il le devint. Bien que l'appareil sacerdotal tendît à se reconstituer, dès les premiers siècles de l'Église – ou, faudrait-il dire, des Églises – jusqu'au séisme de la Réforme, l'esprit de cet enseignement, en effet, filtra au travers des appareils qui s'étaient adjugé l'exclusivité de sa diffusion. L'accès individuel à la divinité s'imposa et les fidèles se trouvèrent dispensés des rites onéreux que les prêtres entretenaient depuis des siècles. Il n'est plus besoin de sacrifier un agneau pour obtenir le pardon de cette divinité, le repentir est gratuit au sortir du confessionnal et les oboles aux Églises sont facultatives. On peut aujourd'hui prier le Seigneur sans intermédiaire.

Si l'on ose le dire, Jésus avait démocratisé la religion.

Son enseignement visait à restaurer le rapport direct de son peuple avec la divinité, et donc à mettre fin à l'hégémonie d'une classe sacerdotale héréditaire, véritable aristocratie qui considérait ce peuple à l'égal du tiers ordre de l'Ancien Régime d'avant 1789. Jésus fut donc un révolutionnaire, et l'on ne peut s'étonner des similitudes de sa trajectoire avec celles de héros politiques des siècles postérieurs.

Sa survie après le supplice pose évidemment une question que nulle autorité religieuse chrétienne ne saurait prendre en considération : où alla-t-il ? La réponse en est évoquée dans un passage de chroniques en sanscrit, les *Bhavishiya Mahapurana*, qui relate la rencontre au Ladakh entre un roi du nord de l'Inde, Shalivahân, et un personnage au teint clair, vêtu de blanc, qui se présente comme Isa Masih, ce qui serait une transcription phonétique de «Jésus Messie» en araméen. Shalivahân est un personnage historique qui régna dans le dernier tiers du 1er siècle. Recoupant plusieurs points de son histoire, les propos d'Isa Masih peuvent être attribués à Jésus.

Mais le sujet est bien trop vaste pour être détaillé ici. J'en ai traité longuement dans *Jésus de Srinagar*. Et je me limiterai à rappeler qu'il existe à Srinagar, au Cachemire, un «Tombeau de Jésus», le Rauzabal.

Bibliographie sommaire

Allegro, John, *Le Champignon et la Croix*, Albin Michel, 1971.

La Bible, traduite et présentée par André Chouraqui, Desclée de Brouwer, 1985.

Bultmann, Rudolf, *Histoire de la tradition synoptique*, Le Seuil, 1973.

Carmignac, Jean, et Guilbert, Pierre, *Les Textes de Qumrân traduits et annotés – La Règle de la Communauté – La Règle de la Guerre – Les Hymnes*, Letouzey et Ané, 1961.

Daniélou, Jean, *Les Manuscrits de la mer Morte et les Origines du christianisme*, Éditions de l'Orante, 1957 et 1974.

Delcor, Mathias, *Qumrân, sa piété, sa théologie et son milieu*, Duculot, Paris-Gembloux, et Leuven University Press, Louvain, 1978.

Dubourg, Bernard, *L'Invention de Jésus*, « L'Hébreu du Nouveau Testament », t. 1, « La Fabrication du Nouveau Testament », t. 2, NRF/Gallimard, 1987-1989.

Écrits apocryphes chrétiens, sous la direction de François Bovon et Pierre Geoltrain (coll.), Gallimard, 2007.

Edersheim, Alfred, *The Life and Times of Jesus the Messiah*, Hendrickson Publishers, 1993.

Girard, André, *Dictionnaire de la Bible*, Bouquins/Robert Laffont, 1989.

Gys-Devic, « Enquête sur Nazareth », *Cahiers du cercle Ernest Renan* n° 193, 1996.

Haberman, Gary, et Flew, Anthony, *Did Jesus Rise from the Dead?*, Harper & Row, San Francisco, 1987.

Horsley, Richard A., et Hanson, John S., *Bandits, Prophets, and Messiahs – Popular Movements at the Time of Jesus*, A Seabury Book, Winston Press, Minneapolis, Chicago, New York, 1985.

Jeremias, Joachim, *Jérusalem au temps de Jésus*, Éditions du Cerf, 1962.

Konzelmann, Gerhard, *Jérusalem – 40 siècles d'histoire*, Robert Laffont, 1985.

Magee, Michael D., *The Mystery of Barabbas*, AskWhy Publications, Selwyn, Frome, Grande-Bretagne, 1995.

Peynaud, Émile, *Le Vin et les Jours*, Dunod, 1988.

Rogerson, John, *Nouvel Atlas de la Bible*, Éditions du Fanal, 1987.

Schlegel, Martin, *Crucifixion*, SCM Press, Philadelphie, 1997.

Smith, Morton, *Clement of Alexandria and a Secret Gospel of Mark*, Harvard University Press, Harvard, 1973 – *The Secret Gospel*, Victor Gollancz, Londres, 1974 – *Jesus the Magician*, Victor Gollancz, Londres, 1978.

L'auteur a traité plus en détail plusieurs points de ces pages dans *Contradictions et invraisemblances dans la Bible*, L'Archipel, 2013. Il a également publié *Jésus de Srinagar*, Robert Laffont, 1995, et *Padre Pio ou les prodiges du mysticisme*, Presses du Châtelet, 2008.

Composition Datamatics
Cet ouvrage a été achevé d'imprimer
par CPI BRODARD ET TAUPIN
La Flèche
en septembre 2014

JC Lattès s'engage pour
l'environnement en réduisant
l'empreinte carbone de ses livres.
Celle de cet exemplaire est de :
917 g éq. CO_2
Rendez-vous sur
www.jclattes-durable.fr

PAPIER À BASE DE
FIBRES CERTIFIÉES

N° d'édition : 01 – N° d'impression : 3006985
Dépôt légal : octobre 2014
Imprimé en France